ILUDIDOS PELO ACASO

Nassim Nicholas Taleb

Iludidos pelo acaso
A influência da sorte nos mercados e na vida

TRADUÇÃO
Sérgio Moraes Rego

11ª reimpressão

Copyright © 2004 by Nassim Nicholas Taleb
Todos os direitos reservados.

Grafia atualizada segundo o Acordo Ortográfico da Língua Portuguesa de 1990, que entrou em vigor no Brasil em 2009.

Título original
Fooled by Randomness: The Hidden Role of Chance in Life in the Markets

Capa
Helena Hennemann/ Foresti Design

Ilustração de capa
Eduardo Foresti/ Foresti Design

Tradução de textos complementares
Lígia Azevedo
Renato Marques

Revisão técnica
Guido Luz Percú

Preparação
Adriane Piscitelli
Lígia Azevedo

Índice remissivo
Probo Poletti

Revisão
Thaís Totino Richter
Ana Maria Barbosa
Carmen T. S. Costa

Dados Internacionais de Catalogação na Publicação (CIP)
(Câmara Brasileira do Livro, SP, Brasil)

Taleb, Nassim Nicholas
    Iludidos pelo acaso : a influência da sorte nos mercados e na vida / Nassim Nicholas Taleb ; tradução Sérgio Moraes Rego. — 1ª ed. — Rio de Janeiro : Objetiva, 2019.

    Título original: Fooled by Randomness : The Hidden Role of Chance in Life in the Markets.
    Bibliografia.
    ISBN 978-85-470-0096-7

    1. Acaso 2. Estatística matemática 3. Investimentos 4. Probabilidades 5. Variáveis aleatórias. I. Título.

19-30626   CDD-332.6

Índice para catálogo sistemático:
1. Acaso : Mercado financeiro : Economia   332.6

Cibele Maria Dias – Bibliotecária – CRB-8/9427

Todos os direitos desta edição reservados à
EDITORA SCHWARCZ S.A.
Praça Floriano, 19, sala 3001 — Cinelândia
20031-050 — Rio de Janeiro — RJ
Telefone: (21) 3993-7510
www.companhiadasletras.com.br
www.blogdacompanhia.com.br
facebook.com/editoraobjetiva
instagram.com/editora_objetiva
twitter.com/edobjetiva

À minha mãe, Minerva Ghosn Taleb

Sumário

Prefácio à segunda edição atualizada 9

Prólogo — Mesquitas nas nuvens 19

PARTE I: O ALERTA DE SÓLON — OBLIQUIDADE, ASSIMETRIA, INDUÇÃO

1. Se você é tão rico, por que não é tão esperto? 31
2. Um método contábil bizarro 47
3. Uma reflexão matemática sobre a história 65
4. Acaso, tolice e o intelectual científico 88
5. Sobrevivência do menos apto: a evolução pode ser iludida pelo acaso? 95
6. Obliquidade e assimetria 111
7. O problema da indução 127

PARTE II: MACACOS EM MÁQUINAS DE ESCREVER — VIÉS DO SOBREVIVENTE E OUTRAS DISTORÇÕES DOS FATOS

8. Milionários demais no vizinho 146
9. É mais fácil comprar e vender do que fritar um ovo 154
10. O perdedor leva tudo — sobre as não linearidades da vida 175
11. O acaso e nosso cérebro: somos cegos à probabilidade 183

PARTE III: CERA NOS OUVIDOS — VIVENDO COM ACASONITE

12. Tiques de jogador e pombos numa caixa	222
13. Carnéades chega a Roma: sobre probabilidade e ceticismo	229
14. Baco abandona Antônio	239
Epílogo — Sólon avisou	243
Pós-escrito: Três adendos no chuveiro	245
Uma viagem à biblioteca: Notas e recomendações de leitura	254
Agradecimentos	279
Agradecimentos da segunda edição atualizada	282
Referências bibliográficas	287
Índice remissivo	299

Prefácio à segunda edição atualizada

LEVANDO O CONHECIMENTO MENOS A SÉRIO

Este livro é a síntese, por um lado, do profissional sensato em relação à incerteza, que passou a vida tentando não ser iludido pelo acaso e driblar as emoções associadas a resultados probabilísticos, e, por outro, do ser humano obcecado pela estética, amante da literatura, desejoso de ser ludibriado por qualquer forma de absurdo que seja elevado, refinado, original e de bom gosto. Já que não consigo deixar de ser um joguete nas mãos do acaso, o que posso fazer é confinar a aleatoriedade a um lugar que me traga alguma satisfação estética.

Iludidos pelo acaso é visceral; é um ensaio pessoal que discute essencialmente os pensamentos, embates e observações do autor relacionados à prática de assumir riscos, não exatamente um tratado, e com certeza não um artigo científico, Deus me livre. Foi escrito por diversão e visa a ser lido (sobretudo) por e com prazer. Muito se escreveu na última década sobre nossos vieses (adquiridos ou genéticos) ao lidar com a aleatoriedade. As regras, enquanto eu escrevia a primeira edição deste livro, envolviam evitar discutir (a) qualquer coisa que eu não tivesse testemunhado pessoalmente ou que não tivesse desenvolvido de forma independente e (b) qualquer coisa que não tivesse apurado o bastante para ser capaz de escrever sobre o assunto com o mínimo de esforço. Tudo aquilo que se parecesse remotamente com trabalho estaria excluído. Tive que extirpar do texto os trechos que pareciam ser fruto de uma visita à biblioteca, incluindo as pedantes menções a nomes científicos. Tentei não usar nenhuma citação que não brotasse na minha memória de forma natural e que não viesse de um escritor do qual eu fosse íntimo (detesto a prática do uso aleatório da sabedoria emprestada — falarei muito sobre isso adiante). *Aut tace aut loquere meliora silentio* (apenas quando as palavras superam o silêncio).

Essas regras permanecem intactas. Mas às vezes a vida exige concessões: sob pressão de amigos e leitores, acrescentei à presente edição uma série de notas de fim de texto não intrusivas referentes à literatura relacionada. Adicionei também material novo à maioria dos capítulos, sobretudo ao 11. Tudo somado, isso resultou numa expansão do livro em mais de um terço.

Agregar pontos ao vencedor

Espero tornar este livro orgânico — para usar o jargão dos traders, "agregando pontos ao vencedor" — e deixar que ele reflita minha evolução pessoal em vez de me aferrar a essas novas ideias e colocá-las numa nova obra. Estranhamente, pensei muito mais sobre algumas seções deste livro *depois* da publicação do que antes, em especial acerca de duas áreas distintas: (a) os mecanismos por meio dos quais nosso cérebro enxerga o mundo como menos, e muito menos, aleatório do que ele de fato é e (b) as "caudas grossas", aquela variedade desenfreada de incerteza que causa grandes desvios (eventos raros explicam cada vez mais o mundo em que vivemos, mas ao mesmo tempo continuam sendo tão contraintuitivos para nós como eram para nossos ancestrais). A segunda versão deste livro reflete a mudança de rumo do autor no sentido de se tornar menos um estudante da incerteza (podemos aprender muito pouco sobre aleatoriedade) e mais um pesquisador sobre as maneiras pelas quais as pessoas são enganadas pelo acaso.

Outro fenômeno: a transformação do autor por seu próprio livro. À medida que comecei a viver cada vez mais este livro *depois* da composição inicial, encontrei a sorte nos lugares mais inesperados. É como se houvesse dois planetas: um em que vivemos de fato e outro, consideravelmente mais determinista, no qual as pessoas estão convencidas de que vivemos. É simples assim: os eventos do passado *sempre* parecerão menos aleatórios do que eram (o que é chamado de *viés retrospectivo*). Eu ouvia alguém discorrendo sobre o próprio passado e percebia que muito do que a pessoa dizia era apenas uma explicação remodelada, engendrada por sua mente iludida. Isso passou a ser, por vezes, insuportável: eu percebia que olhava para as pessoas nas ciências sociais (em especial na economia convencional) e no mundo dos investimentos como se elas fossem perturbadas. Viver no mundo real pode ser doloroso, sobretudo se você considera mais importantes e informativas as pessoas que fazem as declarações do que a mensagem que elas pretendem comunicar: hoje de manhã peguei a *Newsweek* no consultório do dentista e li um artigo sobre um relevante figurão do mundo dos negócios, com destaque para sua habilidade em "manipular o tempo". Então me dei conta de que acabei elaborando uma lista dos preconceitos do jornalista em vez de apreender a informação propriamente dita do artigo, que não fui capaz de levar o texto a sério. (Por que os jornalistas, em sua maioria, não percebem logo que sabem muito menos do que julgam saber? Há meio século os cientistas investigaram os fenômenos de "especialistas" que não aprendiam com seus fracassos pregressos. A pessoa pode passar a vida inteira errando em todas as previsões e ainda assim achar que vai acertar da próxima vez.)

Insegurança e probabilidade

Acredito que o ativo mais importante que preciso proteger e cultivar é minha arraigada insegurança intelectual. Meu lema é: "minha principal atividade é provocar aqueles que se levam a sério demais e levam o valor do seu conhecimento a sério demais". Cultivar essa insegurança no lugar de uma confiança intelectual talvez seja um objetivo estranho — e difícil de executar. Para tanto, precisamos limpar nossa mente da tradição recente de certezas intelectuais. Uma leitora que se transformou em minha correspondente me fez redescobrir Montaigne, o ensaísta francês e profissional introspectivo do século XVI. Fui absorvido pelas implicações da diferença entre Montaigne e Descartes — e por como nos desviamos procurando pelas certezas deste último. Fechamos a mente ao optar por seguir o modelo de pensamento formal de Descartes em vez da variedade vaga e informal (mas crítica) do raciocínio de Montaigne. Meio milênio depois, o gravemente introspectivo e inseguro Montaigne ainda figura como firme exemplo para o pensador moderno. Ademais, ele apresentava uma coragem excepcional: sem dúvida é preciso ter coragem para permanecer cético; é necessária uma coragem desmedida para ser introspectivo, para enfrentar a si mesmo, para aceitar as próprias limitações — os cientistas encontram cada vez mais evidências de que somos especificamente projetados pela mãe natureza para nos enganarmos.

Existem muitos enfoques intelectuais para tratar de probabilidade e risco — "probabilidade" significa coisas mais ou menos diferentes para pessoas em diferentes disciplinas. Neste livro, ela é tenazmente qualitativa e literária, em oposição a quantitativa e "científica" (o que explica as advertências contra economistas e professores de finanças, pois eles tendem a acreditar piamente que sabem algo, e ainda útil, a respeito do tema). É apresentada como algo que flui do Problema da Indução de Hume (ou da inferência de Aristóteles para o todo) em oposição ao paradigma da literatura sobre jogos de azar. Neste livro, a probabilidade é sobretudo um ramo do ceticismo aplicado, não uma disciplina da engenharia (apesar de todo o tratamento matemático arrogante do assunto, os problemas relacionados ao cálculo da probabilidade quase nunca merecem transcender a nota de rodapé).

Como? A probabilidade não é mero cálculo das chances de quem lança dados ou variantes mais complexas; é a aceitação da falta de certeza de nosso conhecimento e *o desenvolvimento de métodos para lidar com nossa ignorância*. Fora dos livros didáticos e dos cassinos, a probabilidade quase *nunca* se apresenta como um problema matemático ou um quebra-cabeça. A mãe natureza não nos diz quantos números existem na roleta, tampouco apresenta problemas de forma didática (no mundo real, é preciso deduzir o problema mais do que a solução). Neste livro, levar em consideração que resultados alternativos poderiam ter ocorrido, que o mundo poderia ter sido diferente, é o núcleo do pensamento probabilístico. Com efeito, passei toda a minha carreira atacando o uso *quantitativo* da probabilidade. Enquanto os capítulos 13 e 14 (que tratam de ceticismo e estoicismo) são para mim as ideias centrais do livro, a maioria das pessoas se concentrou nos exemplos de erro de cômputo de probabilidade no capítulo 11 (claramente, e de longe, o menos original do livro, no qual comprimi toda a literatura a respeito de vieses de probabilidade). Além disso, embora possamos compreender algo das probabilidades nas ciências exatas, particularmente na física, não temos muitas pistas nas "ciências" sociais, como a economia, apesar do alarde dos especialistas.

Vingando (alguns) leitores

Tentei tirar o menor proveito da minha ocupação como trader matemático. O fato de atuar nos mercados serve apenas como inspiração — não faz deste livro (como muitos pensaram) um guia para a aleatoriedade do mercado, assim como a *Ilíada* não deve ser interpretada como um manual de instrução militar. Apenas três dos catorze capítulos têm um contexto financeiro. Os mercados são apenas um caso especial de armadilhas de aleatoriedade — que são, de longe, as mais interessantes, uma vez que nelas a sorte desempenha um papel muito grande (este livro teria sido consideravelmente mais curto se eu fosse um taxidermista ou um tradutor de rótulos de chocolate). Além disso, o tipo de sorte nas finanças é daquele que ninguém entende, mas a maioria dos operadoras do mercado *pensa* que entende, o que nos oferece uma ampliação dos vieses. Tentei usar minhas analogias com o mercado de maneira ilustrativa, como faria numa conversa à mesa do jantar com, digamos, um cardiologista munido de curiosidade intelectual (usei como modelo meu amigo Jacques Merab).

Recebi uma enorme quantidade de e-mails na época da primeira edição deste livro, o que pode ser o sonho de um ensaísta, já que essa dialética oferece condições ideais para a reescrita da segunda edição. Expressei minha gratidão respondendo (uma vez) a cada uma das mensagens. Algumas das respostas foram inseridas no texto dos diferentes capítulos. Sendo amiúde visto como iconoclasta, eu estava ansioso para receber as cartas furiosas do tipo "Quem é você para julgar Warren Buffett?" ou "Você tem inveja do sucesso dele"; em vez disso, foi decepcionante ver a maior parte dos impropérios publicada anonimamente no site da Amazon (não existe publicidade negativa: algumas pessoas conseguem promover nosso trabalho com insultos).

O consolo pela falta de ataques veio na forma de cartas de pessoas que se sentiram vingadas pelo livro. As mais gratificantes eram de pessoas que não se deram bem na vida sem ter culpa disso e que usaram o livro como argumento para explicar ao marido ou à esposa que eram menos afortunadas (não menos aptas) do que seus cunhados. A mais comovente veio de um homem da Virgínia que, em poucos meses, perdeu o emprego, a mulher, o dinheiro, foi investigado pela temível Comissão de Valores Mobiliários e aos poucos passou a se sentir bem por agir de maneira estoica. Uma correspondência com um leitor que foi atingido por um cisne negro, o inesperado evento aleatório de grande impacto (no caso, a perda de um bebê), me levou a passar algum tempo imerso na literatura sobre adaptação após um evento aleatório grave (não coincidentemente também dominada por Daniel Kahneman, o pioneiro das ideias sobre comportamento irracional sob incerteza). Devo confessar que, na verdade, nunca me senti particularmente útil para alguém (exceto para mim mesmo) sendo um trader; pareceu enriquecedor e *útil* ser um ensaísta.

Tudo ou nada

Houve algumas confusões em relação à mensagem deste livro. Assim como nosso cérebro não distingue facilmente as nuances probabilísticas (ele recorre ao supersimplificador "tudo ou nada"), foi difícil explicar que a ideia aqui era "é mais aleatório do que pensamos", e não "é tudo aleatório." Tive que encarar muito "Taleb, na condição de cético, acha que tudo é aleatório e que as pessoas bem-sucedidas são apenas sortudas". O sintoma "Iludidos pelo acaso" afetou até mesmo um divulgadíssimo debate na Cambridge Union Society, ocasião em que meu argumento "os magnatas da City são, em sua *maior parte*, uns bobos sortudos" se transformou em "*todos* os magnatas da City são uns bobos sortudos" (claramente perdi o debate para o formidável Desmond FitzGerald numa das discussões mais divertidas da minha vida — até fiquei tentado a trocar de lado!). O mesmo delírio de confundir irreverência com arrogância (como notei com minha mensagem) leva as pessoas a confundir ceticismo com niilismo.

Deixe-me colocar os pingos nos is aqui: é claro que o acaso favorece quem se prepara! Trabalhar com afinco, chegar sempre no horário marcado, vestir uma camisa limpa (de preferência branca), usar desodorante e outras coisas convencionais desse tipo contribuem para o sucesso — são certamente necessárias, mas podem ser insuficientes, pois não *causam* o sucesso. O mesmo se aplica aos valores convencionais de persistência, obstinação e perseverança, que são *bastante necessários*. Para ganhar na loteria, é preciso comprar um bilhete. Isso significa que o trabalho envolvido na ida até a casa lotérica *causou* a vitória? É óbvio que as aptidões contam, mas contam menos em ambientes altamente aleatórios do que na odontologia.

Não, não estou dizendo que aquilo que sua avó lhe contou sobre o valor da ética no trabalho esteja errado! Além do mais, como a maioria dos sucessos ocorre em pouquíssimas "janelas de oportunidade", não conseguir agarrar uma dessas oportunidades pode ser fatal para a carreira do indivíduo. Arrisque-se!

Repare como nosso cérebro às vezes inverte a seta da causalidade. Suponha que bons atributos *causem* sucesso; com base nesse pressuposto, embora pareça intuitivamente correto pensar assim, o fato de toda pessoa inteligente, esforçada e perseverante se tornar bem-sucedida não implica que toda pessoa bem-sucedida seja necessariamente inteligente, esforçada e perseverante (é extraordinário como essa falácia lógica primitiva — *afirmar o lógico* — pode ser cometida por pessoas muito inteligentes, aspecto que discuto nesta edição como o problema dos "dois sistemas de raciocínio").

Há na pesquisa sobre o sucesso uma esquisita distorção que chegou às livrarias sob a bandeira do conselho: "Estes são os traços característicos que você precisa ter se quiser ser como essas pessoas de sucesso". Um dos autores do equivocado *O milionário mora ao lado* (que discuto no capítulo 8) escreveu outro livro, ainda mais tolo, chamado *A mente milionária (sem segredos)*. O autor observa que, na amostra representativa de mais de mil milionários estudada por ele, a maioria não exibia alto nível de inteligência em sua infância, e infere que não é o talento da pessoa que a torna rica, mas o trabalho árduo. A partir disso, é possível deduzir ingenuamente que o acaso não desempenha papel relevante no sucesso. Se os milionários têm quase os mesmos atributos da população média, então eu faria a interpretação mais perturbadora de que é porque a sorte desempenhou um papel importante nisso. A sorte é democrática e atinge a todos, independentemente das aptidões originais. O autor percebe variações em relação à população geral em alguns traços, como tenacidade e trabalho árduo: outra confusão entre o *necessário* e o causal. O fato de que todos os milionários eram pessoas persistentes e afeitos ao trabalho não torna todas as pessoas persistentes e esforçadas milionárias: inúmeros empreendedores malsucedidos eram persistentes e trabalhavam arduamente. Num clássico caso de empirismo ingênuo, o autor também procurou peculiaridades que esses milionários apresentavam em comum e destacou o gosto pela exposição a riscos. É evidente que assumir riscos é necessário para um grande sucesso — mas também é imprescindível para o fracasso. Tivesse o autor feito o mesmo estudo sobre cidadãos falidos, certamente encontraria uma predileção pela exposição a riscos.

Alguns leitores (e editores do tipo "eu também") me pediram para "respaldar os argumentos" que apresento aqui por meio de "fornecimento de dados", gráficos, diagramas, fluxogramas, tabelas, esquemas, números, recomendações, séries temporais etc. Este texto é uma sequência de experimentos de pensamento lógico, não um trabalho de conclusão de curso de economia; a lógica não requer verificação empírica (mais uma vez ocorre o que chamo de "falácia de ida e volta": é um erro usar estatísticas sem lógica, como fazem jornalistas e alguns economistas, mas o contrário não se sustenta: não é um erro usar a lógica sem estatísticas). Se eu escrever que duvido que o sucesso do meu vizinho seja destituído de alguma dose, pequena ou grande, de sorte, devido à aleatoriedade em sua profissão, não preciso "colocar isso à prova" — o experimento mental da roleta-russa é suficiente. Tudo o que preciso é mostrar que existe uma explicação alternativa para a teoria de que ele é um gênio. Minha estratégia é fabricar intelectualmente uma grande quantidade de pessoas e mostrar como uma pequena minoria pode se tornar bem-sucedida — mas estas serão as pessoas visíveis. Não estou afirmando que Warren Buffett não é qualificado; estou apenas dizendo que uma grande população de investidores aleatórios *quase que necessariamente* produzirá alguém com o desempenho dele *por pura sorte*.

Escapando de uma farsa

Também fiquei surpreso com, apesar da agressiva advertência do livro contra o jornalismo midiático, ter sido convidado para participar de programas de rádio e de televisão na América do Norte e na Europa (incluindo um hilariante *dialogue de sourds* numa estação de rádio em Las Vegas, em que o entrevistador e eu estabelecemos duas conversas paralelas). Ninguém me protegeu de mim mesmo, e aceitei as entrevistas. Estranhamente, é preciso usar a imprensa para comunicar a mensagem de que a imprensa é tóxica. Eu me senti como uma fraude proferindo frases de efeito insípidas, mas me diverti com isso.

Pode ser que eu tenha sido convidado porque os entrevistadores da grande mídia não leram meu livro, tampouco entenderam os insultos (eles não "têm tempo" para ler livros) e os apresentadores da mídia sem fins lucrativos o leram muito bem e se sentiram vingados por ele. Tenho alguns relatos curiosos: um famoso programa de televisão foi avisado de que "esse sujeito, Taleb, acredita que os analistas de ações são apenas prognosticadores aleatórios", por isso os produtores pareciam ansiosos para que eu esclarecesse minhas ideias no programa. No entanto, a condição era que eu fizesse três recomendações de ações, para provar meu "conhecimento de especialista". Não compareci e perdi a oportunidade de fazer parte de uma grande farsa, discutindo três ações selecionadas aleatoriamente e encaixando uma explicação bem fundamentada da minha seleção.

Em outro programa de televisão, mencionei que "as pessoas pensam que há uma história quando não existe nenhuma", já que eu discutia o caráter aleatório do mercado de ações e a lógica remodelada que sempre vemos nos eventos após o fato. O âncora interveio no mesmo instante: "Hoje de manhã foi exibida uma matéria sobre a Cisco. O senhor poderia fazer algum comentário a respeito?". A melhor de todas: convidado para participar de um debate de uma hora de duração num programa radiofônico sobre finanças (eles não tinham lido o capítulo 11), fui comunicado, alguns minutos antes do início, que deveria me abster de discutir as ideias do meu livro, porque eu havia sido convidado para falar sobre negociações de trading, e não sobre aleatoriedade (certamente outra oportunidade de embuste, mas eu estava despreparado demais para isso e fui embora do estúdio antes que o programa entrasse no ar).

A maioria dos jornalistas não leva as coisas muito a sério: afinal de contas, esse negócio de jornalismo tem a ver com entretenimento puro, não com uma busca pela verdade, sobretudo quando se trata de rádio e de televisão. O truque é manter distância daqueles que parecem não saber que são apenas artistas (como George Will, que aparecerá no capítulo 2) e acreditam realmente que são *pensadores*.

Outro problema estava na interpretação da mensagem na mídia: esse tal de Nassim acha que os mercados são aleatórios, *portanto vão despencar*, o que me transformou no relutante portador de mensagens catastróficas. Cisnes negros, esses raros e inesperados desvios, podem ser eventos bons e ruins.

No entanto, o jornalismo midiático é menos padronizado do que parece; atrai um significativo segmento de pessoas ponderadas que conseguem se desprender do sistema comercial baseado em slogans impactantes e de fato se preocupar com a mensagem, em vez de apenas chamar a atenção do público. Uma observação ingênua das minhas conversas com Kojo Anandi (National Public Radio), Robin Lustig (BBC), Robert Scully (Public Broadcasting Service) e Brian Lehrer (WNYC) é que o jornalista sem fins lucrativos pertence a uma estirpe intelectual completamente diferente. De forma inesperada, a qualidade da discussão se correlaciona de maneira inversa ao luxo dos estúdios: a WNYC, onde tive a sensação de que Brian Lehrer estava fazendo o maior esforço para compreender meus argumentos, funciona nos escritórios mais desmazelados que vi do lado de cá do Cazaquistão.

Um comentário final sobre o estilo. Escolhi manter o estilo deste livro tão idiossincrático quanto o da primeira edição. *Homo sum*, bom e mau. Sou falível e não vejo razão para esconder meus pequenos defeitos se eles fazem parte da minha personalidade, assim como não sinto necessidade de usar uma peruca quando tiro uma foto ou de pegar emprestado o nariz de outra pessoa quando mostro meu rosto. Quase todos os editores que leram o manuscrito recomendaram mudanças nas frases (para tornar meu estilo "melhor") e na estrutura do texto (na organização dos capítulos). Ignorei quase todos eles e descobri que nenhum dos leitores as achava necessárias — na verdade, creio que injetar a personalidade do autor (imperfeições incluídas) dá vida ao texto. Será que a indústria do livro sofre do clássico "problema do especialista", com o acúmulo de regras que não têm validade empírica? Mais de 100 mil leitores depois, estou descobrindo que os livros não são escritos para editores.

Prólogo
Mesquitas nas nuvens

Este livro trata da sorte disfarçada e encarada como não sorte (ou seja, como competência), e, de modo mais geral, do acaso disfarçado e encarado como não acaso (ou seja, como determinismo). O acaso se manifesta sob a forma do *idiota sortudo*, definido como alguém que se beneficiou de uma porção desproporcional de sorte, mas que atribui seu sucesso a outra razão, na maioria das vezes uma muito precisa. Essa confusão brota nas áreas em que menos se espera, até mesmo na ciência, embora não de maneira tão acentuada e óbvia como acontece no mundo dos negócios. É endêmica na política, se pensarmos no presidente da nação discursando sobre os empregos que "ele criou", na recuperação promovida "por ele" e na inflação do "governo anterior".

Estamos ainda bem próximos dos nossos ancestrais que percorriam a savana. A formação de nossas convicções é repleta de superstições — ainda hoje (e devo dizer que sobretudo hoje). Da mesma forma que, certo dia, um selvagem primitivo coçou o nariz e viu a chuva caindo, então desenvolveu um elaborado método de coçar o nariz para trazer a tão necessitada chuva, associamos a prosperidade econômica a um corte de juros feito pelo FED ou o sucesso de uma empresa à nomeação do novo presidente "que assumiu o comando". As livrarias estão cheias de biografias de homens e mulheres de sucesso apresentando explicações específicas de como venceram na vida (temos até uma expressão, "estar no lugar certo, na hora certa", para enfraquecer quaisquer conclusões que tiremos dessas explicações). A confusão acomete as pessoas, persuadindo-as de maneira diversa; o professor de literatura empresta um significado profundo a um evento meramente coincidente de padrões mundiais, enquanto o estatístico financeiro detecta com orgulho "regularidades" e "anomalias" em dados que são apenas aleatórios.

Correndo o risco de parecer parcial, devo dizer que a mente literária pode ser inclinada propositadamente a se confundir entre *ruído* e *significado*, isto é, entre um arranjo construído de maneira aleatória e uma mensagem com um propósito preciso. Entretanto, isso não causa muito mal; pouca gente defende o ponto de vista de que a arte é uma ferramenta de investigação da verdade — e não uma tentativa de escapar dela ou de torná-la mais palatável. O simbolismo é o filho da nossa incapacidade e da nossa relutância de aceitar o acaso; emprestamos significado a todas as formas; descobrimos figuras humanas em borrões de tinta. "Vi mesquitas nas nuvens", proclamou Arthur Rimbaud, o poeta simbolista francês do século XIX. Essa interpretação levou-o à "poética" Abissínia, o império etíope (na África Oriental), onde ele foi brutalizado por um traficante de escravos cristão-libanês, contraiu sífilis e perdeu uma perna gangrenada. Com dezenove anos, desistiu da poesia, desgostoso, e morreu anonimamente na enfermaria de um hospital de Marselha, ainda na casa dos trinta anos. Mas era tarde demais. A vida intelectual europeia desenvolveu o que parece ser um gosto irreversível pelo simbolismo, e ainda pagamos por isso com a psicanálise e outros modismos.

Infelizmente, algumas pessoas tomam parte do jogo com uma seriedade excessiva; elas são pagas para enxergar significado em tudo. Durante toda a minha vida tenho sofrido com o conflito entre meu amor pela literatura e pela poesia e a minha profunda alergia à maioria dos professores de literatura e aos "críticos". O poeta francês Paul Valéry ficou surpreso ao ouvir um comentário sobre seus poemas, em que eram descobertos significados que até então lhe haviam escapado (foi-lhe observado que os significados eram produtos do seu subconsciente, claro).

De modo mais geral, subestimamos a influência do acaso em quase tudo, e isso não é um ponto que seja digno de um livro — a não ser quando o especialista é o mais tolo de todos os tolos. É perturbador saber que a ciência só há bem pouco tempo tenha conseguido lidar com o acaso (o incremento da informação disponível tem sido ultrapassado pela expansão do ruído). A teoria da probabilidade só agora chegou à matemática; a probabilidade aplicada à prática quase não existe como disciplina. Além disso, parece haver evidência de que aquilo que é chamado "coragem" vem de subestimar a parcela de acaso nas coisas, e não em uma habilidade mais nobre de arriscar o pescoço por determinada crença. Na minha experiência (e na literatura científica), "tomadores de riscos" são com mais frequência vítimas de ilusões (levando a otimismo e confiança excessivos ao subestimar os possíveis resultados adversos) que o oposto. Os riscos que correm costumam ser tolice aleatória.

Consideremos as colunas da esquerda e da direita do Quadro P1 (p. 22). O melhor meio de resumir a tese principal deste livro é que ele procura situações (muitas delas tragicômicas) em que a coluna da esquerda é tomada, incorretamente, pela da direita. As subseções também ilustram as principais áreas de discussão nas quais este livro se baseia.

O leitor talvez esteja pensando se o caso oposto também não seria digno de atenção, isto é, as situações em que o não acaso é tomado por acaso. Será que não deveríamos nos preocupar com situações em que padrões e mensagens podem ter sido ignorados? Tenho duas respostas. Primeiro, não estou muito preocupado com a existência de padrões não detectados. Temos lido mensagens longas e complexas em praticamente qualquer manifestação da natureza que apresente algum recorte (como a palma de uma mão, os resíduos no fundo de xícaras de café turco etc.). Munidos de supercomputadores e processadores em cadeia, auxiliados por teorias da complexidade e do "caos", os cientistas, semicientistas e pseudocientistas conseguirão encontrar verdadeiros portentos. Segundo, precisamos levar em conta os custos dos enganos; na minha opinião, tomar a coluna da direita pela da esquerda não é apenas custoso, mas também um erro na direção oposta. Até mesmo a opinião popular nos previne de que informação errada é pior do que falta de informação.

Entretanto, por mais interessantes que essas áreas possam ser, sua discussão seria de ordem elevada. Além disso, elas não são minha especialidade profissional atual. Há apenas um mundo no qual creio que o hábito de tomar equivocadamente a sorte por capacidade é mais predominante — e mais conspícuo: o mundo do mercado de ações. E, por sorte ou azar, é esse o mundo no qual operei na maior parte da minha vida adulta. É o que conheço melhor. Além do mais, os negócios constituem o melhor (e mais divertido) laboratório para a compreensão dessas diferenças. É nessa área do empreendimento humano que a confusão é maior e seus efeitos são mais perniciosos. Por exemplo, temos

Quadro P1: Quadro de confusão
Apresentando as distinções usadas neste livro

GERAL

Sorte	Competências
Acaso	Determinismo
Probabilidade	Certeza
Crença, conjectura	Conhecimento, segurança
Teoria	Realidade
Anedota, coincidência	Causalidade, lei
Previsão	Profecia

DESEMPENHO DO MERCADO

Idiota sortudo	Investidor competente
Viés do sobrevivente	Bom desempenho no mercado

FINANÇAS

Volatilidade	Retorno (ou ir à deriva)
Variável estocástica	Variável determinística

FÍSICA E ENGENHARIA

Ruído	Sinal

CRÍTICA LITERÁRIA

Nenhuma (os críticos literários não parecem ter um nome para o que não entendem)	Símbolo

FILOSOFIA DA CIÊNCIA

Probabilidade epistêmica	Probabilidade física
Indução	Dedução
Proposição sintética	Proposição analítica

FILOSOFIA GERAL

Contingente	Probabilidade física
Contingente	Necessário (no sentido de Kripke)
Contingente	Verdadeiro em todos os mundos possíveis

a todo instante a impressão equivocada de que uma estratégia é excelente, que um empresário tem o dom da "visão" ou que um trader é um excelente operador, para só depois perceber que 99,9% de seu desempenho pode ser atribuído ao acaso, e apenas a isso. Peça a um investidor com lucro para lhe explicar as razões de seu sucesso; ele oferecerá uma interpretação profunda e convincente dos resultados. Frequentemente, suas ilusões são intencionais e merecem o título de "charlatanismo".

Se há uma causa para uma confusão entre os lados esquerdo e direito do quadro, é a nossa capacidade de pensar criticamente — talvez gostemos de apresentar conjecturas como se fossem verdades. Temos isso gravado dentro de nós. Veremos como nossa mente não é equipada com um mecanismo adequado para lidar com probabilidades; essa enfermidade também atinge o especialista, e algumas vezes apenas ele.

O personagem de cartum do século XIX, o burguês barrigudo Monsieur Prudhomme, portava uma grande espada com uma dupla intenção: primeiro defender a República contra seus inimigos; depois, atacá-la, se ela se desviasse do seu curso. Da mesma maneira, este livro tem dois objetivos: defender a ciência (como um facho de luz que atravessa o ruído do acaso) e atacar o cientista quando ele se desviar do seu curso (a maior parte dos desastres vem do fato de que os cientistas, individualmente, não têm uma compreensão inata do erro-padrão ou uma intuição sobre o pensamento crítico, e se provaram tanto incapazes de lidar com probabilidades nas ciências sociais quanto de aceitar esse fato). Como um profissional da incerteza, vi mais que minha cota de charlatães disfarçados de cientistas, principalmente aqueles que operam no campo da economia. Os maiores tolos do acaso estão entre eles.

Temos mais falhas do que podemos reparar, pelo menos nesse ambiente — mas isso só é uma má notícia para os utópicos que acreditam em uma humanidade idealizada. O pensamento atual apresenta duas visões polarizadas do homem, com poucas variações. De um lado, está seu professor de inglês da faculdade local; sua tia-avó Irma, que nunca se casou e faz sermões deliberadamente; o escritor de livros do tipo "como ser feliz em vinte passos" e "como se tornar uma pessoa melhor em uma semana". Essa é a chamada visão utópica, associada a Rousseau, Godwin, Condorcet, Thomas Paine, os economistas normativos convencionais (do tipo que diz que você deve fazer escolhas racionais, porque isso vai fazer bem a você) etc. Eles acreditam na razão e na racionalidade — que devemos superar impedimentos culturais que se apresentem em nosso caminho para nos tornar uma raça melhor —, pensam que podemos controlar nossa natureza se desejarmos e transformá-la por mero decreto com o intuito de atingir, entre outras coisas, a felicidade e a racionalidade. Essa categoria incluiria basicamente aqueles que acreditam que a cura para a obesidade é informar às pessoas que devem ser saudáveis.

Do outro lado, há a visão trágica da humanidade, que acredita na existência de limitações e falhas inerentes no modo como pensamos e agimos, e exige o reconhecimento desse fato como base para qualquer ação individual ou coletiva. Essa categoria inclui Karl Popper (falsificacionismo e desconfiança de "respostas" intelectuais, ou de qualquer pessoa que acredite ter certeza de qualquer coisa), Friedrich Hayek e Milton Friedman (suspeita do governo), Adam Smith (intenção do homem), Herbert Simon (limitação da racionalidade), Amos Tversky e Daniel Kahneman (heurística e viés), o especulador George Soros etc. O mais negligenciado é o mal compreendido filósofo Charles Sanders Peirce, que nasceu cem anos antes da hora (ele cunhou o termo "falibilismo" em oposição à infabilidade papal). Não é preciso dizer que as ideias deste livro recaem na categoria trágica: temos falhas e não precisamos nos preocupar em corrigi-las. Somos tão defeituosos e incompatíveis em relação ao nosso ambiente que podemos simplesmente contornar essas falhas. Convenci-me disso depois de passar quase toda a minha vida adulta e profissional em meio a uma batalha feroz entre meu cérebro (não iludido pelo acaso) e minhas emoções (completamente iludidas pelo acaso), na qual só obtive sucesso ao revolver minhas emoções em vez de racionalizá-las. Talvez nos livrar de nossa humanidade não funcione; precisamos de truques astutos, não de um auxílio moral grandioso. Como empiricista (na verdade, como um empiricista cético), desprezo os moralizadores mais que qualquer outra coisa no planeta e ainda me pergunto por que acreditam cegamente em métodos ineficientes. Dar conselhos assume que nosso aparato cognitivo exerce um controle significativo sobre nossas ações, e não nosso maquinário emocional. Veremos como a ciência comportamental moderna provou que isso é absolutamente falso.

Meu colega Bob Jarger (que seguiu a direção oposta da minha ao passar de professor de filosofia a trader) tem uma visão mais poderosa da dicotomia. Há aqueles que acreditam que existem respostas simples e aqueles que não acreditam que qualquer simplificação é possível sem uma distorção severa (o herói dele é Wittgenstein, e o vilão é Descartes). Encanta-me a diferença quando penso que a origem do problema de *Iludidos pelo acaso*, a falsa crença no determinismo, também é associada com a redução da dimensionalidade das coisas. Por mais que se acredite na noção de manter as coisas simples, é a *simplificação* que é perigosa.

Este autor odeia livros que podem ser facilmente adivinhados pela leitura do sumário (não são muitas pessoas que leem livros técnicos por prazer) — mas uma pista sobre o que vem a seguir parece algo adequado. Este livro é composto de três partes. A primeira é um exame do alerta de Sólon, já que sua conclusão a respeito dos eventos raros se transformou no lema de toda a minha vida. Nessa parte refletimos sobre histórias visíveis e invisíveis e sobre a propriedade indescritível de eventos raros (cisnes negros). A segunda parte apresenta uma coleção de vieses relativos à probabilidade que encontrei na minha profissão estudando o acaso (e cujas consequências sofri) — preconceitos que continuam me enganando. A terceira ilustra minha disputa particular com a biologia e fecha o livro com uma apresentação de ajudas práticas (cera nos meus ouvidos) e filosóficas (estoicismo). Antes do "iluminismo" e da era da racionalidade, havia na cultura uma coleção de truques para lidar com nossa falibilidade e com reversões de sorte. Os mais velhos podem mais uma vez nos ajudar com algumas de suas artimanhas.

Parte I

O alerta de Sólon – Obliquidade, assimetria, indução

Creso, rei da Lídia, foi considerado o homem mais rico de sua época. Até hoje as línguas neolatinas usam a expressão "rico como Creso" para descrever alguém com grande fortuna. Dizem que ele recebeu a visita de Sólon, legislador grego conhecido por sua dignidade, reserva, moral ilibada, humildade, frugalidade, sabedoria, inteligência e coragem. Sólon não pareceu ficar nem um pouco surpreso diante da riqueza e do esplendor que cercavam seu anfitrião nem aparentou a menor admiração por ele. Creso ficou tão aborrecido pela indiferença de seu ilustre visitante que tentou extrair dele algum reconhecimento. Perguntou a Sólon se já havia conhecido homem mais feliz que ele. Sólon citou um homem que levou uma vida nobre e morreu em batalha. Estimulado a falar mais sobre o assunto, deu exemplos semelhantes de vidas heroicas que haviam se extinguido, até que Creso, irado, perguntou-lhe, à queima-roupa, se ele próprio não deveria ser considerado o mais feliz de todos os homens. Respondeu Sólon: "A observação das inúmeras infelicidades que acompanham todas as situações nos proíbe de nos vangloriar de nossa atual felicidade ou de admirar a felicidade de um homem, porque pode no decorrer do tempo sofrer mudança, uma vez que o futuro incerto ainda não chegou, com toda a variedade que pode trazer; e apenas aquele a quem a divindade já [garantiu] permanente felicidade até o final podemos considerar feliz".

    Um equivalente moderno, mas não menos eloquente, foi expresso pelo treinador de beisebol Yogi Berra, que parece ter traduzido a conclusão de

Sólon do grego puro da Ática no não menos puro inglês do Brooklyn, com "nada está acabado até acabar", ou, de maneira menos elegante, "a ópera não acaba até que a senhora gorda cante". Além disso, à parte o uso do vernáculo, a citação de Yogi Berra apresenta a vantagem de ser verdadeira, enquanto o encontro de Creso com Sólon é um desses fatos históricos que se beneficiaram da imaginação dos cronistas, pois é cronologicamente impossível que os dois homens tenham deparado um com o outro.

A Parte I deste livro diz respeito ao grau em que uma situação, no decurso do tempo, pode vir a sofrer uma mudança, pois podemos ser enganados em ocasiões que envolvem sobretudo as atividades da deusa Fortuna, primogênita de Júpiter. Sólon foi bastante sábio ao focar na seguinte questão: o que vem com auxílio da sorte pode ser tomado pela sorte (e, em geral, rápida e inesperadamente). O outro lado da moeda, que também merece ser levado em consideração (e é até mesmo alvo da nossa maior preocupação), é que aquilo que vem com um pequeno auxílio da sorte é mais resistente ao acaso. Sólon também teve a intuição de uma questão que tem obcecado a ciência nesses últimos três séculos: o problema da indução. Eu o chamo, neste livro, de *cisne negro* ou *evento raro*. Sólon chegou mesmo a compreender outro problema relacionado a ele, que chamo de questão da obliquidade: não importa com que frequência algo tem êxito se o fracasso tem um preço demasiadamente elevado.

Contudo, a história de Creso tem outra faceta. Após perder uma batalha para o formidável rei persa Ciro, ele estava a ponto de ser queimado vivo quando exclamou (algo como): "Sólon, você tinha razão" (de novo, isso é lenda). Ciro perguntou a natureza da invocação inusitada, e Creso falou-lhe do alerta do outro. Aquilo impressionou tanto Ciro que ele decidiu poupar a vida de Creso enquanto refletia sobre as possibilidades no que dizia respeito a seu próprio destino. Naquela época, as pessoas eram ponderadas.

1. Se você é tão rico, por que não é tão esperto?

NERO TULIP

Atingido pelo raio

Nero Tulip ficou obcecado pelo mercado de capitais depois de testemunhar uma estranha cena, num dia de primavera, quando visitava a Chicago Mercantile Exchange (CME). Um Porsche conversível, vindo em velocidade bem mais alta do que a permitida pelas leis de trânsito municipais, parou abruptamente na entrada, com os pneus guinchando como um porco sendo morto. Um homem de porte atlético, visivelmente louco, na casa dos trinta, com o rosto enrubescido, saltou do veículo e subiu correndo os degraus, como se estivesse sendo perseguido por um tigre. Deixou o carro estacionado em fila dupla, com o motor ligado, provocando uma fanfarra enraivecida de buzinas. Depois de um longo minuto, um jovem atendente com uma jaqueta amarela (da cor reservada aos funcionários) e cara de entediado, desceu os degraus, visivelmente indiferente à balbúrdia. Ele levou o carro para o estacionamento subterrâneo de modo despreocupado, como se aquele fosse seu trabalho cotidiano.

Naquele dia, Nero Tulip teve o que os franceses chamam de *coup de foudre*, uma súbita, intensa (e obsessiva) fascinação, que atinge as pessoas como um raio. "Isso é para mim!", gritou ele entusiasmado — e não pôde deixar de comparar a vida de um trader com as vidas alternativas que se lhe apresentavam.

A vida acadêmica lhe trazia à mente a imagem de um silencioso escritório numa universidade, com funcionários grosseiros; os negócios, a imagem de um escritório calmo, com gente que pensa devagar, ou quase, e que se expressa com sentenças completas.

Sanidade temporária

Ao contrário de um *coup de foudre*, a fascinação despertada pela cena em Chicago ainda não o havia abandonado mais de uma década depois do incidente. Nero jura que nenhuma outra profissão dentro da lei na nossa época poderia ser tão destituída de tédio quanto a de um trader. Além do mais, embora não tenha sido pirata em alto-mar, ele está convencido de que até a vida de um corsário teria mais momentos de tédio do que a de um trader.

A descrição mais apropriada de Nero seria talvez a de alguém entre o Departamento de História Eclesiástica, com o modo de falar de um estudioso especialista, e de um operador da Bolsa de Chicago, com sua intensidade verbal abusiva, passando de um a outro abruptamente. Ele consegue comprometer centenas de milhões de dólares numa transação sem pensar duas vezes, e, mesmo assim, ficar agoniado quando precisa escolher entre dois aperitivos do cardápio, mudando de ideia repetidas vezes e aborrecendo o mais paciente dos garçons.

Formou-se em literatura antiga e matemática na Universidade de Cambridge. Iniciou um ph.D. em estatística na Universidade de Chicago, mas, depois de ter completado os pré-requisitos para o curso e de ter terminado a maior parte de sua pesquisa para o doutorado, mudou para o Departamento de Filosofia. Chamou essa mudança de "um momento de sanidade temporária", aumentando a consternação de seu orientador, que o alertara contra filósofos e previra seu retorno ao rebanho. Nero acabou escrevendo sua tese em filosofia, mas não no estilo europeu de Derrida, da filosofia incompreensível (isto é, *incompreensível* para qualquer um que não se forme naquelas fileiras, como eu mesmo). Aconteceu bem o oposto: sua tese foi sobre metodologia da inferência estatística em sua aplicação nas ciências sociais. Na realidade, o trabalho ficou indistinguível de uma tese em estatística matemática — era só um pouco mais ponderado (e duas vezes mais longo).

Diz-se com frequência que a filosofia não consegue alimentar o homem que a pratica — mas não foi por essa razão que Nero a abandonou. Ele o fez porque a filosofia não pode distrair um homem. Ela começou a lhe parecer fútil, e ele se lembrou dos avisos de seu orientador de estatística. Então, de repente, começou a se assemelhar a um trabalho. Como ficou cansado de escrever sobre pequenas minúcias misteriosas de seus ensaios anteriores, Nero abandonou a vida acadêmica. As discussões o entediavam, particularmente quando envolviam pontos muito detalhados (invisíveis para os não iniciados). Ele queria ação. O problema, entretanto, era que havia escolhido a vida acadêmica a fim de matar o que havia detectado como a uniformidade e a tranquila submissão de um emprego formal.

Depois de testemunhar a cena do trader perseguido por um tigre, Nero encontrou um cargo de trainee na Chicago Mercantile Exchange, a grande Bolsa onde transações são feitas gritando e gesticulando freneticamente. Ali ele trabalhou para um prestigioso (mas excêntrico) *local*, que o treinou ao estilo de Chicago em troca da resolução de equações matemáticas. A energia no ar se mostrou um fator de motivação para Nero. Ele logo foi promovido à condição de trader independente. Depois, quando se cansou de ficar de pé na multidão e de forçar as cordas vocais, decidiu procurar um emprego "no andar de cima", isto é, como operador de mesa. Foi para a área de Nova York e conseguiu um cargo numa instituição financeira.

Nero se especializou em produtos financeiros quantitativos, nos quais teve um momento inicial de glória, ficando famoso e sendo requisitado. Muitas empresas de investimentos de Nova York e Londres lhe acenaram com polpudos bônus. Ele passou alguns anos viajando entre Nova York e Londres, comparecendo a importantes "reuniões" e usando ternos caros. Mas logo se escondeu e voltou depressa ao anonimato — o caminho do estrelato em Wall Street não combinava com seu temperamento. Para se tornar um trader de respeito são necessárias algumas ambições organizacionais e uma sede de poder que Nero ficava feliz em não ter. Estava naquilo apenas para se divertir — e sua ideia de divertimento não incluía trabalho administrativo e gerencial. Ele se sente mal com o tédio de uma sala de reunião e é incapaz de conversar com empresários, particularmente os medíocres. Tem alergia ao jargão dos negócios, não apenas em simples termos estéticos. Termos como "estratégia", "*bottom line*", "como ir daqui até ali", "fornecemos soluções aos nossos clientes", "nossa missão" e outros que dominam as reuniões não têm nem a precisão nem o colorido que ele gosta de ouvir. Se as pessoas povoam o silêncio com frases ocas, ou se as reuniões não têm de fato nenhum valor, ele não sabe; de qualquer modo, não queria fazer parte daquilo. Na verdade, a extensa rede de contatos sociais de Nero não inclui quase nenhum homem de negócios. Mas, diferentemente de mim (sou capaz de impor grande humilhação a alguém que me incomoda com sua pomposidade deselegante), Nero consegue aparentar um suave desprendimento quando em tais circunstâncias.

Assim, Nero mudou de carreira, passando ao que é intitulado *proprietary trading* (negociação de ativos e derivativos). Nessa modalidade, os traders se estabelecem como entidades independentes, funcionado como fundos internos, com sua própria alocação de capital. Podem fazer o que quiserem, desde que, é claro, seus resultados satisfaçam aos executivos. O termo *proprietary* se deve ao fato de negociarem o dinheiro da empresa. No fim do ano, eles recebem de 7% a 12% dos lucros gerados. O *proprietary trader* tem todos os benefícios de trabalhar por conta própria e nenhum dos encargos de gerenciar os detalhes mundanos de seu próprio negócio. Pode trabalhar as horas que lhe convier, viajar a seu bel-prazer e se engajar em toda espécie de objetivo pessoal. É um paraíso para um intelectual como Nero, que não gosta do trabalho manual e dá valor à meditação não programada. Ele vem fazendo isso há dez anos, para duas instituições financeiras diferentes.

Modus operandi

Uma palavra sobre os métodos de Nero. Ele é um trader tão conservador quanto possível nesse tipo de negócio. Teve anos bons e outros não tão bons — mas quase nenhum "ruim". Durante esses anos, construiu para si mesmo, vagarosamente, uma poupança bem estável, graças a seus rendimentos, que vão de 300 mil a 2,5 milhões de dólares (no auge) por ano. Na média, consegue acumular anualmente 500 mil dólares, depois dos impostos (com um rendimento médio de 1 milhão de dólares); isso vai direto para sua poupança. Em 1993, ele teve um ano ruim, o que o fez se sentir desconfortável na empresa. Outros traders se saíram muito melhor, de modo que o capital à sua disposição foi fortemente reduzido, e ele começou a achar que era persona non grata. Foi então procurar um emprego semelhante, num espaço de trabalho de feitio semelhante, mas numa empresa diferente, mais amistosa. No outono de 1994, os traders que vinham competindo por um bom desempenho "explodiram" em uníssono durante a crise do mercado de títulos mundial, que resultou no arrocho, não previsto, pelo FED. Todos eles estão atualmente fora do mercado, exercendo uma variedade de funções. Esse tipo de negócio tem uma alta taxa de mortalidade.

Por que será que Nero não ganha mais dinheiro? Por causa de seu estilo de aplicação — ou talvez devido à sua personalidade. Sua aversão ao risco é muito grande. Seu objetivo não é maximizar os lucros, e sim evitar que lhe tomem a divertida máquina chamada trading. Sofrer uma explosão significaria retornar ao tédio da universidade ou à vida sem trading. Cada vez que seus riscos aumentam, a imagem do tranquilo corredor da universidade vem à sua memória, as longas manhãs sentado à mesa revisando um trabalho, mantido acordado por um café ruim. Não, ele não quer ter que enfrentar a solene biblioteca onde morria de tédio. "Aposto na longevidade", costuma dizer.

Nero já viu muitos traders "falirem" e não deseja ficar nessa situação. "Falir", na gíria, tem um significado preciso: não só perder dinheiro, mas perder mais dinheiro do que jamais seria de se esperar, a ponto de se ver alijado desse ramo de negócio (para um médico ou advogado, seria como perder sua licença). Nero cai fora depressa do negócio depois de uma perda predeterminada. Ele nunca vende "opções a descoberto" (estratégia que o deixaria exposto a possíveis grandes perdas). Nunca se coloca numa situação em que poderia perder mais do que, digamos, 1 milhão de dólares — independentemente da probabilidade. Essa quantia tem sido variável, dependendo de seus lucros acumulados durante o ano. A aversão ao risco impede que ele ganhe tanto dinheiro quanto outros traders em Wall Street, os quais são chamados de "Mestres do Universo". As empresas para as quais Nero trabalhou frequentemente alocam mais dinheiro a traders com um estilo diferente, como John, que conheceremos em breve.

Nero não se importa de perder pequenas quantias. "Adoro perder um pouco", diz. "Só preciso que meus ganhos sejam grandes." Em circunstância alguma deseja se expor a eventos raros, tais como pânicos e crises súbitas, que derrubam um trader num piscar de olhos. Pelo contrário: quer se beneficiar desses acontecimentos. Quando lhe perguntam por que ele não mantém uma posição perdedora, Nero invariavelmente responde que foi treinado pelo "mais eficiente de todos os covardes", um trader de Chicago chamado Stevo, que lhe ensinou o ofício. Isso não é verdade; a razão real é seu conhecimento de probabilidades e seu ceticismo inato.

Há outra razão pela qual Nero não é tão rico quanto os outros em sua situação. Seu ceticismo não lhe permite investir qualquer quantia de seu próprio dinheiro que não seja em títulos do Tesouro. Assim, ele perde as oportunidades quando o mercado está em alta. A razão que dá para isso é que o mercado pode virar e se transformar numa armadilha. Nero tem uma forte suspeita de que o mercado de ações é uma forma de vigarice e não se dispõe a adquirir uma ação sequer. A diferença em relação às pessoas à sua volta, que enriqueceram com esse mercado, é que ele é rico quando se trata do fluxo de caixa, mas seus ativos não aumentaram em absoluto com os do resto do mundo (seus títulos do Tesouro dificilmente mudam de valor). Ele se compara a uma dessas companhias emergentes de alta tecnologia que têm um enorme fluxo de caixa negativo, mas pelas quais o rebanho desenvolveu grande fascínio. Isso faz com que os proprietários enriqueçam com o valor das ações, e portanto dependentes da aleatoriedade da escolha do vencedor pelo mercado. A diferença para seus amigos, no que se refere à variedade de investimentos, é que ele não depende do mercado em alta e, portanto, não precisa se preocupar com o mercado em baixa. Seu patrimônio líquido não é função do investimento de suas economias — ele não quer depender de seus investimentos, mas de seus ganhos em dinheiro, para fins de enriquecimento. Nero não arrisca nada de suas economias: investe nos produtos mais seguros possíveis. Títulos do Tesouro são algo seguro: são emitidos pelo governo dos Estados Unidos, e é pouco provável que governos decretem falência, pois podem emitir dinheiro livremente em sua própria moeda para pagar suas obrigações.

Nenhuma filosofia de trabalho

Hoje, aos 39, depois de catorze anos no ramo, Nero se considera bem estabelecido. Sua carteira de investimentos pessoais tem vários milhões de dólares em títulos do Tesouro com vencimento no médio prazo, o suficiente para eliminar qualquer preocupação com o futuro. O que ele mais gosta, no que diz respeito a *proprietary trading* é que exige bem menos tempo do que outras profissões regiamente pagas; ou seja, é perfeitamente compatível com sua filosofia de trabalho, diferente daquela de classe média. Operar no mercado força as pessoas a pensar bastante; aquelas que só trabalham muito perdem o foco e a energia intelectual. Além disso, elas terminam afogadas nas artimanhas do acaso; a filosofia de trabalho, acredita Nero, faz com que o foco seja no ruído, em vez de no sinal (a diferença foi estabelecida no Quadro P1, da p. 22).

Esse tempo livre tem lhe permitido se engajar numa variedade de interesses pessoais. Nero é um leitor voraz e gasta um tempo considerável na academia de ginástica e em museus, e não tem o mesmo esquema de trabalho que um advogado ou um médico. Ele encontrou um espaço na sua agenda para voltar ao Departamento de Estatística onde iniciou seus estudos de doutorado para concluir seu trabalho nessa "ciência mais dura", reescrevendo sua tese em termos mais concisos. Atualmente, participa como professor de um seminário chamado História do Pensamento Probabilístico, organizado anualmente no meio do semestre pelo Departamento de Matemática da Universidade de Nova York, um evento de grande originalidade que atrai excelentes alunos de pós-graduação. Nero já economizou o bastante para manter seu padrão de vida no futuro e tem planos alternativos de se aposentar e escrever ensaios populares do tipo científico-literário sobre temas relacionados a probabilidade e *indeterminação* — mas apenas se algum acontecimento no futuro causar o fechamento dos mercados. Nero acredita que trabalho duro e consciente quanto aos riscos aliado a disciplina tem alta probabilidade de levar a uma vida confortável. Fora isso, é tudo acaso: seja assumindo riscos enormes (e inconscientes) ou tendo uma sorte extraordinária. Um sucesso razoável pode ser explicado por habilidades e trabalho. Um sucesso inacreditável é atribuído à variância.

Sempre há segredos

A introspecção probabilística de Nero talvez tenha se originado a partir de algum evento dramático em sua vida — algo que ele mantém em segredo. Um observador perspicaz poderia detectar nele certa medida de exuberância suspeita, um impulso pouco natural. Isso porque sua vida não é tão cristalina quanto pode parecer. Nero esconde um segredo, que será discutido no devido tempo.

JOHN, O TRADER DE ALTO RENDIMENTO

Durante a maior parte da década de 1990, em frente à casa de Nero, do outro lado da rua, ficava a casa de John, que era muito maior. John era um trader de alto rendimento, mas não do mesmo tipo de Nero. Uma breve conversa profissional com ele revelaria que tinha a profundidade intelectual e a agudeza de espírito de um instrutor de aeróbica (mas não o tipo físico). Um homem míope poderia ter observado que John se saía muito melhor do que Nero (ou, pelo menos, parecia ser o caso). Na entrada de sua garagem ficavam estacionados dois carros alemães, dos melhores modelos (dele e da esposa), além de dois conversíveis (um deles, uma Ferrari de colecionador), enquanto Nero continuava com seu fusca conversível havia quase uma década — e continua até hoje.

As esposas de John e Nero se conheciam da academia de ginástica, mas a de Nero ficava extremamente desconfortável na presença da esposa de John. Ela sentia que a outra não apenas tentava impressioná-la, mas a tratava como alguém inferior. Embora Nero tivesse se acostumado com a riqueza crescente dos traders (e sua desesperada busca por sofisticação, transformando-se em colecionadores de vinho e amantes de ópera), sua esposa raramente considerava novos-ricos reprimidos — o tipo de gente que sentira a picada da indigência em certo ponto da vida e queria compensar ostentando seus bens. O único lado obscuro de ser trader, dizia Nero com frequência, é a visão de dinheiro chovendo em cima de gente despreparada, que de repente ficou sabendo que *As quatro estações*, de Vivaldi, é música "refinada". Mas era duro para a esposa dele ficar exposta quase que diariamente à vizinha, que sempre se gabava do novo decorador que tinham acabado de contratar. John e a esposa não sentiam o menor constrangimento pelo fato de sua "biblioteca" já ter vindo com os livros encadernados em couro (as leituras dela na academia se limitavam à revista *People*, embora suas prateleiras incluíssem uma seleção de livros intocados de autores americanos já falecidos). Ela também gostava de conversar a respeito de lugares exóticos, de nomes impronunciáveis, onde passariam suas férias, sem saber absolutamente nada sobre eles — teria dificuldade se lhe pedissem para explicar em que continente ficavam as ilhas Seychelles. Mas a esposa de Nero é humana; embora continuasse a afirmar para si mesma que não queria estar no lugar da mulher de John, sentia como se tivesse sido, de certa forma, passada para trás na competição da vida. De alguma maneira, palavras e razão se tornam ineficazes diante de um enorme diamante, uma casa gigantesca e uma coleção de carros esportivos.

Um caipira muito bem pago

Nero tinha o mesmo sentimento ambíguo em relação a seus vizinhos. Desprezava John, que representava quase tudo o que ele não era nem desejaria ser — mas a pressão social começava a lhe pesar nos ombros. Além disso, ele gostaria de ter experimentado uma riqueza tão vasta na vida. O desprezo intelectual não controlava a inveja pessoal. A casa do outro lado da rua continuava a crescer, com puxado em cima de puxado — e o desconforto de Nero acompanhava aquilo. Embora tivesse obtido sucesso além de seus mais desvairados sonhos, tanto pessoal quanto intelectualmente, ele passou a achar que, em algum ponto do caminho, havia perdido uma oportunidade. Na ordem de precedência de Wall Street, a chegada de tipos como John havia feito com que ele não se sentisse mais um trader importante — mas, embora costumasse não se preocupar com aquilo, John, com sua casa e seus carros, havia começado a lhe corroer por dentro. Tudo teria ficado bem se Nero não tivesse aquela casa enorme e idiota, do outro lado da rua, avaliando-o com um padrão superficial toda manhã. Será que estava em jogo a ordem genética de precedência, com o tamanho da casa de John transformando Nero num macho beta? Pior ainda, John era cerca de cinco anos mais jovem que ele, e, a despeito de uma carreira mais curta, estava faturando pelo menos dez vezes mais.

Quando os dois por acaso se encontravam, Nero sentia claramente que John tentava pô-lo para baixo — com sinais de condescendência quase imperceptíveis, mas nem por isso menos potentes. Alguns dias John ignorava-o por completo. Se o vizinho fosse um tipo virtual, alguém sobre quem Nero apenas lesse nos jornais, a situação teria sido diferente. Mas havia o John em carne, que morava do outro lado da rua. Nero cometeu o erro de começar a falar com ele, então a ordem de precedência surgiu de imediato. Nero tentou apaziguar seu desconforto se lembrando do comportamento de Swann, o personagem de *Em busca do tempo perdido*, de Proust, um sofisticado negociante de arte que vivia de renda e se sentia à vontade com gente como o então príncipe de Gales, seu amigo pessoal, mas que agia como se devesse provar algo na presença de pessoas de classe média. Era muito mais fácil para Swann se misturar à família Guermantes, aristocrática e abastada, do que com a emergente família Verdurin, sem dúvida porque ele se achava muito mais confiante na presença dos primeiros. Da mesma maneira, Nero consegue extrair alguma forma de respeito de gente de prestígio e importância. Com frequência ele faz longas caminhadas meditativas em Paris e Veneza com um erudito cientista, ganhador do prêmio Nobel (o tipo de pessoa que não tem que provar mais nada), que gosta muito de conversar com ele. Um especulador bilionário muito famoso sempre telefona para pedir-lhe opinião sobre *valuation* de alguns derivativos. Mas ali estava ele, tentando ganhar, obsessivamente, o respeito de um caipira muito bem pago, com um sotaque barato de Nova Jersey. (Se eu fosse Nero, teria mostrado um pouco do meu desprezo por John com o uso da linguagem corporal, mas, repito, Nero é uma pessoa educada.)

É claro que John não é tão bem-educado, não recebeu uma formação tão boa, não tem um físico tão bom nem é considerado tão inteligente quanto Nero — mas isso não é tudo; John não é nem mesmo mais esperto do que ele! No pregão de Chicago, Nero encontrou gente que realmente conhecia o ofício a fundo, gente que mostrava uma rapidez de pensamento que não detectava em John. Ele estava convencido de que o homem era alguém de pouca profundidade, mas confiante, que tinha se dado bem porque nunca levava em consideração sua vulnerabilidade. Mas Nero não podia, às vezes, reprimir sua inveja — ele ficava imaginando se estava fazendo uma avaliação objetiva de John ou se era o sentimento de estar sendo menosprezado que o levava a pensar no outro de tal maneira. Talvez Nero não fosse o melhor dos traders. Se ele tivesse se esforçado mais, ou tivesse procurado a oportunidade certa, em vez de ficar "pensando", escrevendo artigos ou lendo trabalhos complicados. Talvez ele devesse ter se envolvido nos negócios de alto risco, onde teria brilhado em comparação a gente rastaquera como John.

Assim, Nero tentava acalmar seu ciúme investigando as regras da ordem de precedência. Psicólogos mostraram que a maioria das pessoas prefere fazer 70 mil dólares quando os outros em volta estão ganhando 60 mil do que fazer 80 mil quando os outros em volta ganham 90 mil. A economia, a esquemaconomia, é questão de ordem de precedência, pensou ele. Nenhuma análise desse tipo pôde fazê-lo avaliar sua condição de modo absoluto em vez de modo relativo. Com John, Nero sentia que, apesar de toda a sua bagagem intelectual, ele era apenas um daqueles que prefeririam ganhar menos dinheiro, desde que os outros ganhassem ainda menos.

Nero pensava que havia pelo menos uma prova para apoiar a ideia de que John era apenas um sujeito de sorte — em outras palavras, Nero, afinal de contas, talvez não precisasse se mudar para longe do palácio de seu vizinho iniciante. Tinha esperança de que o vizinho encontrasse sua ruína. Isso porque John parecia não estar ciente do grande risco oculto que corria, o risco de explodir, um risco que não conseguia ver porque tinha pouca experiência no mercado (mas também porque não era previdente o bastante para estudar história). Como é que John, com sua mentalidade grosseira, poderia, de outra forma, estar ganhando tanto dinheiro? O negócio de *junk bonds* depende de conhecimento do "acaso", do cálculo das probabilidades de eventos raros (ou aleatórios). O que é que esses idiotas sabem sobre probabilidade? Esses traders usam "ferramentas quantitativas" que lhes dão as probabilidades — e Nero discorda dos métodos que eles usam. O mercado de alto rendimento parece uma soneca em cima dos trilhos de uma estrada de ferro. Um dia desses, um trem surpresa passa por cima de você. Você ganha dinheiro todo mês, durante muito tempo; depois, em umas poucas horas, perde um múltiplo do seu resultado acumulado. Nero viu isso acontecer com vendedores de opções em 1987, 1989, 1992 e 1998. Um dia eles são expulsos do pregão, acompanhados por seguranças corpulentos, e ninguém mais os vê. A casa grande é simplesmente um empréstimo; John pode terminar como vendedor de carros de luxo em algum lugar de Nova Jersey, vendendo ao mais recente novo-rico, que, com certeza, vai se sentir confortável na presença dele. Nero não pode explodir. A casa em que vive, menos portentosa, com seus 4 mil livros, é sua. Nenhum acontecimento do mercado pode tirá-la dele. Cada uma de suas perdas é limitada. Sua dignidade de trader não estará nunca ameaçada.

Da sua parte, John pensava em Nero como um perdedor, e, ainda por cima, um perdedor supereducado e metido a besta. Nero estava envolvido num negócio maduro. Ele acreditava que já tinha subido bastante a montanha. "Esses traders 'emergentes' estão morrendo", costumava dizer. "Eles se acham mais espertos do que todo mundo, mas são passado."

O VERÃO DE RACHAR

Finalmente, no verão de 1998, Nero viu a justiça ser feita. Uma manhã, quando saía de casa para o trabalho, viu John fumando na frente de casa, o que era incomum. Ele não vestia seu terno de trabalho. Parecia humilde; sua pose costumeira se evaporara. Nero percebeu imediatamente que John tinha sido despedido. O que ele não suspeitava era que o vizinho tinha perdido praticamente tudo o que tinha. Veremos mais detalhes das perdas de John no capítulo 5.

Nero sentiu vergonha de seus sentimentos de *Schadenfreude*, a alegria que os humanos podem experimentar com a desgraça de seus rivais. Mas não conseguiu reprimi-lo. Além de ser pouco cavalheiresco, dizem que dá azar (Nero é levemente supersticioso). Mas, naquele caso, o contentamento de Nero não se devia tanto ao fato de John ter voltado para seu lugar na vida, mas principalmente por seus próprios métodos, convicções e passado terem ganhado credibilidade. Nero podia levantar dinheiro público baseado no seu histórico, precisamente por não haver possibilidade de nada daquele tipo acontecer com ele. Uma repetição de um evento daquela natureza seria bastante vantajosa para ele. Nero também estava feliz pelo orgulho que sentia por ter se aferrado durante tanto tempo à sua estratégia, a despeito da pressão para ser o macho alfa. Não pôs em dúvida seu próprio estilo de trading, quando os outros estavam ficando ricos por não compreender a estrutura do acaso e dos ciclos do mercado.

Serotonina e acaso

Será que podemos julgar o sucesso das pessoas apenas por seu desempenho, nu e cru, e por sua fortuna pessoal? Às vezes — mas não sempre. Veremos como, em determinada altura, muitos homens de negócios com desempenho notável no passado não se saem melhor do que dardos atirados aleatoriamente. E o que é mais curioso — e isso devido a uma distorção peculiar —: haverá uma abundância de casos em que os homens de negócios menos capacitados serão os mais ricos. Entretanto, eles nunca admitirão o papel da sorte em seus desempenhos.

Idiotas sortudos não têm a menor suspeita de que sejam idiotas sortudos — por definição, não sabem que pertencem a essa categoria. Eles agirão como se merecessem o dinheiro. Seu sucesso continuado lhes proporcionará tanta *serotonina* (ou alguma substância semelhante) que eles enganarão até mesmo a si próprios quanto à sua capacidade de se dar bem nos mercados (nosso sistema hormonal não sabe se nossos sucessos dependem do acaso ou não). Pode-se ver isso em sua postura: um trader bem-sucedido caminha empertigado, com ar dominador, e tende a falar mais que um trader fracassado. Os cientistas descobriram que a serotonina, um neurotransmissor, parece comandar uma grande parcela do comportamento humano. Ela estabelece um feedback positivo, o círculo virtuoso, mas um pontapé do acaso, que vem de fora, pode dar origem a um movimento em sentido inverso, fazendo surgir um círculo vicioso. Já foi provado que macacos com serotonina injetada sobem na ordem de precedência, o que, por sua vez, causa um aumento do nível de serotonina em seu sangue — até que o círculo virtuoso se rompe e começa o vicioso (durante o qual o fracasso pode fazer com que se afunde na ordem de precedência, ocasionando um comportamento que trará quedas adicionais). Da mesma forma, uma melhoria no desempenho pessoal (causada deterministicamente ou pela fada Fortuna) induz a uma nova elevação de serotonina no paciente, com um aumento no que é comumente chamado de "capacidade de liderança". Diz-se que alguém assim está "arrebentando". Algumas mudanças imperceptíveis, tais como a capacidade de se expressar com serenidade e confiança, tornam o sujeito mais digno de crédito — como se ele merecesse o que ganha. O acaso não será levado em consideração como um possível fator no desempenho até o bicho levantar novamente a cabeça e desfechar o pontapé que dará início ao círculo vicioso.

Uma palavra sobre demonstrar emoções. Quase ninguém consegue escondê-las. Cientistas comportamentais acreditam que uma das principais razões pelas quais as pessoas se tornam líderes não se resume às habilidades que parecem possuir, e sim à impressão extremamente superficial que os outros têm delas, através de sinais físicos que mal podem ser percebidos — o que hoje chamamos de "carisma", por exemplo. A biologia do fenômeno é muito bem estudada sob o título de "emoções sociais". Enquanto isso, alguns historiadores "explicam" o sucesso em termos de habilidades táticas, educação adequada ou outras questões teóricas vistas em retrospectiva. Além disso, parece haver uma curiosa evidência de ligação entre liderança e uma forma de psicopatologia (sociopatia) que ajuda pessoas que não vacilam, são autoconfiantes e insensíveis a angariar seguidores.

As pessoas têm o mau gosto de me perguntar, em eventos sociais, se meu dia foi lucrativo. Se meu pai estivesse ali, diria a elas: "Nunca pergunte a um homem se ele é de Esparta: se fosse, ele comunicaria a você esse fato importante, e se não fosse, a pergunta poderia ferir sua suscetibilidade". Da mesma forma, nunca pergunte a um trader se ele tem lucros; você pode descobrir facilmente por seus gestos e modo de caminhar. As pessoas nessa profissão podem dizer com tranquilidade se os traders estão ganhando ou perdendo dinheiro; os chefes são rápidos na identificação de um empregado que está se saindo mal. Seu rosto poucas vezes revelará muita coisa, pois as pessoas conscientemente tentam controlar as expressões faciais. Mas o modo como caminham, o modo como seguram o telefone e a hesitação não deixarão de revelar seu ânimo verdadeiro. Na manhã seguinte à que John foi despedido, ele certamente perdeu muita serotonina — ou alguma outra substância que os pesquisadores descobrirão na próxima década. Um motorista de táxi em Chicago explicou-me que podia adivinhar se os traders que apanhava perto da Bolsa de Chicago estavam se saindo bem. "Eles ficam muito inflados", disse ele. Achei interessante (e misterioso) que ele pudesse detectar a coisa tão rapidamente. Mais tarde consegui uma explicação plausível de um psicólogo da evolução, que alega que essas manifestações físicas do desempenho de alguém na vida podem ser usadas em sinais, exatamente como ocorre com os animais: elas tornam os vencedores mais facilmente visíveis, o que é eficiente na seleção para acasalamento.

SEU DENTISTA É RICO, MUITO RICO

Vamos fechar este capítulo com uma dica sobre a próxima discussão acerca da resistência ao acaso. Lembre-se de que Nero pode ser considerado próspero, mas não "muito rico" pelos padrões de seus dias. Entretanto, de acordo com um estranho método de avaliação que veremos no próximo capítulo, ele é extremamente rico *quanto à média das vidas* que poderia ter levado. Nero assume tão poucos riscos em sua carreira de trader que só poderiam ter ocorrido pouquíssimos resultados desastrosos. A mesma razão para não ter obtido o sucesso de John se aplica ao fato de não ter sofrido o mesmo baque. Portanto, ele seria rico, de acordo com esse inusitado (e probabilístico) método de avaliar a riqueza. Lembre-se de que Nero se protege do evento raro. Se tivesse que reviver sua vida profissional alguns milhões de vezes, muito poucas dessas vidas alternativas teriam sido marcadas por má sorte — mas, devido ao seu conservadorismo, também muito poucas teriam sido afetadas por uma grande cartada da sorte. Isto é, sua vida em estabilidade seria semelhante à de alguém que conserta relógios eclesiásticos. Naturalmente, estamos discutindo apenas sua vida profissional, excluindo sua (às vezes volátil) vida privada.

Ao que se espera, e com justa razão, um dentista é consideravelmente mais rico do que o astro do rock que anda de Rolls Royce cor-de-rosa com motorista, o especulador que dá lances num leilão de quadros impressionistas ou o empresário que coleciona jatos particulares. Isso porque não se pode considerar uma profissão sem levar em conta a média das pessoas que se engaja nela, não a amostragem daqueles que tiveram sucesso nela. Examinaremos isso mais adiante do ponto de vista vantajoso do viés do sobrevivente, mas aqui, na Parte I, veremos o que diz respeito à resistência ao acaso.

Consideremos dois vizinhos, John Doe A, um faxineiro que ganhou na loteria em Nova Jersey e se mudou para um bairro abastado, comparado com John Doe B, seu vizinho de porta, de condição mais modesta, que vem obturando dentes oito horas por dia há 35 anos. É claro que se pode dizer que, graças ao tédio da carreira, se John Doe B tivesse que reviver sua vida alguns milhares de vezes desde que se formou em odontologia, o elenco de resultados possíveis seria bastante reduzido (pressupondo-se que ele tenha um bom seguro). Na melhor das hipóteses, ele terminaria aplicando broca nos dentes ricos dos moradores da Park Avenue, de Nova York, enquanto o pior dos casos mostraria John Doe B fazendo o mesmo em alguma cidadezinha cheia de trailers nas montanhas Catskills. Além do mais, supondo que ele se diplomou numa faculdade de muito prestígio, o elenco de resultados seria até mesmo mais reduzido. Quanto a John Doe A, se ele tivesse que reviver sua vida um milhão de vezes, em quase todas elas o veríamos realizando seu trabalho de faxina (e gastando dólares sem-fim em inúteis bilhetes de loteria), e somente uma vida em um milhão ganhando na loteria em Nova Jersey.

A ideia de levar em conta tanto o resultado observado quanto os possíveis resultados não observados parece coisa de lunático. Para a maioria das pessoas, a probabilidade trata de coisas que podem acontecer no futuro, não eventos no passado observado; um evento que já ocorreu tem 100% de probabilidade, isto é, de certeza. Já discuti esse ponto com muitas pessoas que, de maneira banal, me acusaram de estar confundindo mito com realidade. Mitos, particularmente os já muito antigos, como vimos com o alerta de Sólon, podem ser bem mais poderosos (e nos fornecer mais experiência) do que a realidade crua.

2. Um método contábil bizarro

HISTÓRIA ALTERNATIVA

Parto do lugar-comum de que não se pode julgar o desempenho em qualquer área (guerra, política, medicina, investimentos) por seus resultados, mas se deve fazê-lo pelos custos da alternativa (isto é, se a história tivesse se desenrolado de maneira diferente). Esses cursos de acontecimentos substitutos são chamados de histórias *alternativas*. É evidente que a qualidade de uma decisão não pode ser julgada apenas com base em seu resultado, mas esse ponto de vista parece ser emitido apenas por pessoas que fracassam (os que têm êxito atribuem seu sucesso à qualidade de sua decisão). Isso é o que os políticos deixando o cargo ficam dizendo para os elementos da imprensa que ainda os ouvem, que eles seguiram o melhor caminho — apresentando a costumeira autocomiseração "sim, nós sabemos", o que torna a ferroada mais dolorosa ainda. E, como muitos lugares-comuns ingênuos, esse aqui, embora por demais óbvio, não é fácil de levar para a prática.

Roleta-russa

Pode-se ilustrar o estranho conceito de histórias alternativas da seguinte maneira. Imagine um magnata excêntrico (e entediado) oferecendo 10 milhões de dólares para alguém jogar roleta-russa, isto é, encostar na cabeça um revólver com um único projétil nas seis câmaras disponíveis e puxar o gatilho. Cada "disparo" seria contabilizado como uma história, num total de seis possíveis, de igual probabilidade. Cinco das seis histórias levariam ao enriquecimento; uma levaria a uma estatística, isto é, a um obituário com uma causa de morte embaraçosa (mas certamente original). O problema é que apenas uma das histórias é observada na realidade; e o ganhador dos 10 milhões conseguiria a admiração e o louvor de algum jornalista inepto (o mesmo que, incondicionalmente, admira os quinhentos bilionários da revista *Forbes*). Como quase todo executivo que encontrei durante minha carreira de quinze anos em Wall Street (a função desses executivos, na minha opinião, sendo nada mais do que avaliar os resultados extraídos de maneira aleatória), o público observa os sinais exteriores de riqueza sem dar uma olhada na fonte (que chamamos de *gerador*). Consideremos a possibilidade de que o ganhador da roleta-russa fosse usado como um modelo para família, amigos e vizinhos.

Embora as cinco histórias restantes não sejam observáveis, a pessoa sábia e ponderada poderia facilmente fazer uma estimativa de seus atributos. É preciso certa ponderação e coragem. Além disso, com o tempo, se o idiota que aposta na roleta-russa continuar jogando, as histórias ruins acabarão vindo. Assim, se um sujeito de 25 anos fizesse roleta-russa, digamos, uma vez por ano, haveria uma possibilidade muito tênue de sobreviver até os cinquenta — mas, com diversos jogadores, digamos, milhares de jovens com 25 anos, podemos esperar ver um pequeno grupo de sobreviventes extremamente ricos, além de um cemitério muito grande. Aqui tenho que admitir que o exemplo da roleta-russa é mais do que um divertimento apenas intelectual para mim. Perdi um camarada para esse tipo de "jogo" durante a guerra do Líbano, quando éramos adolescentes. Há mais: descobri que tinha além de um pequeno interesse na literatura graças ao efeito da descrição que Graham Greene faz do seu namoro com esse jogo; aquilo penetrou mais a fundo em mim do que os acontecimentos reais dos quais eu, recentemente, tinha sido testemunha ocular. Greene alegava que, certa vez, tentara dissipar o tédio da infância puxando o gatilho de um revólver — fazendo-me tremer ao pensar que eu tive pelo menos a probabilidade de um em seis de ficar sem seus romances.

O leitor pode agora entender meu conceito inusitado de contabilidade alternativa: 10 milhões ganhos por meio da roleta-russa não têm o mesmo valor que 10 milhões ganhos por meio da laboriosa e difícil arte da odontologia. As duas quantias são iguais, podem comprar as mesmas coisas, exceto que a dependência de uma em relação ao acaso é maior. Para um contador, entretanto, elas seriam iguais. Para seu vizinho também. Contudo, lá no fundo, não posso deixar de considerá-las qualitativamente diferentes. A ideia dessa contabilidade alternativa tem consequências intelectuais interessantes e leva à formulação matemática, como veremos no próximo capítulo, com a apresentação que faremos da máquina Monte Carlo. Observe que esse uso da matemática é apenas ilustrativo, objetivando uma intuição do assunto, e não deve ser interpretado como uma questão de engenharia. Em outras palavras, não é necessário calcular, na realidade, as histórias alternativas como se avaliam seus atributos. A matemática não é somente um "jogo de números", é um modo de pensar. Veremos que probabilidade é uma questão qualitativa.

Mundos possíveis

Note que essas ideias envolvendo histórias alternativas foram cobertas por disciplinas separadas na história intelectual, dignas de apresentar rapidamente porque todas parecem convergir no mesmo conceito de risco e incerteza (certeza é algo propenso a ocorrer no maior número de diferentes histórias alternativas; incerteza se refere a eventos que devem ocorrer no menor número delas).

Na filosofia, há consideráveis trabalhos sobre o assunto, começando com a ideia de Leibniz de mundos possíveis, entre os quais selecionou apenas um. Os não selecionados são mundos de possibilidades, e aquele no qual respiro e escrevo estas linhas é apenas um deles, que por acaso foi executado. Filósofos também têm um ramo da lógica que se especializa no assunto: se uma propriedade se sustenta em *todos os mundos possíveis* ou um único – com ramificações na filosofia da linguagem chamada *semântica dos mundos possíveis*, com autores como Saul Kripke.

Na física, existe a interpretação de muitos mundos na mecânica quântica (associada ao trabalho de Hugh Everett em 1957), a qual considera que o universo se ramifica como uma árvore a todo momento; o que estamos vivendo agora é só um de muitos mundos. Levado a um nível mais extremo, sempre que inúmeras possibilidades viáveis existem, o mundo se divide em muitos mundos, um para cada possibilidade diferente – causando a proliferação de universos paralelos. Sou um trader ensaísta em um desses universos e poeira em outro.

Finalmente, na economia: economistas estudaram (talvez involuntariamente) algumas das ideias de Leibniz com os "estados de natureza" possíveis de que Kenneth Arrow e Gerard Debreu foram pioneiros. Essa abordagem analítica do estudo da incerteza econômica é chamado de método do "espaço de estados" — e por acaso é o alicerce da teoria econômica e da matemática financeira neoclássicas. Uma versão simplificada é chamada de "análise de cenários", a série de "e se" usada, por exemplo, na previsão de vendas de um fertilizante em diferentes condições e demandas mundiais para o produto.

Uma roleta ainda mais viciada

A realidade é muito mais perversa do que a roleta-russa. Primeiro, ela dispara a bala fatal sem muita frequência, como um revólver que tivesse centenas, até mesmo milhares de câmaras, em vez de seis. Depois de umas poucas dezenas de tentativas, a pessoa esquece a existência de uma bala, sob um falso e entorpecedor senso de segurança. Essa tese é retomada no capítulo 7, quando abordo o problema do cisne negro, que está ligado ao problema da indução, o qual tem mantido alguns filósofos da ciência acordados durante a noite. A ideia também se relaciona ao problema da *difamação da história*, em que jogadores, investidores e pessoas que têm de tomar decisões acham que aquilo que acontece com outros não vai necessariamente acontecer com eles.

Segundo, diferente de um jogo preciso, bem definido, como roleta-russa, onde os riscos são visíveis para qualquer um capaz de multiplicar e dividir por seis, não se consegue observar o cano do revólver da realidade. Raras vezes o gerador é visto a olho nu. Assim, é possível que estejamos, inadvertidamente, jogando roleta-russa — e chamando-a por algum nome alternativo, como "baixo risco". Vemos a riqueza sendo gerada, nunca o processador dela, uma questão que faz com que as pessoas não enxerguem os riscos e nunca vejam os perdedores. O jogo parece incrivelmente fácil, e entramos nele alegres.

Por último, há um fator de ingratidão em alertar as pessoas quanto a algo abstrato (por definição, qualquer coisa que não aconteceu é abstrato). Digamos que você se envolva no negócio de proteger investidores de eventos raros ao construir um pacote que os ampare contra suas ferroadas (algo que já fiz). Digamos que nada aconteça durante um período. Alguns investidores vão reclamar por estar gastando o dinheiro deles; alguns vão até tentar fazer com que se arrependa: "Você gastou meu dinheiro em seguro no ano passado; a fábrica não queimou, então foi um gasto idiota. Você só devia fazer seguros contra eventos que acontecem". Um investidor veio me ver convencido de que eu ia me desculpar (o que não aconteceu). Mas o mundo não é homogêneo. Há pessoas (ainda que poucas) que ligam para expressar sua gratidão por tê--las protegido de eventos que não ocorreram.

BOAS RELAÇÕES COM OS PARES

O grau de resistência ao acaso na vida é uma ideia abstrata, sendo parte de sua lógica algo que vai contra a intuição; para confundir ainda mais a questão, suas realizações são não observáveis. Mas tenho me dedicado cada vez mais ao assunto — por um conjunto de razões pessoais que deixarei para mais tarde. É claro que meu modo de julgar os assuntos é probabilístico, em sua natureza; depende da ideia do que *provavelmente* teria acontecido e exige certa atitude mental no que diz respeito às observações que fazemos. Não recomendo entrar numa discussão com um contador sobre essas considerações probabilísticas. Para um contador, um número é um número. Se estivesse interessado em probabilidade, ele teria abraçado outras profissões mais introspectivas — e seria propenso a cometer um erro na sua declaração de imposto de renda, o que poderia custar caro a você.

Embora não vejamos o cano do revólver na roleta-russa da realidade, algumas pessoas tentam fazê-lo; é preciso uma estrutura mental especial para isso. Tendo visto centenas de pessoas entrarem e saírem da minha profissão (caracterizada por uma extrema dependência do acaso), preciso dizer que tende a ir mais longe quem tem um pouco de conhecimento científico. Para muitos, pensar assim é uma segunda natureza. Isso pode não vir do treinamento científico per se (cuidado com a causalidade), mas do fato de que as pessoas que decidiram, em certo ponto da vida, se devotar à pesquisa científica tendem a possuir uma curiosidade intelectual entranhada e uma inclinação natural para esse tipo de introspecção. Particularmente ponderados são aqueles que tiveram que abandonar os estudos científicos devido à sua incapacidade de se manter focados em um problema rigidamente definido. Sem uma curiosidade intelectual grande é quase impossível completar uma tese de doutorado hoje, mas sem o desejo de se especializar num campo restrito do conhecimento é impossível fazer carreira científica. (Há uma distinção, entretanto, entre a mente de um matemático puro desenvolvendo-se nas áreas abstratas e a de um cientista consumido pela curiosidade. Um matemático fica absorvido pelo que lhe passa pela cabeça, enquanto um cientista pesquisa o que está fora dele mesmo.) Entretanto, a preocupação de algumas pessoas pelo acaso pode ser excessiva; tenho visto gente preparada em outras áreas, como, digamos, mecânica quântica, levar a ideia para o outro extremo, vendo apenas histórias alternativas e ignorando aquela que realmente ocorreu.

Alguns traders até podem ser introspectivos acerca do acaso. Recentemente, jantei no bar do Odeon com Lauren R., um trader que estava lendo um rascunho deste livro. Jogamos uma moeda para o alto para ver quem pagava o jantar. Eu perdi e paguei. Ele estava quase me agradecendo quando subitamente parou e disse: "Lendo seu livro, eu diria que paguei por metade do jantar, sob o ponto de vista probabilístico".

Assim, vejo as pessoas distribuídas em duas categorias opostas: num extremo, aquelas que nunca aceitam a ideia de acaso; do outro, aquelas que são torturadas por essa ideia. Quando comecei em Wall Street, na década de 1980, as salas de traders eram cheias de gente com "orientação para negócios", isto é, em geral privadas de qualquer capacidade de introspecção, extremamente rasas e com boa probabilidade de ser enganadas pelo acaso. A taxa de fracassos entre esse pessoal era extremamente alta, em particular quando os instrumentos financeiros ganharam complexidade. De alguma forma, foram introduzidos no mercado produtos enganosos, como opções exóticas, dando resultados contraintuitivos, e lidar com eles era difícil demais para pessoas com certo tipo de cultura. Elas caíram fora aos montes; não acho que muitas das centenas de pessoas da minha geração com MBA que encontrei em Wall Street nos anos 1980 ainda estejam assumindo riscos dessa forma, de maneira profissional e disciplinada.

Salvação via Aeroflot

Os anos 1990 testemunharam a chegada de gente com antecedentes mais variados e interessantes, o que tornou as salas de trading muito mais divertidas e me salvou das conversas do pessoal com MBA. Muitos cientistas, alguns dos quais bem-sucedidos em sua área, chegaram com o desejo de arrebentar a boca do balão. Esses cientistas, por sua vez, contrataram pessoas que se pareciam com eles. Embora a maioria não fosse ph.D. (na realidade, os ph.D. ainda são minoria), a cultura e os valores mudaram subitamente, e aumentou a tolerância com a profundidade intelectual. Isso causou um aumento na já alta demanda de cientistas em Wall Street, devido ao rápido desenvolvimento de ferramentas financeiras. A especialidade dominante era a física, mas podia se encontrar todo tipo de antecedentes quantitativos entre eles. Os sotaques russo, francês, chinês e indiano (nessa ordem) começaram a dominar, tanto em Nova York quanto em Londres. Dizia-se que todo avião vindo de Moscou tinha pelo menos sua última fileira de poltronas ocupadas por físicos matemáticos a caminho de Wall Street (eles não tinham a esperteza necessária para conseguir bons lugares). Podia-se contratar mão de obra barata indo ao aeroporto JFK com um tradutor (obrigatório) e entrevistando aleatoriamente aqueles que se adequassem ao estereótipo. Na verdade, no final da década de 1990, era possível ser treinado por um cientista de nível mundial por quase a metade do preço de um MBA. Como dizem, marketing é tudo; esses caras não sabem se vender.

 Eu tinha uma forte inclinação a favor dos cientistas russos; muitos podiam ser bem utilizados como técnicos de xadrez (também consegui um professor de piano assim). Além do mais, são extremamente úteis no processo de entrevista. Quando as pessoas com MBA se candidatam para a função de trader, frequentemente se vangloriam no currículo de jogar xadrez em nível "avançado". Lembro-me de um orientador de MBA em Wharton recomendando que anunciássemos nosso conhecimento do xadrez "porque soa inteligente e estratégico". Quem tem MBA, tipicamente, pode interpretar o próprio conhecimento superficial das regras como sendo "conhecimento profundo do jogo". Costumávamos verificar a veracidade das alegações sobre esse "conhecimento profundo do xadrez" (e o caráter do candidato) tirando um tabuleiro de uma gaveta e dizendo ao estudante, que na hora ficava pálido: "Yuri vai ter uma palavrinha com você".

 A proporção de fracassados entre esses cientistas, entretanto, era menor, mas apenas ligeiramente, do que entre as pessoas com MBA; mas a razão era outra, ligada ao fato de serem, na média (mas somente na média), desprovidos da menor partícula de inteligência prática. Alguns cientistas bem-sucedidos tinham a capacidade de julgamento (e a educação social) de uma maçaneta — mas isso não acontecia com todos eles. Muita gente era capaz dos cálculos mais complexos, com grande rigor, quando se tratava de equações, embora fosse totalmente incapaz de resolver um problema com a mínima conexão com a realidade; era como se entendesse a letra, mas não o espírito da matemática. Estou convencido de que X, um russo agradável, meu conhecido, tinha dois cérebros: um para a matemática e outro, consideravelmente inferior, para tudo o mais (o que incluía resolver problemas relacionados com matemática financeira). Mas, de vez em quando, surgia uma pessoa com mente científica, pensamento rápido e jeito para os problemas práticos. Sempre que os dons dessa população mudavam, melhorava nosso conhecimento do xadrez e nos permitia uma conversa de qualidade na hora do almoço, prolongando consideravelmente essa hora. Pense que, na década de 1980, eu tinha que conversar com colegas que possuíam MBA ou formação em contabilidade fiscal, capazes do heroico feito de discutir os padrões da FASB. É necessário dizer que seus interesses não eram muito contagiosos. O interessante sobre esses físicos não está na sua capacidade de discutir a dinâmica dos fluidos; é que eles são naturalmente interessados em uma variedade de assuntos intelectuais, o que permite uma conversa agradável.

Sólon vai ao Regine's

Como o leitor talvez já tenha suspeitado, minhas opiniões sobre o acaso não me granjearam relações amistosas com alguns de meus pares durante minha carreira em Wall Street (muitos dos quais poderão ser indiretamente — mas apenas indiretamente — retratados nestes capítulos). Mas minhas relações realmente acidentadas foram com alguns dos que tiveram a pouca sorte de ser meus chefes. Tive na vida dois chefes de características contrastantes em cada aspecto de sua personalidade.

O primeiro, a quem chamarei de Kenny, era a epítome do homem de família e morador de subúrbio elegante. Ele era do tipo que podia ser treinador de futebol nas manhãs de sábado e convidar o cunhado para um churrasco na tarde de domingo. Tinha a aparência de alguém a quem eu confiaria minhas economias — na verdade, ele subiu muito depressa na instituição, a despeito da sua falta de competência técnica em derivativos financeiros (que era o estandarte da fama da firma). Contudo, era uma pessoa direta demais para entender minha lógica. Certa vez me censurou por não ter ficado impressionado com o sucesso de alguns de seus traders, que se saíram bem durante a histeria de compra de títulos europeus em 1993, e que eu abertamente julguei serem nada melhor do que pistoleiros do acaso. Tentei mostrar-lhe o conceito do viés do sobrevivente (Parte II deste livro), mas foi em vão. Seus traders foram todos alijados do negócio, "em busca de outros interesses" (inclusive ele). Kenny dava a impressão de ser um homem calmo, comedido, que falava o que pensava e sabia como deixar uma pessoa à vontade durante uma conversa. Falava bem, tinha boa aparência graças a seu porte atlético, media as palavras e havia sido agraciado com a qualidade extremamente rara de ser um excelente ouvinte. Seu encanto pessoal permitiu-lhe conquistar a confiança do presidente — mas eu não podia esconder minha falta de respeito por ele, principalmente pelo fato de ele não compreender a natureza da minha conversa. A despeito de seus ares conservadores, ele era uma perfeita bomba-relógio, tique-taque, tique-taque...

O segundo, a quem chamarei de Jean-Patrice, em contraste, era um francês mal-humorado, com um temperamento explosivo e uma personalidade hiperagressiva. Exceto com aqueles de quem realmente gostava (não muitos), tinha fama de deixar seus subordinados desconfortáveis, colocando-os num estado de ansiedade constante. Jean-Patrice contribuiu grandemente para minha formação como tomador de riscos; é uma dessas raras pessoas que têm a coragem de só se preocupar com o gerador, inteiramente desatento aos resultados. Aparentava a sabedoria de Sólon, mas, enquanto se podia esperar que alguém com tal sabedoria e tal compreensão do acaso levasse uma vida entediante, a dele era cheia de colorido. Ao contrário de Kenny, que usava ternos escuros conservadores e camisas brancas (sua única concessão eram vistosas gravatas Hermès), Jean-Patrice vestia-se como um pavão: camisas azuis, blazers xadrez repletos de bolsos de seda. Longe de ser um homem preocupado com a família, ele raramente chegava ao trabalho antes do meio-dia — embora eu possa dizer com segurança que levava trabalho consigo para os lugares mais improváveis. Frequentemente me convidava para o Regine's, uma casa noturna de classe alta em Nova York, acordando-me às três da manhã para discutir pequenos (e irrelevantes) detalhes da minha exposição ao risco. A despeito de seu porte franzino, as mulheres pareciam achá-lo irresistível; muitas vezes desaparecia ao meio-dia, e ninguém o via durante horas. Sua vantagem talvez fosse de ser um francês em Nova York com o hábito de banhos frequentes. Há pouco tempo, ele me convidou para discutir uma questão urgente. De modo característico, eu o encontrei no meio da tarde em um estranho "clube" em Paris, que não tinha letreiro na porta. Ele estava sentado a uma mesa com documentos espalhados à frente. Bebericando champanhe, recebia carinhos simultâneos de duas jovens em trajes sumários. Estranhamente, ele as envolveu na conversa como se fizessem parte da reunião. Chegou até mesmo a fazer com que uma delas ficasse atendendo seu celular, que tocava o tempo todo, pois não queria que nossa conversa fosse interrompida.

Ainda me surpreendo com a obsessão bombástica que esse homem tinha por riscos, coisa que constantemente o preocupava — ele literalmente pensava em tudo o que podia acontecer. Forçou-me a fazer um plano alternativo para a eventualidade de um avião bater no edifício do escritório (muito antes dos eventos do Onze de Setembro) — e ficou possesso com minha resposta de que a condição financeira do departamento dele seria de pouco interesse para mim, se aquilo acontecesse. Tinha uma reputação terrível de namorador e de chefe temperamental, capaz de despedir alguém num assomo de raiva; contudo, me ouvia e compreendia cada palavra que eu tinha a dizer, encorajando-me a ir adiante, sempre mais adiante, no estudo do acaso. Ensinou-me a procurar os riscos invisíveis de explosão em qualquer portfólio de investimentos. Não por coincidência, tinha um imenso respeito pela ciência e uma deferência quase carinhosa por cientistas; mais ou menos uma década depois da época em que trabalhamos juntos, ele apareceu inesperadamente quando eu ia defender minha tese de doutorado, sorrindo do fundo da sala. Enquanto Kenny sabia como subir na escala hierárquica de uma instituição, atingindo um alto nível na organização antes de sair, Jean-Patrice não teve uma carreira tão feliz, o que me ensinou a tomar cuidado com as instituições financeiras bem estabelecidas.

Muita gente de estilo próprio, orientada pela filosofia de resultado, não gosta de ser questionada sobre as histórias que não aconteceram. É claro, para uma pessoa pé no chão, da variedade "bem-sucedida nos negócios", minha linguagem e, tenho que reconhecer, alguns traços de minha personalidade parecem estranhos e incompreensíveis; me diverte saber que esse argumento parece ofensivo a muitos.

O contraste entre Kenny e Jean-Patrice não é mera coincidência em uma carreira longa. Cuidado com o perdulário "conhecedor do negócio"; o cemitério dos mercados é desproporcionalmente bem provido de gente de estilo próprio, com filosofia de resultado. Em contraste com sua atitude costumeira, de Mestres do Universo, essas pessoas subitamente ficam pálidas e humildes, e lhes faltam hormônios quando se dirigem ao Departamento de Recursos Humanos para discutir acordos de demissão.

GEORGE WILL NÃO É NENHUM SÓLON: SOBRE VERDADES CONTRAINTUITIVAS

O realismo pode ser devastador. O ceticismo probabilístico é pior. É difícil levar a vida usando óculos probabilísticos, pois começa-se a ver joguetes do acaso por toda parte, numa variedade de situações — obstinados em sua ilusão perceptiva. Para começar, é impossível ler a análise de um historiador sem questionar as inferências: sabemos que Aníbal e Hitler eram pessoas alucinadas em busca de seus objetivos, assim como sabemos que Roma, hoje, não fala fenício, e que a Times Square, em Nova York, não ostenta suásticas. Mas o que dizer de todos aqueles generais que também foram idiotas, porém terminaram vencendo a guerra e, consequentemente, ganhando a estima do cronista da história? É difícil pensar em Alexandre, o Grande, ou em Júlio César apenas como homens que venceram na história visível, mas que teriam sofrido derrotas em outras. Se ouvimos falar deles, isso acontece simplesmente porque assumiram riscos consideráveis, com milhares de outros, e conseguiram vencer. Eram inteligentes, corajosos, nobres (às vezes), tinham o mais alto grau de cultura que se podia obter em seus dias — mas isso também ocorreu com milhares de outros que vivem nos rodapés empoeirados da história. Não estou, de novo, contestando o fato de que eles venceram suas guerras — contesto apenas a pretensa qualidade de suas estratégias. (Minha primeira impressão sobre uma recente releitura da *Ilíada*, a primeira na minha vida adulta, é de que o poeta épico não julgou seus heróis pelo resultado: eles venceram e perderam as batalhas de uma maneira totalmente independente de seu próprio valor; seu destino dependeu de forças totalmente externas, em geral pela ação explícita de deuses ardilosos — não isentos de nepotismo. Heróis são heróis porque são heroicos no comportamento, não porque ganharam ou perderam. Pátroclo não nos impressiona como herói devido a seus feitos — ele foi logo morto —, mas porque preferiu morrer a ver Aquiles mergulhado na inação. É claro que os poetas épicos compreendiam as histórias invisíveis. Também mais tarde pensadores e poetas tiveram modos mais sofisticados de lidar com o acaso, como veremos em relação ao estoicismo.)

O contato com a mídia, principalmente porque não estou acostumado a ele, às vezes me faz saltar da cadeira e me emocionar diante de uma imagem (fui criado sem televisão, e já estava quase chegando aos trinta quando aprendi a mexer num aparelho). Uma ilustração da perigosa recusa de considerar histórias alternativas nos é dada pela entrevista que George Will, um "comentarista" da mídia que fala sobre todo tipo de coisa, fez com o professor Robert Shiller, um homem famoso por seu livro, um best-seller chamado *Exuberância irracional*, mas conhecido por suas notáveis ideias sobre o acaso e a volatilidade na estrutura dos mercados de capitais (expressos com a precisão da matemática).

A entrevista pode ser tomada como um exemplo do aspecto destrutivo da mídia, pois reforça nosso senso comum, fortemente deformado, e nossas inclinações. Disseram-me que George Will era muito famoso e respeitado (para um jornalista). É possível, até, que seja uma pessoa de grande integridade intelectual; sua profissão, no entanto, resume-se a parecer desenvolto e inteligente diante da turba. Shiller, por outro lado, conhece todas as particularidades do acaso; ele sabe lidar com uma argumentação rigorosa, mas parece menos inteligente em público porque o assunto de sua especialidade é altamente contraintuitivo. Ele vinha proclamando que as ações estavam supervalorizadas havia bastante tempo. George Will lembrou a Shiller que, se as pessoas o tivessem ouvido no passado, teriam perdido dinheiro, pois o mercado havia mais do que dobrado desde que Shiller começara a fazer seu discurso sobre o preço excessivo das ações. Frente a um argumento assim, jornalístico e bem fundamentado (mas disparatado), Shiller não conseguiu responder, exceto para explicar que não se devia dar indevida importância a um erro seu com relação a uma única rodada do mercado. Como cientista, Shiller não proclamava ser um profeta ou comentador dos mercados no noticiário da noite. Yogi Berra teria se saído melhor com sua frase sobre a senhora gorda que ainda precisava cantar.

Não entendi o que Shiller, pouco habituado a comprimir suas ideias em rajadas de palavras vazias, estava fazendo naquele programa de TV. Obviamente, é idiotice pensar que um mercado irracional pode se tornar ainda mais irracional; as opiniões de Shiller sobre a racionalidade do mercado não ficam invalidadas pelo argumento de que, no passado, ele errou. Nesse particular, não posso evitar ver na pessoa de George Will o representante de tantos pesadelos da minha carreira: minha tentativa de evitar que alguém jogasse roleta-russa por 10 milhões de dólares e o jornalista George Will me humilhando em público, dizendo que, se a pessoa tivesse me dado ouvidos, teria perdido uma considerável fortuna. Além disso, o comentário de Will não foi algo que ele tirou da manga; ele escreveu um artigo sobre o assunto discutindo a "profecia" equivocada de Shiller. Essa tendência a fazer e desfazer profetas com base na roleta é sintomática da nossa inaptidão genética, prevalente no mundo moderno, para lidar com a complexa estrutura do acaso. Misturar previsões e profecias é sintomático dos joguetes do acaso (a profecia pertence à coluna da direita, previsão é seu mero equivalente na coluna da esquerda).

Humilhado nos debates

É claro que essa ideia de histórias alternativas não apela ao senso intuitivo, que é onde começa a diversão. Para começar, não somos feitos de modo a compreender a probabilidade, um ponto que examinarei em todo o meu livro. Direi somente, a essa altura, que os pesquisadores do cérebro acreditam que as verdades matemáticas fazem pouco sentido para nossa mente, em particular quando se trata do exame de resultados aleatórios. A maioria dos resultados em probabilidades é inteiramente contraintuitiva, e veremos muitos deles. Então, por que discutir com um mero jornalista que é pago para brincar com a sabedoria convencional da multidão? Toda vez que fui humilhado numa discussão pública sobre mercados por alguém (tipo George Will) que parecia ter argumentos mais digeríveis, eu estava com a razão. Não ponho em dúvida que os argumentos devem ser simplificados ao máximo; mas as pessoas muitas vezes confundem ideias complexas, que não podem ser simplificadas numa elocução simpática à mídia, com uma mente confusa. As pessoas que fazem MBA aprendem o conceito de clareza e simplicidade, a receita de gerente em cinco minutos. O conceito pode se aplicar ao plano de negócios de uma fábrica de fertilizantes, mas não a argumentos altamente probabilísticos — e é por isso que tenho provas "históricas" no meu ramo de negócio de que aqueles que fizeram MBA tendem a se dar mal nos mercados financeiros, pois são treinados a simplificar as coisas em uns poucos passos além do que é exigido (peço que o leitor que tenha MBA não fique ofendido; eu mesmo sou um infeliz detentor desse diploma).

Um tipo diferente de terremoto

Faça a seguinte experiência. Vá a um aeroporto e pergunte a quem está viajando para determinado destino remoto quanto pagariam por uma apólice de seguros da ordem de, por exemplo, 1 milhão de tugrits (a moeda da Mongólia) em caso de morte durante a viagem (por qualquer motivo). Então pergunte a outro grupo de viajantes quanto eles desembolsariam por um seguro que pagaria o mesmo em caso de morte devido a um ato terrorista (e só nesse caso). Em que caso você acha que as pessoas pagariam mais? A probabilidade é de que paguem mais pelo segundo tipo de seguro (ainda que o primeiro também inclua morte em consequência de terrorismo). Os psicólogos Daniel Kahneman e Amos Tversky concluíram isso há décadas. A ironia é que uma das populações de amostra não era constituída por pessoas passando na rua, mas por profissionais que trabalhavam com previsão do tempo participando do encontro anual de determinada associação. Em uma experiência agora famosa, Kahneman e Tversky descobriram que a maioria das pessoas, trabalhem com previsão do tempo ou não, acredita que uma enchente fatal (que leva a milhares de mortes), causada por um terremoto na Califórnia, é mais provável que uma enchente fatal (que leva a milhares de mortes) que ocorre em algum lugar da América do Norte (que por acaso inclui a Califórnia). Como um trader de derivativos, percebi que as pessoas não gostam de fazer seguros contra coisas abstratas; o risco que recebe sua atenção é sempre algo vívido.

Isso nos leva a uma dimensão mais perigosa do jornalismo. Acabamos de ver como o cientificamente desprezível George Will e seus colegas distorcem argumentos para parecerem certos sem estarem certos de fato. Mas há um impacto mais geral exercido por aqueles que transmitem informações ao representar o mundo sob determinado viés. É fato que nosso cérebro tende a buscar pistas superficiais quando se trata de risco e probabilidade, e essas pistas são amplamente determinadas pelas emoções que despertam ou a naturalidade com que vêm à mente. Além de tais problemas com a percepção de risco, também é um fato científico, e muito chocante, que tanto a detecção quanto a prevenção de riscos não são processadas na parte do cérebro que "pensa", e sim principalmente na responsável pelas emoções (o que comprova a teoria do risco como sensação). As consequências não são triviais: significa que o pensamento racional tem muito, muito pouco a ver com a prevenção de ricos. Muito do que o pensamento racional parece fazer é racionalizar as ações de uma pessoa encaixando-as em alguma lógica.

Nesse sentido, mais que apenas uma representação irrealista do mundo, a descrição jornalística é aquela com mais propensão a enganá-lo despertando sua atenção através de um aparato emocional — a sensação mais fácil de se atingir. Peguemos a "ameaça" da vaca louca como exemplo: ela ficou mais de uma década nas manchetes, mas as mortes registradas ficaram na casa das centenas (nas estimativas mais altas), muito menos que as causadas por acidentes de carro (na casa das inúmeras centenas de milhares!). Só que a descrição jornalística das mortes por acidentes de carro não daria tantos frutos comercialmente. (Note que o risco de morrer por intoxicação alimentar ou em um acidente de carro a caminho do restaurante é maior que o de morrer da doença da vaca louca.) O sensacionalismo pode direcionar empatia a causas erradas, e o câncer e a desnutrição são as que mais sofrem por essa falta de atenção. A desnutrição na África e no Sudeste da Ásia já não causa impacto emocional — então foram deixadas de lado. O mapa probabilístico na mente de cada um é tão voltado para o sensacional que seria possível obter ganhos informativos deixando-se de assistir ao noticiário. Outro exemplo envolve a volatilidade dos mercados. Na mente das pessoas, preços mais baixos são muito mais "voláteis" que mudanças acentuadas para cima. Além disso, a volatilidade parece ser determinada não pelas mudanças em si, mas pelo tom da mídia. Os movimentos do mercado nos dezoito meses depois do Onze de Setembro foram muito menores do que aqueles dos dezoito meses anteriores — mas, de alguma forma, na mente dos investidores eles foram muito mais voláteis. As discussões na mídia sobre a "ameaça terrorista" ampliaram o efeito dos movimentos do mercado na cabeça das pessoas. Esse é um dos muitos motivos pelos quais o jornalismo talvez seja a maior praga que enfrentamos hoje — enquanto o mundo fica cada vez mais complicado, nossa mente é treinada para cada vez mais simplificação.

Provérbios em abundância

Cuidado com a confusão entre correção e inteligibilidade. Parte da sabedoria convencional favorece coisas que podem ser explicadas quase instantaneamente, com pouquíssimas palavras — em muitos círculos isso é considerado lei. Tendo frequentado uma escola de primeiro grau francesa, um *lycée primaire*, me habituei a repetir o provérbio popular: *"Ce qui se conçoit bien s'énonce clairement et les mots pour le dire viennent aisément"*. Ou seja: o que é fácil de conceber é claro de expressar, e as palavras para dizê-lo vêm sem esforço.

O leitor pode imaginar minha decepção quando percebi, enquanto me desenvolvia como profissional do acaso, que os provérbios que soam mais poéticos são totalmente errados. A sabedoria emprestada pode ser maldosa. Preciso fazer um esforço enorme para não ser cooptado por observações bem sonantes. Lembro-me do comentário de Einstein, de que o senso comum não é nada mais do que um conjunto de equívocos adquiridos aos dezoito anos. Mais que isso: *o que soa inteligente em uma conversa, numa reunião e particularmente na mídia é suspeito*.

Qualquer leitura da história da ciência mostraria que quase todas as coisas inteligentes que foram provadas por ela pareceram como se fossem de lunático na época em que foram descobertas. Tente explicar a um jornalista do *London Times*, em 1905, que o tempo se desenrola mais devagar quando se viaja (o próprio comitê do Nobel nunca concedeu a Einstein um prêmio por seu trabalho sobre a relatividade especial). Ou tente explicar a alguém que não conheça física que há lugares no universo onde o tempo não existe. Tente explicar a Kenny que, embora seu melhor trader ganhe bastante dinheiro para ele, tenho argumentos suficientes para convencê-lo de que o homem é um idiota perigoso.

Gerentes de riscos

As grandes empresas e instituições financeiras criaram há pouco o estranho cargo de gerente de riscos, alguém que se espera que acompanhe a instituição e verifique se ela não está muito envolvida no negócio da roleta-russa. É óbvio que, tendo se queimado algumas vezes, a ideia é de que deve haver alguém que tome conta do gerador, a roleta que produz lucros e perdas. Embora seja mais divertido ser trader do que gerente de riscos, muitos amigos meus, gente bastante inteligente (inclusive Jean-Patrice), se sentiram atraídos pelo cargo. É fato importante, e algo muito atraente, que o gerente de riscos médio ganha mais que o trader médio (particularmente quando levamos em conta o número de traders que saem do ramo). Mas a função parece estranha devido à seguinte razão: como dissemos, o gerador da realidade não é observável. Esses gerentes têm poder limitado quando se trata de impedir que traders lucrativos continuem a assumir riscos, pois seriam — *ex post* — acusados pelos George Wills de plantão de subtrair ao acionista um precioso dinheiro devido às oportunidades perdidas. Contudo, caso houvesse uma explosão, os gerentes seriam responsabilizados pelo fato. O que fazer em tais circunstâncias?

O melhor caminho é fazer política, cobrindo a retaguarda com a emissão de memorandos vagos que previnam mas não condenem completamente atividades em que se assumem riscos, sob o risco de perda do emprego. Como um médico dividido entre dois tipos de erros, o falso positivo (dizer ao paciente que ele tem câncer quando não tem) e o falso negativo (dizer ao paciente que ele está sadio quando ele tem câncer), os gerentes de riscos precisam encontrar o equilíbrio com a abertura inerente para certa margem de erro na sua função.

Epifenômeno

Do ponto de vista da instituição, a existência de um gerente de riscos tem menos a ver com redução de risco de fato do que com a *impressão* de redução de risco. Filósofos desde Hume e psicólogos modernos têm estudado o conceito de epifenomenalismo, ou seja, quando alguém tem uma ilusão de causa e efeito. A bússola move o barco? "Observando" os riscos, você os reduz efetivamente ou só tem a sensação de que está fazendo seu trabalho? Você é mais um diretor executivo ou apenas um observador da imprensa? A ilusão do controle é nociva?

Concluo este capítulo com a apresentação do paradoxo central da minha carreira centrada no acaso financeiro. Por definição, vou contra a natureza, de modo que não deve surpreender que meu estilo e meus métodos não sejam nem populares nem fáceis de entender. Contudo, gerencio dinheiro para outras pessoas, e o mundo não é povoado apenas de jornalistas tagarelas que não ligam para as consequências porque não têm dinheiro para investir. De modo que meu desejo é que os investidores em geral continuem sendo joguetes do acaso (para que eu possa "apostar" contra eles), mas que sempre haja uma minoria inteligente o bastante para dar valor a meus métodos e a me suprir de capital. Tive sorte em encontrar Donald Sussman, que corresponde ao investidor ideal desse tipo; ele me ajudou na segunda fase da minha carreira, me libertando, assim, dos males do emprego fixo. Meu maior risco é ter sucesso, pois isso significaria que meu negócio está a ponto de desaparecer; estranho ramo de negócio o nosso.

3. Uma reflexão matemática sobre a história

A MATEMÁTICA DO EUROPLAYBOY

O estereótipo de um matemático puro é representado por um homem anêmico, de barba desalinhada e unhas sujas e compridas, trabalhando em silêncio numa mesa espartana mas desorganizada. Com seus ombros magros e uma pança, ele fica sentado numa sala encardida, totalmente absorvido na tarefa, indiferente à sujeira do ambiente. Foi criado num regime comunista e fala inglês com um sotaque da Europa Oriental. Quando come, migalhas se acumulam na barba. Conforme o tempo passa, ele fica mais e mais absorto em seu objeto de trabalho, teoremas puros, chegando a níveis cada vez mais altos de abstração. O público americano foi exposto a um desses personagens com o Unabomber, o matemático barbudo e recluso que morava em uma barraca e matava pessoas que promoviam a tecnologia moderna. Nenhum jornalista foi capaz de chegar perto de descrever o assunto da tese dele, "Limites complexos", por não ter um equivalente inteligível — um número complexo é um número completamente abstrato e imaginário que inclui a raiz quadrada de −1, algo que não possui análogo fora do mundo da matemática.

O nome Monte Carlo traz à mente a imagem de um homem urbano bronzeado do tipo europlayboy entrando em um cassino em meio à brisa mediterrânea. Ele sabe esquiar e jogar tênis, mas também se garante no xadrez e no bridge. Tem um carro esportivo cinza, usa ternos italianos feitos sob medida e bem passados, e fala com cuidado e suavidade sobre assuntos mundanos e reais, que um jornalista poderia facilmente descrever ao público em frases curtas. Dentro do cassino, ele conta as cartas com astúcia, calcula as probabilidades e aposta de maneira estudada, sua mente produzindo cálculos precisos da aposta perfeita. Poderia ser o irmão perdido e mais esperto de James Bond.

Quando penso no método de Monte Carlo, penso alegremente em uma combinação de ambas as coisas: o realismo do homem de Monte Carlo, sem a superficialidade, misturado com a intuição do matemático, sem a abstração excessiva. De fato, esse ramo da matemática tem imenso uso prático — não apresenta a mesma aridez associada à matemática em geral. Fiquei viciado nisso no minuto em que me tornei um trader. Moldou meu pensamento na maior parte dos temas relacionados ao acaso. A maior parte dos exemplos usados neste livro foi criada com meu gerador Monte Carlo, que apresentarei neste capítulo. No entanto, é muito mais um modo de pensar que um método computacional. A matemática é principalmente uma ferramenta reflexiva, e não computacional.

As ferramentas

A ideia de histórias alternativas discutida no capítulo anterior pode ser ampliada consideravelmente e submetida a todo tipo de refinamento técnico. Isso nos leva às ferramentas usadas na minha profissão para brincar com a incerteza. Vou esboçá-las a seguir. O método Monte Carlo, em resumo, consiste em criar história artificial usando os seguintes conceitos:

Primeiro, consideremos o caminho da amostragem. As histórias invisíveis têm um nome científico, *caminhos de amostragem alternativos*, emprestado da matemática das probabilidades, da área denominada de processos estocásticos. O conceito de caminho, em oposição a resultado, indica que não se trata de mera análise de cenários, do estilo MBA, mas do exame de uma sequência de cenários no decorrer do tempo. Não estamos preocupados apenas com o local aonde o pássaro vai chegar amanhã à noite, mas com todos os diversos lugares que ele poderia visitar durante a viagem. Não estamos preocupados com qual seria o patrimônio do investidor em um ano, digamos, mas com as emoções e agonias que ele pode experimentar durante aquele período. A palavra "amostragem" enfatiza que estamos vendo apenas uma realização entre uma coleção de realizações possíveis. Bem, um caminho de amostragem pode ser tanto determinístico quanto aleatório, o que nos leva à distinção que se segue.

Um *caminho de amostragem aleatório*, também chamado percurso aleatório, é o nome matemático para uma sucessão de eventos históricos virtuais começando em determinada data e terminando em outra, os quais são submetidos a um nível variável de incerteza. Entretanto, a palavra "aleatório" não deve ser tomada erradamente por equiprovável (isto é, tendo a mesma probabilidade). Alguns resultados terão uma probabilidade mais alta que outros. Um exemplo de caminho de amostragem aleatório pode ser a temperatura do corpo do seu primo explorador durante o último surto de febre tifoide medida de hora em hora, do início ao fim do episódio. Também pode ser uma simulação de preço das ações de sua empresa favorita de tecnologia, medido diariamente quando do fechamento do mercado durante, digamos, um ano. Começando com cem dólares, num contexto esse preço pode terminar a vinte dólares, depois de passar por um pico de 220; em outro, ele pode terminar a 145, depois de desabar até dez. Outro exemplo é a evolução de sua riqueza durante uma noite no cassino. Você começa com mil dólares no bolso e vai medindo quanto tem de quinze em quinze minutos. Num caminho de amostragem, você tem 2200 dólares à meia-noite; em outro, mal tem vinte para pagar o táxi.

Processos estocásticos dizem respeito à dinâmica de eventos que vão se desenrolando ao longo do tempo. Estocástica é a palavra grega elegante para acaso. Esse ramo da probabilidade estuda a evolução de eventos aleatórios sucessivos — pode-se chamá-lo de matemática da história. A chave desse processo é que ele leva em conta o tempo.

O que é o gerador Monte Carlo? Imagine que você pode reproduzir uma roleta perfeita no seu sótão, sem ter que recorrer a um marceneiro. Podem-se elaborar programas de computador que simulam praticamente tudo. Eles são até mesmo melhores (e mais baratos) do que a roleta feita pelo marceneiro, que pode ter a tendência de favorecer um número mais do que os outros devido a uma pequena inclinação na construção ou no piso do sótão. Essas inclinações são chamadas de tendências.

As simulações Monte Carlo são mais parecidas com um brinquedo do que qualquer coisa que já vi na vida adulta. Podem-se gerar milhares, talvez milhões, de caminhos de amostragem aleatórios, e estudar as características prevalentes em algumas das características desses caminhos. O auxílio de um computador é fundamental nesses estudos. A glamorosa referência a Monte Carlo indica a metáfora de simular eventos aleatórios à feição de um cassino virtual. São estabelecidas condições que se acredita que parecem com aquelas que prevalecem na realidade e desencadeia-se um conjunto de simulações em torno de possíveis eventos. Sem treinamento matemático, podemos desencadear uma simulação Monte Carlo de um libanês cristão de dezoito anos jogando sucessivamente roleta-russa por dada soma e ver quantas dessas tentativas resultam em enriquecimento, ou quanto tempo leva, na média, até que o rapaz conste do obituário. Podemos mudar o tambor da arma de modo a que contenha quinhentos furos, o que fará diminuir a probabilidade de morte, e ver os resultados.

O método de simulação Monte Carlo foi usado pela primeira vez no laboratório de física militar em Los Alamos durante a produção da bomba atômica. Tornaram-se populares na matemática financeira na década de 1980, particularmente nas teorias do caminho aleatório dos preços dos ativos. É preciso dizer que o exemplo da roleta-russa não necessita de todo esse aparato, mas muitos problemas, particularmente os semelhantes a situações da vida real, exigem o potencial de um simulador Monte Carlo.

Matemática Monte Carlo

Os "verdadeiros" matemáticos não gostam do método Monte Carlo. Eles acreditam que esse tipo de método tira a delicadeza e a elegância da matemática. Consideram-no "força bruta". Isso porque podemos substituir uma grande parte do conhecimento matemático com um simulador Monte Carlo (e outros truques computacionais). Por exemplo, alguém sem conhecimento formal de geometria pode calcular o misterioso, quase místico, pi. Como? Desenhando um círculo dentro de um quadrado e "disparando" balas aleatórias dentro da figura (como num estande de tiro), especificando probabilidades iguais de atingir qualquer ponto do mapa (algo chamado de distribuição uniforme). A proporção de acertos dentro do círculo dividida pelo número de tiros dentro e fora do círculo nos dará um múltiplo do místico pi, com precisão possivelmente infinita. É lógico que esse não é um meio tão eficiente de calcular pi quanto o modo analítico, isto é, matemática, mas o método pode dar a alguns usuários maior compreensão do assunto do que linhas e linhas de equações.

O cérebro e a intuição de certas pessoas são orientados de tal modo que elas são mais capazes de apreender um ponto dessa maneira (eu me incluo entre elas). O computador talvez não seja algo natural para o cérebro humano; nem a matemática.

Não sou um matemático "nativo", isto é, falo matemática com um traço de sotaque estrangeiro. Isso porque não me interessam as propriedades matemáticas *per se*, apenas suas aplicações, enquanto um matemático estaria interessado no aperfeiçoamento da ciência matemática (por meio de teoremas e provas). Sou incapaz de me concentrar na solução de uma única equação, a menos que motivado por um problema real (com um mínimo de ganância); assim, a maior parte do que eu sei vem de vender e comprar derivativos — o mercado de opções me levou a estudar a matemática da probabilidade. Muitos jogadores compulsivos, que de outra forma seriam de inteligência mediana, adquirem notáveis capacidades para lidar com as cartas graças à sua ambição.

Outra analogia seria a gramática; em geral, a matemática é uma gramática tediosa e sem insights. Há aqueles que estão interessados na gramática por si só e aqueles interessados em evitar solecismos quando redigem documentos. Somos chamados *quants* — como físicos, temos mais interesse no emprego da ferramenta matemática do que na ferramenta em si mesma. Os matemáticos nascem, nunca se fazem. Físicos e *quants* também. Não me preocupo com a "elegância" e a "qualidade" da matemática que uso, desde que atinja meu objetivo. Recorro à máquina Monte Carlo sempre que posso. Ela consegue fazer o serviço. É também mais didática e será usada neste livro para dar exemplos.

Na verdade, a probabilidade é uma área de investigação de natureza introspectiva, pois afeta mais de uma ciência, e particularmente a mãe de todas as ciências, que é o conhecimento. É impossível avaliar a qualidade do conhecimento que estamos adquirindo sem permitir uma parcela de aleatoriedade na maneira como é obtido e sem despojar a argumentação da coincidência fortuita que pode ter se imiscuído na sua construção. Na ciência, a probabilidade e a informação são tratadas exatamente da mesma maneira. Todo grande pensador trabalhou com a probabilidade, a maioria deles de modo obsessivo. As duas maiores mentes na minha opinião, Einstein e Keynes, começaram sua jornada intelectual com ela. Einstein elaborou um trabalho fundamental em 1905, como um dos primeiros a examinar em termos probabilísticos a sucessão de eventos aleatórios, no caso, a evolução de partículas em suspensão num líquido estacionário. Sua teoria sobre o movimento browniano pode ser considerada a espinha dorsal das teorias de caminho aleatório utilizadas na modelagem financeira. Quanto a Keynes, para a pessoa versada em literatura, ele não é o economista político que os esquerdistas de paletó xadrez adoram citar, mas o autor do magistral, introspectivo e poderoso *Tratado sobre a probabilidade*. Antes de se aventurar no sombrio campo da economia política, Keynes era probabilista. Tinha outras qualidades interessantes também (ele se deu mal arriscando suas economias no mercado de capitais depois de conseguir enorme opulência — a compreensão que as pessoas têm da probabilidade não se traduz no seu comportamento).

O leitor já pode adivinhar que o próximo passo a partir dessa introspecção probabilística é mergulhar na filosofia, particularmente no campo dela que diz respeito ao conhecimento, chamado epistemologia, metodologia ou filosofia da ciência, e popularizado por pessoas como Karl Popper e George Soros. Mas só voltaremos a esse assunto ao final deste livro.

BRINCADEIRA NO SÓTÃO

Fazendo história

No início dos anos 1990, como muito dos meus amigos que lidavam com finanças quantitativas, fiquei viciado nas diversas máquinas Monte Carlo, que eu mesmo aprendi a construir, entusiasmado em sentir que estava gerando história, um demiurgo. É estimulante gerar histórias virtuais e observar a dispersão entre os diversos resultados. Essa dispersão é indicativa do grau de resistência ao acaso. Por isso estou convencido de que tive muita sorte na minha escolha de carreira: um dos aspectos atraentes da minha profissão como trader de opções quantitativas é que tenho perto de 95% do meu dia livre para pensar, ler e pesquisar (ou "refletir" na academia de ginástica, nas rampas de esqui, ou, com maior eficiência, no banco do parque). Também tive o privilégio de "trabalhar" bastante no meu sótão, um lugar bem equipado.

Nosso lucro com a revolução da informática veio da súbita disponibilidade de processadores de alta velocidade, capazes de gerar 1 milhão de caminhos de amostragem aleatórios por minuto. Lembre-se de que nunca me considerei melhor do que um entusiasta solucionador de equações e raramente fui capaz de proezas nesse campo — sendo melhor em montar equações do que em resolvê-las. De repente, minha máquina me permitiu solucionar, com um mínimo de esforço, as mais intratáveis equações. Poucas soluções ficaram fora do meu alcance.

Zorglubs enchem o sótão

Minha máquina Monte Carlo me proporcionou algumas aventuras interessantes. Enquanto meus colegas se afogavam em noticiários, anúncios do Banco Central, relatórios sobre lucros, previsões econômicas, resultados esportivos e política da instituição, comecei a brincar com a máquina em áreas limítrofes à minha base de ação, que é a probabilidade financeira. Um campo natural de expansão para o amador é a biologia evolutiva — a universalidade de sua mensagem e sua aplicação nos mercados era algo atraente. Comecei simulando populações de animais de rápida mutação, chamados zorglubs, submetidos a mudanças climáticas, e testemunhei as mais inesperadas conclusões — alguns dos resultados são repassados no capítulo 5. Meu objetivo, como puro amador fugindo do tédio da vida de negócios, era desenvolver uma intuição para esses eventos — o tipo de intuição que amadores constroem partindo da sofisticação muito minuciosa do pesquisador profissional. Brinquei também com a biologia molecular, gerando células cancerosas que surgem de forma aleatória e descobrindo certos aspectos surpreendentes de sua evolução. Naturalmente, o análogo de fabricar populações de zorglubs era simular uma população de vários tipos de traders — "touros idiotas", "ursos impetuosos", "cautelosos" —sob diferentes regimes de mercado, como altas e baixas explosivas, e examinar sua sobrevivência no curto e no longo prazo. Dentro dessa estrutura, os "touros idiotas" (traders que enriqueceram em um mercado em alta) usariam os procedimentos para a compra de mais ativos, jogando os preços ainda mais para cima, até seus últimos tostões. Os ursos, contudo, raras vezes "arrebentam" na alta, para logo em seguida explodir na baixa. Meus modelos mostraram que quase ninguém, na realidade, ganha dinheiro; os ursos caíram como moscas na alta e os touros foram dizimados no final, quando os lucros evaporaram ao parar a música. Mas houve uma exceção; alguns dos que negociavam opções (eu os chamo de compradores de opções) tinham surpreendentemente conservado seu poder, e eu quis ser um deles. Por quê? Porque eles podiam comprar o seguro contra a explosão, podiam dormir livres de ansiedade à noite graças ao conhecimento de que sua carreira não estaria ameaçada devido ao resultado de um único dia.

Se o tom deste livro parece apoiado na cultura do darwinismo e da teoria da evolução, isto não se deve a nenhum tipo de ensino formal em ciências naturais, mas do modo evolutivo de pensar que me foi ensinado pelos simuladores Monte Carlo.

Tenho que reconhecer que superei em fase de geração caminhos aleatórios toda vez que quero explorar uma ideia — mas, devido ao hábito de brincar com máquinas Monte Carlo durante anos, não consigo mais visualizar um resultado realizado sem referência aos não realizados. Chamo isso de "resumir sub-histórias", expressão que peguei emprestada do interessante físico Richard Feynman, que aplicou esses métodos para estudar a dinâmica das partículas.

Usar meu Monte Carlo para fazer e refazer a história me faz lembrar dos romances experimentais (os chamados *nouveaux romans*) de escritores como Alain Robbe-Grillet, populares nas décadas de 1960 e 1970. Neles, o mesmo capítulo podia ser escrito e revisto, e o escritor mudava o enredo e abria um novo caminho a cada vez. De certa forma, o autor estava livre da situação passada que havia ajudado a criar e se permitia a indulgência de mudar o enredo retroativamente.

Desprezando a história

Mais uma palavra sobre a história sob a perspectiva Monte Carlo. A sabedoria das histórias clássicas me estimula a gastar mais tempo na companhia dos historiadores clássicos, mesmo que as narrativas, como a do alerta de Sólon, tenham se beneficiado da pátina do tempo. Entretanto, isso vai contra a natureza: aprender com a história não é natural para nós, humanos, fato que é plenamente observável nos intermináveis ciclos de grandes altas rápidas e quedas abruptas dos mercados modernos. Refiro-me a historietas, não à teoria da história, o historicismo em grande escala, que visa interpretar os eventos com teorias baseadas na descoberta de certas leis da evolução da história — o tipo de hegelianismo e de historicismo pseudocientífico que leva a conclusões como a do fim da história (é pseudocientífico porque extrai teorias de eventos passados sem aceitar o fato de que essas combinações de eventos poderiam ter surgido por obra do acaso; não há meios de provar suas assertivas com um experimento controlado). Para mim, a história tem utilidade somente no nível de minha sensibilidade desejada, afetando o modo pelo qual desejo pensar com referência aos eventos passados, sendo capaz de roubar melhor as ideias de outros e alavancá-las, corrigir o defeito mental que parece bloquear minha capacidade de aprender com os outros. É o respeito aos mais velhos que eu gostaria de desenvolver, reforçando a deferência que instintivamente sinto por pessoas com cabelo grisalho, mas que tem sido erodido na minha vida como trader, em que idade e sucesso estão, de certa forma, dissociados. Na verdade, tenho dois meios de aprender com a história: o passado, lendo os mais velhos, e o futuro, graças ao meu brinquedo Monte Carlo.

Forno quente

Como mencionei, não é natural, para nós, aprender com a história. Temos pistas o bastante para acreditar que nossa estrutura genética não favorece o legado da experiência. É lugar-comum dizer que as crianças aprendem somente de seus erros; elas só param de querer pôr a mão num forno quente quando se queimam; não há alerta de adultos que desenvolva nelas a menor forma de cautela. Só que os adultos também sofrem da mesma doença. A questão foi examinada pelos pioneiros da economia comportamental Daniel Kahneman e Amos Tversky com relação às escolhas de tratamentos médicos arriscados — eu próprio testemunho isto, pois sou extremamente displicente na área da detecção e prevenção (isto é, me recuso a calcular meus riscos a partir das probabilidades calculadas para outros, achando que sou especial). Contudo, sou extremamente agressivo no tratamento das afecções médicas (reajo de maneira excessiva quando me queimo), o que não tem coerência com o comportamento racional em face da incerteza. Esse desprezo congênito pela experiência dos outros não se limita às crianças ou a gente como eu; afeta em grande escala pessoas que tomam decisões empresariais e investidores.

Se você pensa que apenas ler livros de história vai ajudá-lo a aprender "com os erros dos outros", considere a seguinte experiência do século XIX. Em um caso notório da psicologia, o médico suíço Claparède tinha uma paciente com uma amnésia extremamente debilitante. As condições eram tão ruins que ele tinha que se apresentar a ela a cada quinze minutos, lembrando-a de quem era. Um dia, ele escondeu um alfinete na mão antes de apertar a dela. No dia seguinte, a paciente rapidamente recolheu a mão quando ele tentou cumprimentá-la, *mas não o reconheceu*. Desde então, muitas discussões sobre pacientes com amnésia mostram algum tipo de aprendizado sem que a pessoa esteja ciente e sem que isso seja guardado na memória consciente. O nome científico da distinção entre as duas memórias, a consciente e a não consciente, é declarativa e não declarativa. Muito da prevenção de riscos que vem da experiência é parte da segunda. Se desenvolvi um respeito pela história foi apenas me tornando consciente do fato de que não fui programado para aprender sobre ela em um texto de referência.

Na verdade, pode ser ainda pior: em alguns aspectos, não aprendemos com nossa própria história. Inúmeras linhas de pesquisa têm examinado nossa inabilidade de aprender com nossas reações a eventos passados. Por exemplo, as pessoas não lembram que suas reações emocionais a experiências passadas (positivas ou negativas) tiveram vida curta — elas continuam pensando que a compra de um objeto vai trazer uma felicidade duradoura ou até mesmo permanente, ou que um revés causará um sofrimento profundo e prolongado (quando reveses similares no passado não as afetaram por muito tempo e a alegria da compra pouco durou).

Todos os meus colegas que fizeram pouco-caso da história fracassaram — e ainda estou para encontrar alguém assim que não tenha tido um fracasso espetacular. Contudo, o ponto mais interessante está nas notáveis similaridades de sua abordagem. Tenho observado muitas analogias entre os que fracassaram na crise do mercado de ações de 1987, os que tiveram o mesmo fim no naufrágio do Japão em 1990, os que se arrebentaram na *débâcle* do mercado de títulos de 1994, os que estouraram com a Rússia em 1998 e os que foram a pique comprando ações da Nasdaq no ano 2000. Todos alegaram que "os tempos são diferentes" ou que "o mercado naquela época era diferente", e ofereceram argumentos intelectuais aparentemente bem fundamentados (de natureza econômica) para justificar suas alegações. Foram incapazes de aceitar o fato de que a experiência dos outros estava ali exposta, a céu aberto, disponível livremente para todos, inclusive com livros sobre crises em todas as livrarias. Além dos fracassos sistêmicos, generalizados, tenho visto centenas de traders forçados a abandonar o negócio depois de naufragar de maneira tola, a despeito dos avisos dos veteranos, como a criança que põe a mão no forno. Isso lembra minha atitude quanto à detecção e prevenção de uma série de doenças às quais estou sujeito. Todo mundo acha que é diferente, o que amplifica o choque do "por que eu?" depois do diagnóstico.

Habilidades para prever o passado

Essa questão pode ser discutida sob diferentes pontos de vista. Os especialistas chamam o desprezo pela história de *determinismo histórico*, caracterizado, em suma, por uma crença segundo a qual todos sabemos quando está sendo escrita a história; acreditamos que as pessoas que, digamos, assistiram à crise do mercado de ações em 1929 sabiam, na época, que viviam um evento histórico crucial e que, se esse evento se repetisse, elas perceberiam. A vida, para nós, assemelha-se a um filme de aventura: sabemos com antecedência que algo grande está prestes a acontecer. É difícil imaginar que as pessoas que testemunharam a história não soubessem, na época, o quanto aquele momento seria importante. Porém todo o respeito que devemos ter pela história não se traduz muito bem no tratamento que damos ao presente.

Jean-Patrice, do último capítulo, foi abruptamente substituído por um funcionário público bastante interessante que nunca tinha se envolvido profissionalmente com o acaso. Ele só tinha estudado no tipo certo de lugar onde as pessoas aprendem a escrever relatórios e havia ocupado uma posição gerencial em alguma instituição. Como é típico com cargos avaliados de maneira subjetiva, ele tentou formar uma imagem ruim de seu antecessor: Jean-Patrice foi considerado descuidado e pouco profissional. O primeiro ato do funcionário público foi fazer uma análise formal das nossas operações; ele descobriu que fazíamos operações demais, o que levava a gastos de *backoffice* muito elevados. Analisou um amplo segmento de operações em moeda estrangeira e depois escreveu um relatório explicando que cerca de 1% apenas delas geraram lucros significativos, enquanto o resto gerava perdas ou lucros reduzidos. Ele ficou chocado que os traders não fizessem mais operações do tipo lucrativo e menos do tipo não lucrativo. Era óbvio para ele que precisávamos seguir suas instruções de imediato. Se dobrássemos as operações lucrativas, os resultados para a instituição seriam excelentes. Como traders tão bem pagos não haviam pensado naquilo antes?

As coisas parecem óbvias depois que acontecem. O funcionário público era um homem muito inteligente, e esse tipo de erro é bem mais prevalente do que seria de imaginar. Tem a ver com o modo como nossa mente lida com a informação histórica. Quando olhamos para o passado, ele sempre parece determinístico, já que uma única probabilidade ocorreu. Nossa mente interpreta a maior parte dos eventos não considerando os precedentes, mas os seguintes. Imagina fazer uma prova conhecendo as respostas. Embora saibamos que a história segue adiante, é difícil perceber que a vemos em retrospectiva. E por que isso? Discutiremos melhor no capítulo 11, mas eis uma explicação possível: nossa mente não foi projetada para compreender como o mundo trabalha, e sim para escapar de problemas depressa e ter filhos. Se fosse feita para que compreendêssemos as coisas, então teríamos uma máquina nela capaz de repassar a história como em um videocassete, com a cronologia correta, o que nos retardaria tanto que teríamos dificuldade de funcionar. Os psicólogos chamam essa supervalorização do que se sabe no momento de um evento devido a informações posteriores o *viés retrospectivo*, que é o efeito "eu já sabia".

O funcionário público passou a chamar as operações que não geravam lucros de "erros grosseiros", como os jornalistas julgam decisões que acabam custando a um candidato a eleição de "erro". Repetirei isso até ficar rouco: um erro não é algo que se determina depois do fato, mas à luz das informações que se tinha até então.

Um efeito mais perigoso do viés retrospectivo é que aqueles que são muito bons em *prever* o passado pensarão em si mesmos como bons em prever o futuro e se sentirão confiantes quanto à sua habilidade em fazê-lo. É por isso que acontecimentos como o Onze de Setembro nunca nos ensinam que vivemos em um mundo em que eventos importantes não são previsíveis — até o colapso das Torres Gêmeas parece ter sido previsível *na época*.

Meu Sólon

Tenho outra razão para ser obcecado pelo alerta de Sólon. Retorno ao mesmo quinhão de terra do Mediterrâneo oriental onde a história aconteceu. Meus ancestrais experimentaram fases de extrema opulência e de vergonhosa penúria no decurso de uma única geração, com abruptas regressões que pessoas à minha volta — com a memória de um progresso constante e linear — não creem possível (pelo menos não na época em que escrevo). Os que me cercam, ou tiveram (até agora) poucos reveses familiares (com exceção da Grande Depressão) ou, mais frequentemente, não são imbuídos de um senso histórico bastante aguçado para refletir sobre o passado. É como se a alma de gente com minha formação, grego-ortodoxa do Mediterrâneo oriental, e de cidadãos da Roma oriental tivesse sido gravada com a lembrança daquele triste dia de abril, cerca de quinhentos anos atrás, quando Constantinopla, invadida pelos turcos, desapareceu da história, deixando-nos como súditos perdidos de um império morto, minorias muito prósperas em um mundo islâmico — com uma saúde muito frágil. Lembro-me vivamente da imagem de meu avô, um homem digno, ex-vice-primeiro-ministro e filho de um vice-primeiro-ministro (que só vi vestido de terno), residindo num apartamento de aspecto deprimente em Atenas, tendo seus bens se dissipado durante a guerra civil libanesa. Incidentalmente, tendo experimentado a devastação da guerra, acho o empobrecimento indigno muito mais duro do que o perigo físico (de certa forma, morrer com toda a dignidade me parece muito preferível a viver uma vida de faxineiro, que é uma das razões pelas quais detesto os riscos financeiros muito mais do que os riscos físicos). Estou certo de que Creso se preocupava mais com a perda do seu reino do que com os perigos que corria sua vida.

Há um aspecto importante e incomum do pensamento histórico, talvez mais aplicável a mercados do que a qualquer outra coisa: diferentemente de muitas ciências "exatas", a história não se presta à experimentação. Mas, de certa forma, em geral a história é bastante poderosa para nos dar, ao longo do tempo, no médio e no longo prazos, a maior parte das situações possíveis, enterrando o bandido. Transações ruins acabam pegando você, diz-se frequentemente no mercado de capitais. Os matemáticos da probabilidade dão a isso o nome elegante de *ergodicidade*. Significa, grosso modo, que (sob certas circunstâncias) caminhos de amostragem aleatórios muito longos terminam parecendo uns com os outros. As propriedades de um caminho de amostragem muito longo seriam semelhantes às propriedades Monte Carlo de uma média de caminhos mais curtos. Se tivesse vivido mil anos, o faxineiro do capítulo 1, que ganhou na loteria, não poderia esperar ganhar mais loterias. Aqueles que não tiveram sorte na vida, a despeito de sua capacidade, subiriam, no final.

O idiota sortudo poderia ter se beneficiado de alguma sorte na vida, mas no longo prazo convergiria lentamente para o estado de um idiota menos sortudo. Cada um reverteria a seus atributos no longo prazo.

PENSAMENTO DESTILADO

Notícia de última hora

O jornalista, minha *bête noire*, entrou neste livro com George Will lidando com resultados aleatórios. Na próxima etapa mostrarei como meu brinquedinho Monte Carlo ensinou-me a apreciar o pensamento destilado, expressão que uso para designar o pensamento que se baseia nas informações à nossa volta que foram despojadas dos ruídos sem sentido que desviam a atenção. Isso porque a diferença entre ruído e informação, o tópico deste livro (o ruído tem mais aleatoriedade), tem uma analogia: é a diferença entre jornalismo e história. Para ser competente, um jornalista deveria encarar os assuntos da mesma forma que um historiador, sem enfatizar o valor da informação que ele está fornecendo, ao dizer, por exemplo: "Hoje a Bolsa subiu, mas essa informação não é tão importante, pois ela resulta principalmente do ruído". No entanto, ele certamente perderia seu emprego ao banalizar o valor da informação que tem em mãos. Não apenas é difícil para o jornalista pensar mais como um historiador, mas o historiador — que tristeza! — está ficando mais parecido com o jornalista.

Para uma ideia, idade é beleza (é prematuro discutir a matemática dessa tese). A aplicabilidade do alerta de Sólon sobre a vida na aleatoriedade, em contraste com a mensagem exatamente oposta que nos apresenta a cultura prevalente, afogada pela mídia, reforça meu instinto de valorizar o pensamento destilado sobre o pensamento mais novo, independente da aparente sofisticação do segundo — outra razão para acumular respeitáveis volumes na minha mesa de cabeceira (confesso que os únicos assuntos sobre os quais leio atualmente na imprensa são as bisbilhotices sociais da alta roda, muito mais interessantes, encontradas em *Tatler*, *Paris Match* e *Vanity Fair* — além da *Economist*). Além do decoro do pensamento antigo em comparação com a grossura da tinta fresca, gastei algum tempo redigindo a ideia na matemática dos argumentos evolutivos e da probabilidade condicional. Isso porque o fato de uma ideia ter sobrevivido tanto tempo, atravessando tantos ciclos, é indicativo de sua adequação relativa. O ruído, pelo menos algum ruído, foi filtrado. Matematicamente, progresso significa que algumas informações novas serão melhores que informações passadas, mas não que a média das novas informações suplantará a média das informações passadas — o que significa que é uma boa escolha, quando em dúvida, rejeitar a nova ideia, a nova informação ou o novo método. Clara e chocantemente, sempre. Por quê?

O argumento em favor de "coisas novas" e até mesmo de "coisas novíssimas" é o seguinte: olhe para as profundas mudanças que foram trazidas pelas novas tecnologias, como o automóvel, o avião, o telefone e o computador pessoal. A conclusão mais comum (que prescindiu do pensamento probabilístico) seria de que todas as novas tecnologias e invenções revolucionariam igualmente nossa vida. Mas nesse ponto a resposta não é tão óbvia, se vemos e contamos apenas os vencedores, com a exclusão dos perdedores (é como dizer que atores e escritores são ricos, ignorando o fato de que atores são, em grande parte, garçons — e têm sorte, se comparados aos escritores, que são menos populares e vendem batatas fritas no McDonald's). O jornal de sábado relaciona dezenas de novas patentes de itens que podem revolucionar nossa vida. As pessoas tendem a concluir que, porque algumas invenções revolucionaram nossa vida, as invenções devem ser sancionadas e que devemos preferir o novo ao velho. Tenho opinião oposta. O custo da perda de uma "coisa novíssima", como o avião e o automóvel, é minúsculo se comparado à toxicidade e a todo o lixo com que precisamos conviver para possuir essas joias (pressupondo que tenham trazido alguma melhoria para nossa vida, coisa de que frequentemente duvido).

O mesmo argumento se aplica à informação. O problema não é que ela seja divergente e geralmente inútil, mas sua toxicidade. Vamos examinar o valor duvidoso das notícias altamente frequentes, com uma discussão mais extensa e mais técnica de filtragem de sinal e de frequência de observação. Direi aqui que esse respeito pelo tempo, que reverenciamos, nos fornece argumentos para descartar qualquer comércio com o jornalista tagarela moderno e implica uma exposição mínima à mídia como um princípio orientador para alguém envolvido no processo de tomada de decisões num cenário de incertezas. Achar algo além de ruído na massa de noticiário "urgente" que nos bombardeia é como encontrar uma agulha em um palheiro. As pessoas não percebem que a mídia é paga para chamar a atenção. Para um jornalista, o silêncio raramente sobrepuja a palavra.

Nas raras ocasiões em que viajei no trem das 6h42 para Nova York, observei com espanto as hordas de homens de negócios deprimidos (que pareciam preferir estar em outro lugar) diligentemente mergulhados na leitura de *The Wall Street Journal*, avaliando os detalhes de companhias que, no momento em que escrevo, provavelmente já encerraram suas atividades. Na realidade, é difícil perceber se eles pareciam deprimidos porque estavam lendo o jornal, se pessoas depressivas são levadas a ler jornal, ou se pessoas que vivem fora de seu hábitat genético tanto leem jornal quanto parecem sonolentas e deprimidas. Contudo, se no início de minha carreira essa atenção geral ao ruído me ofendia intelectualmente, já que eu considerava a informação insignificante em termos estatísticos para que pudesse chegar a qualquer conclusão de peso, hoje a encaro com grande prazer. Fico feliz em presenciar essa onda de decisões idiotas pautadas no terror pós-leitura de ordens de investimento — em outras palavras, hoje a leitura em massa de tais matérias é, para mim, um fator de segurança para que eu continue no meu divertido negócio de trader contra os joguetes do acaso. (É preciso um enorme investimento em introspecção para aprender que as trinta ou mais horas passadas "estudando" o noticiário no mês anterior não ajudaram em nenhuma previsão para suas atividades naquele mês e nem ao menos tiveram impacto no seu conhecimento atual do mundo. Esse problema é similar à nossa dificuldade de corrigir erros do passado: como uma matrícula na academia feita para satisfazer uma resolução de Ano-Novo, muitas vezes as pessoas pensam que certamente será a próxima leva de notícias que vai fazer a diferença em sua compreensão das coisas.)

Shiller revisitado

A ideia do valor negativo da informação sobre a sociedade deve-se em grande parte a Robert Shiller. Não apenas nos mercados financeiros, mas de modo geral, seu trabalho de 1981 talvez tenha sido o primeiro esboço de uma formulação matemática sobre o modo como a sociedade lida com a informação. Shiller plantou sua marca com seu estudo sobre a volatilidade dos mercados, mostrando que se o preço de uma ação é o valor estimado de "algo" (digamos, os fluxos de caixa futuros de uma corporação), então os preços de mercado são voláteis demais em relação às manifestações tangíveis daquele "algo" (ele usou dividendos como proxy). Os preços oscilam mais do que os fundamentos que devem refletir; sua reação é visivelmente excessiva, tornando-os às vezes altos demais (quando ultrapassam rapidamente as boas notícias, ou quando sobem sem motivo aparente) e baixos demais em outras ocasiões. A volatilidade diferencial entre preços e informação significa que algo na "expectativa racional" não funcionou. (Os preços não refletem, racionalmente, o valor no longo prazo dos valores mobiliários, deslocando-se rapidamente numa ou noutra direção.) Os mercados tinham que estar errados. Shiller então proclamou que os mercados não são tão eficientes como estabelecia a teoria financeira (mercados eficientes significavam, em resumo, que os preços deveriam se adaptar a toda informação disponível, de modo a ser totalmente imprevisíveis para nós, humanos, e evitar que as pessoas obtivessem lucros). Essa conclusão desencadeou apelos das ordens religiosas das altas finanças para que fosse destruído o infiel que cometia tal apostasia. É interessante notar que, por uma estranha coincidência, esse mesmo Shiller foi estraçalhado por George Will apenas um capítulo atrás.

A principal crítica contra Shiller veio de Robert C. Merton. Os ataques foram puramente no terreno metodológico (a análise de Shiller era muito grosseira: seu uso de dividendos no lugar de lucros, por exemplo, era um ponto bem fraco). Merton também defendia a posição da teoria financeira oficial, segundo a qual os mercados precisavam ser eficientes e não entregariam oportunidades numa bandeja de prata. Contudo, o mesmo Robert C. Merton apresentou-se, mais tarde, como "sócio fundador" de um hedge fund, que objetivava tirar vantagem das ineficiências do mercado. Embora o hedge fund de Merton tenha constituído um enorme fracasso por causa do *problema do cisne negro* (do lado negativo), uma iniciativa desse tipo exige, por implicação, que ele concorde com Shiller sobre a ineficiência do mercado. Em suma, o defensor dos dogmas das finanças modernas e dos mercados eficientes montou um fundo que se aproveitava das ineficiências do mercado! É como se o papa tivesse se convertido ao islamismo.

As coisas não estão melhores hoje. No momento em que escrevo, novos fornecedores oferecem todo tipo de atualizações, "notícias de última hora" que podem ser enviadas eletronicamente. A taxa de informação não destilada em relação à destilada está crescendo, saturando os mercados. As mensagens dos mais velhos não precisam ser entregues a você como notícias de última hora.

Isso não significa que todos os jornalistas sejam joguetes dos fornecedores de ruído aleatório: há hordas de profissionais ponderados (posso citar Anatole Kaletsky, de Londres, e Jim Grant e Alan Abelson, de Nova York, como representantes subestimados da classe dos jornalistas financeiros, e Gary Stix no jornalismo científico); o que acontece é que o jornalismo destrambelhado da grande mídia se constitui em um processo de fornecimento de ruído para atrair a atenção geral, e não há meio de separar os dois tipos de jornalismo. Na verdade, jornalistas inteligentes são com frequência penalizados. Assim como o advogado no capítulo 11, que não se preocupa com a verdade, e sim com os argumentos que podem fazer um júri mudar de opinião e cujos defeitos intelectuais ele próprio conhece intimamente, o jornalismo vai para onde pode atrair nossa atenção, com ferroadas sonoras apropriadas. Novamente aqui, meus amigos eruditos ficarão pensando por que me exalto ao declarar o óbvio sobre jornalistas: o problema com minha profissão é que dependemos deles para obter a informação de que precisamos.

Gerontocracia

A opção pelo pensamento destilado implica privilegiar velhos investidores e traders, isto é, investidores que estão expostos aos mercados há mais tempo — posição que vai contra a prática comumente adotada em Wall Street de dar preferência àqueles que têm sido mais lucrativos e preferir os mais jovens sempre que possível. Brinquei com simulações Monte Carlo de populações heterogêneas de traders sob uma variedade de regimes (com forte semelhança com as populações históricas), e encontrei uma significativa vantagem em escolher traders mais velhos, usando, como critério de seleção, seus anos de experiência acumulada, em vez do sucesso absoluto (isto é, se não fracassaram rotundamente). "Sobrevivência dos mais aptos", uma expressão tão viciada na mídia de investimentos, parece-me não ser algo bem compreendido: com uma mudança de regime, como veremos no capítulo 5, não fica claro quem na verdade é o mais apto, e aqueles que sobreviverão não são, necessariamente, os que dão essa impressão. Curiosamente, eles seriam os mais velhos, apenas porque as pessoas mais velhas ficaram mais tempo expostas ao evento raro e podem ser, convincentemente, mais resistentes a ele. Achei curioso descobrir um argumento evolutivo semelhante na seleção para acasalamento, segundo o qual as mulheres preferem (na média) unir-se a homens sadios mais velhos em vez de homens sadios mais jovens, todos os outros fatores sendo iguais, pois os primeiros fornecem certa evidência de que têm melhores genes. Cabelo grisalho indica uma capacidade maior de sobreviver — desde que, tendo atingido a fase de cabelos grisalhos, tenha maior resistência aos embates da vida. Curiosamente, empresas de seguro de vida na Itália renascentista chegaram a idêntica conclusão, cobrando o mesmo prêmio de seguro para um homem na casa dos vinte anos e outro na casa dos cinquenta, sinal de que tinham a mesma expectativa de vida; uma vez cruzada a marca dos quarenta anos, um homem já tinha apresentado as poucas doenças que poderiam prejudicá-lo. Agora, vamos reformular esses argumentos sob o aspecto matemático.

FILÓSTRATO EM MONTE CARLO: A DIFERENÇA ENTRE RUÍDO E INFORMAÇÃO

O homem sábio presta atenção ao significado, o tolo apreende somente o ruído. O poeta grego moderno K. P. Kaváfis escreveu em 1915 um poema baseado no adágio de Filóstrato que dizia que os deuses percebem coisas no futuro, as pessoas comuns no presente, e os sábios aquelas que estão prestes a acontecer. Escreveu Kaváfis: "Na sua intensa meditação, o som oculto das coisas que se aproximam os alcança, e eles ouvem respeitosamente enquanto na rua, do lado de fora, as pessoas não ouvem absolutamente nada".

Pensei muito e durante bastante tempo em como explicar, com o mínimo de matemática possível, a diferença entre ruído e significado, e como mostrar por que a escala de tempo é importante na avaliação de um evento histórico. O simulador Monte Carlo pode nos fornece essa percepção. Começaremos com um exemplo emprestado do mundo dos investimentos (isto é, da minha profissão), pois nele a ideia pode ser explicada de maneira bastante fácil e aplicada de qualquer outra forma.

Vamos inventar um dentista, alegremente aposentado, vivendo em uma agradável cidadezinha ensolarada. Sabemos a priori que ele é um excelente investidor e espera obter um retorno de 15% a mais que um título de uma Treasury Bill, com uma taxa de erro de 10% (que chamamos de volatilidade). Isso significa que, de cem caminhos de amostragem, esperamos que perto de 68 deles caiam dentro de uma faixa de mais ou menos 10% em torno do lucro, isto é, entre 5% e 25% (para ser técnico: a distribuição normal com curva em formato de sino tem 68% de todas as observações caindo entre –1 e 1 desvios padrões). Isso também significa que 95 caminhos de amostragem caem entre –5% e 35%.

Estamos lidando com uma situação bastante otimista, claro. O dentista montou uma mesa de operações muito boa no seu sótão, esperando passar todos os dias úteis observando o mercado com uma xícara de cappuccino descafeinado nas mãos. Tem um temperamento aventureiro, de modo que acha que essa atividade é mais interessante do que ficar passando a broca nos dentes de relutantes velhinhas da Park Avenue.

Ele contratou um serviço de internet que lhe fornece continuamente os preços, obtidos hoje por uma fração do que ele paga pelo café. Põe a relação de sua carteira de ações na planilha que mostra e calcula informações sobre vendas, impostos, lucros etc., e pode assim acompanhar instantaneamente o valor de sua carteira especulativa. Estamos vivendo na chamada era da conectividade.

Um lucro de 15% com 10% de volatilidade (ou incerteza) por ano se traduz em uma probabilidade de 93% de ganhar dinheiro em determinado ano. Mas, numa escala de tempo reduzido, isso se traduz numa probabilidade de 50,02% de ganhar dinheiro em determinado segundo, como é mostrado no Quadro 3.1. Com um incremento de tempo muito pequeno, a observação revelará quase nada. Contudo, o coração do dentista não lhe dirá isso. Sendo emotivo, ele sofre a cada perda mostrada em vermelho na tela do computador. Também sente um certo prazer quando o desempenho é positivo, mas que não equivale à dor que experimenta quando é negativo.

Quadro 3.1: Probabilidade de ganhar dinheiro em diferentes escalas

Escala	Probabilidade
1 ano	93%
1 trimestre	77%
1 mês	67%
1 dia	54%
1 hora	51,3%
1 minuto	50,17%
1 segundo	50,02%

No final de cada dia o dentista estará emocionalmente esgotado. Um exame minuto a minuto de seu desempenho mostrará que cada dia (supondo oito horas por dia) terá 241 minutos agradáveis contra 239 desagradáveis. Isso corresponde a 60 688 e 60 271 por ano, respectivamente. Agora, perceba que se o minuto desagradável é mais intenso do que o agradável, então o dentista incorre em um grave déficit quando examinado seu desempenho em alta frequência.

Consideremos a situação em que o dentista examina sua carteira de investimentos apenas quando recebe o extrato mensal da corretora. Como 67% de seus meses serão positivos, ele tem apenas quatro pontadas de dor por ano e oito experiências prazerosas. Isso acontece com o mesmo dentista seguindo a mesma estratégia. Agora consideremos o dentista olhando para seu desempenho apenas uma vez por ano. Nos próximos vinte anos que se espera que ele viva, experimentará dezenove surpresas agradáveis para cada uma desagradável!

Essa propriedade escalar do acaso é geralmente mal compreendida até mesmo por profissionais. Tenho visto ph.Ds. discutirem sobre um desempenho observado numa escala de tempo estreita (sem sentido por qualquer outro padrão). Antes de criticar novamente os jornalistas, parece apropriado fazer mais observações.

Visto por outro ângulo, se tomarmos a taxa de ruído em relação ao que chamamos de não ruído (isto é, coluna da esquerda/coluna da direita), que temos o privilégio aqui de examinar quantitativamente, teremos o seguinte: em cada ano observamos aproximadamente 0,7 parte de ruído para cada desempenho; em uma hora, trinta partes de ruído para cada desempenho, e em um segundo, 1796 partes de ruído para cada desempenho.

Umas poucas conclusões:

1. Num pequeno incremento de tempo, observa-se a variabilidade da carteira, não os retornos. Em outras palavras, vê-se a variância e pouco mais. Sempre me obrigo a lembrar que o que se observa é, na melhor das hipóteses, uma combinação de variância e retornos, não apenas retornos (mas minhas emoções não se importam com o que digo a mim mesmo).
2. Nossas emoções não foram projetadas para compreender essa questão. O dentista saiu-se melhor quando lidava com extratos mensais do que com outros mais frequentes. Talvez tivesse sido melhor que se limitasse

a extratos anuais. (Se você acha que pode controlar suas emoções, pense que algumas pessoas também acreditam que podem controlar as batidas do coração ou o crescimento dos fios de cabelo.)
3. Quando vejo um investidor acompanhando sua carteira com preços on-line no seu telefone celular, eu sorrio.

Finalmente, devo avisar que não sou imune a esse defeito emocional. Contudo, lido com esse problema não acessando nenhuma informação, exceto em circunstâncias raras. De novo, prefiro ler poesia. Se um evento é bastante importante, acabará encontrando um caminho até os meus ouvidos. Voltarei a esse ponto mais tarde.

A mesma metodologia pode explicar por que o noticiário (em grande escala) é cheio de ruído e por que a história (em pequena escala) é, em grande parte, desprovida dele (embora repleta de problemas de interpretação). Isso explica por que prefiro não ler o jornal (a não ser o obituário), por que nunca bato papo sobre o mercado e, quando estou na sala de corretagem, procuro os matemáticos e as secretárias, não os traders. *Isso* explica por que é melhor ler a *New Yorker* às segundas do que o *Wall Street Journal* toda dia de manhã (sem falar no enorme desnível de padrão intelectual entre as duas publicações).

Finalmente, isso explica por que as pessoas que olham o acaso de muito perto acabam esgotadas, suas emoções sugadas pela série de pontadas de dor que experimentam. Independente do que aleguem, uma pontada negativa não é compensada por uma positiva (alguns economistas comportamentais estimam que um efeito negativo é 2,5 vezes maior que um positivo); isso levará a um déficit emocional.

Agora que você sabe que o dentista que verifica seu desempenho com alta frequência tem maior exposição às pontadas positivas e negativas, e que as duas não se cancelam, considere que pessoas de avental branco examinaram algumas propriedades assustadoras desse tipo de pontada negativa no sistema nervoso (o efeito normalmente esperado é alta pressão sanguínea, o não esperado é estresse crônico, que leva à perda de memória, perda da plasticidade do cérebro e dano cerebral). Até onde sei, não há estudos investigando as propriedades exatas do esgotamento do trader, mas a exposição diária a graus tão altos de aleatoriedade sem muito controle tem efeitos psicológicos (ninguém estudou o efeito de tal exposição ao risco de câncer). O que os economistas há muito não entendem sobre pontadas positivas e negativas é que tanto sua biologia quanto sua intensidade são diferentes. Leve em conta que elas são processadas em distintas partes do cérebro — o grau de racionalidade nas decisões tomadas depois de um ganho é extremamente diferente daquele depois de uma perda.

Note também a implicação de que riqueza não importa tanto para o bem-estar quanto a rota utilizada para chegar a ela.

Algumas pessoas supostamente sábias e racionais frequentemente me culpam por "ignorar" possíveis informações valiosas nos jornais diários e por me recusar a desconsiderar os detalhes do ruído como "eventos de curto prazo". Alguns dos meus patrões têm me culpado de viver no mesmo planeta que eles.

Meu problema é que não sou racional e tenho forte inclinação a me afogar no acaso e incorrer na tortura emocional. Tenho consciência da minha necessidade de ruminar em bancos de parque e cafés, afastado das informações, mas só posso fazer isso se fico, de certa forma, longe das notícias. Minha única vantagem na vida é que conheço algumas das minhas fraquezas, principalmente a de não conseguir controlar emoções diante do noticiário e de ser incapaz de ver um desempenho com a mente clara. O silêncio é muito melhor. Falaremos mais sobre isso na Parte III.

4. Acaso, tolice e o intelectual científico

O ACASO E O VERBO

Nossa máquina Monte Carlo pode nos levar para um território mais literário. Cada vez mais é feita uma distinção entre o intelectual científico e o intelectual literário — culminando com as chamadas "guerras da ciência", com facções de não cientistas literatos contra cientistas não menos literatos. A distinção entre as duas abordagens se originou em Viena, na década de 1930, com um grupo de físicos que decidiram que estavam ocorrendo progressos na ciência importantes o bastante para penetrar no campo conhecido como ciências humanas. Segundo seu ponto de vista, o pensamento literário era capaz de esconder um monte de tolices bem sonantes. Eles queriam distinguir pensamento e retórica (exceto na literatura e na poesia, onde é seu lugar adequado).

O modo pelo qual introduziram o rigor na vida intelectual foi declarando que uma assertiva podia cair apenas em duas categorias: *dedutiva*, como "2 + 2 = 4", isto é, advindo, incontrovertidamente, de um arcabouço axiomático definido com precisão (aqui, as regras da aritmética), ou *indutiva*, isto é, verificável de algum modo (com experimento, estatísticas etc.), como "chove na Espanha" ou "os nova-iorquinos em geral são grosseiros". Tudo o mais era pura e simples porcaria (a música poderia ser um substituto muito melhor para a metafísica). Não é preciso dizer que as assertivas indutivas talvez sejam difíceis, até mesmo impossíveis, de verificar, como veremos com o problema do cisne negro — e o empirismo pode ser pior do que qualquer outra coisa quando dá confiança a alguém (levarei alguns capítulos para atingir esse ponto). Entretanto, foi um bom ponto de partida tornar os intelectuais responsáveis pela apresentação de alguma forma de prova para suas assertivas. O Círculo de Viena foi a origem do desenvolvimento das ideias de Wittgenstein, Popper, Carnap e muitos outros. Independentemente do mérito de suas ideias originais, seu impacto, tanto na filosofia quanto na prática da ciência, foi importante. Parte desse impacto na vida intelectual não filosófica está começando a se desenvolver, embora consideravelmente mais devagar.

Uma maneira concebível de diferenciar um intelectual científico de um intelectual literário é considerar que o primeiro geralmente pode reconhecer o trabalho de um colega, mas o segundo não seria capaz de dizer a diferença entre linhas escritas por um cientista ou por um não cientista falastrão. Isso torna-se ainda mais patente quando o intelectual literário começa a usar palavras científicas que julga ser muito importantes, como "princípio da incerteza", "teorema de Gödel", "universo paralelo", ou "relatividade", seja fora do contexto ou, como acontece frequentemente, em exata oposição ao seu significado científico. Sugiro que se leia o hilariante *Imposturas intelectuais*, de Alan Sokal, como ilustração desse tipo de prática (ri tão alto e com tanta frequência com esse livro num avião que os outros passageiros ficaram sussurrando coisas a meu respeito). Despejando num jornal uma montanha de lixo de referências científicas, tem gente que consegue fazer com que outro intelectual literário acredite que seu material tem o aval da ciência. É claro que, para um cientista, a ciência está no rigor da conclusão, não nas referências aleatórias a conceitos grandiosos, tais como a relatividade geral ou a indeterminação quântica. Tal rigor pode ser expresso na linguagem comum. Ciência é método e rigor; ela pode ser identificada no mais simples dos trabalhos em prosa. Por exemplo, o que mais me chamou a atenção ao ler *O gene egoísta*, de Richard Dawkins, foi que, embora não inclua uma única equação, o texto me pareceu traduzido em linguagem matemática. Contudo, é prosa artística.

O teste de Turing às avessas

O acaso pode ser de considerável ajuda nessa questão. Isso porque há outro meio, muito mais divertido, de fazer a distinção entre o falastrão e o pensador. Com auxílio do gerador Monte Carlo pode-se, às vezes, duplicar algo que esteja sendo considerado um discurso literário, mas é impossível construir aleatoriamente um discurso científico. A retórica pode ser construída aleatoriamente, mas não o verdadeiro conhecimento científico. Essa é a aplicação do teste de Turing da inteligência artificial, às avessas. O que é o teste de Turing? O brilhante e excêntrico matemático inglês Alan Turing, pioneiro da computação, imaginou o seguinte teste: se um computador pode ser considerado inteligente ao conseguir (na média) enganar um ser humano fazendo este pensar que fala com outro ser humano, e não com uma máquina, o inverso deve ser verdade: um humano poderia ser considerado desprovido de inteligência se, ao se duplicar um discurso com o auxílio de um computador, que sabemos não ser inteligente, pudesse ser enganado, acreditando que tal discurso foi feito por um humano. Será que alguém poderia elaborar, de modo inteiramente aleatório, um trabalho que possa ser, no conjunto, tomado por um texto de Derrida?

A resposta parece ser sim. À parte a mistificação de Alan Sokal (o mesmo do livro hilário de poucas linhas atrás), que conseguiu escrever bobagens e tê-las veiculadas em uma importante publicação, há geradores Monte Carlo projetados para estruturar textos desse tipo e elaborar trabalhos completos. Alimentadas com textos "pós-modernistas", essas máquinas podem combinar aleatoriamente frases, com um método denominado "gramática recursiva", e produzir sentenças gramaticalmente corretas, mas sem sentido, que soam como Jacques Derrida, Camille Paglia e outros. Devido à natureza nebulosa de seu pensamento, o intelectual literário pode ser iludido pelo acaso.

No programa da Universidade Monash, da Austrália, que utiliza o Motor Dada construído por Andrew C. Bulhak, brinquei com a máquina e gerei alguns trabalhos contendo as seguintes frases:

> Entretanto, o principal tema das obras de Rushdie não é teoria, como sugere o paradigma dialético da realidade, mas a pré-teórica. A premissa do paradigma neossemanticista do discurso implica que a identidade sexual, ironicamente, tem significação.
>
> Muitas narrativas relativas ao papel do escritor como observador podem ser mostradas. Seria possível dizer que se a narrativa cultural for verdade, temos que escolher entre o paradigma dialético da narrativa e o marxismo não conceitual.

A análise de Sartre da narrativa cultural afirma que a sociedade, paradoxalmente, tem valor objetivo.

Assim, a premissa do paradigma neodialético de expressão implica que a consciência pode ser usada para reforçar a hierarquia, mas apenas se a realidade for distinta da consciência; se isso não acontecer, podemos supor que a linguagem tem um significado intrínseco.

Alguns discursos na área de negócios pertencem a essa categoria, por seus próprios méritos, mas são menos elegantes e usam um vocabulário diferente do literário. Podemos elaborar aleatoriamente um discurso que imite o do nosso principal executivo para decidir se o que ele está dizendo tem valor ou se é apenas bobagem "vestida a rigor" vinda de alguém com sorte para ter sido posto na função. Como? Selecionando, aleatoriamente, cinco frases abaixo, depois as ligando e acrescentando o mínimo necessário para construir um discurso gramaticalmente correto.

Cuidamos dos interesses de nosso cliente/nosso futuro/nossos ativos são nossa gente/criação do valor do acionista/nossa visão/nosso conhecimento especializado está em/fornecemos soluções interativas/nos posicionamos nesse mercado/como servir nossos clientes melhor/sacrifícios no curto prazo para lucros no longo prazo/seremos recompensados no longo prazo/trabalhamos com base no nosso valor e corrigimos nossas fraquezas/coragem e determinação prevalecerão/temos compromisso com a inovação e a tecnologia/um empregado feliz é um empregado produtivo/compromisso com a excelência/plano estratégico/nossa filosofia de trabalho.

Se isso se parece demais com o discurso que você acabou de ouvir do seu chefe, então sugiro que procure outro emprego.

O pai de todos os pseudopensadores

É difícil resistir à discussão da história artificial sem um comentário sobre o pai de todos os pseudopensadores, Hegel. Ele escreve num jargão que não tem sentido fora de um chique café parisiense na margem esquerda do Sena, ou do Departamento de Humanidades de alguma universidade extremamente isolada do mundo real. Veja essa passagem do "filósofo" germânico (que foi descoberta, traduzida e criticada por Karl Popper):

> Som é a mudança na condição específica de segregação das partes materiais, e na negação de sua condição; meramente um abstrato ou uma idealidade ideal, como tal, daquela especificação. Mas essa mudança, coerentemente, é, ela própria, a negação imediata da subsistência específica material; que é, portanto, idealidade real da gravidade e da coesão específicas, isto é — calor. O aquecimento de corpos sonantes, assim como dos batidos e esfregados, é a aparência do calor, originado conceitualmente junto com o som.

Nem mesmo uma máquina Monte Carlo poderia soar tão aleatória como o grande mestre pensador filosófico (seriam necessárias várias passadas de amostragem para obter-se a mistura de calor e som). Com frequência consideram isso filosofia e a financiam com o dinheiro do contribuinte. Agora, considere que o pensamento hegeliano é geralmente associado a uma abordagem "científica" da história; isso produziu resultados tais como os regimes marxistas e até mesmo um ramo denominado pensamento "neo-hegelianista". Tais "pensadores" deveriam receber uma aula, em nível de graduação, sobre a teoria de amostragem estatística antes de serem soltos no mundo.

POESIA MONTE CARLO

Há vezes em que gosto de ser enganado pelo acaso. Minha alergia à tolice e à verborragia se dissipa quando se trata de arte e poesia. Por um lado, tento me definir e me comportar oficialmente como uma pessoa hiper-realista e direta esquadrinhando o papel do acaso; por outro, não tenho escrúpulos em condescender com todo tipo de superstição pessoal. Onde traço o limite? A resposta está na estética. Algumas formas estéticas apelam para algo genético em nós, quer se originem ou não de associações aleatórias ou de simples alucinações. Alguma coisa nos genes humanos é profundamente tocada pela nebulosidade e ambiguidade da linguagem; então, por que lutar contra isso?

O amante da poesia e da linguagem em mim ficou de início deprimido pelo exercício poético "cadáveres delicados", em que sentenças poéticas interessantes eram elaboradas aleatoriamente. Juntando-se ao acaso um número suficiente de palavras, deve surgir alguma inusitada metáfora, de som mágico, de acordo com as leis combinatórias. Contudo, não se pode negar que alguns desses poemas são de uma beleza arrebatadora. Quem se importa com sua origem, se agradam ao nosso senso estético?

A história desse jogo é a seguinte. No final da Primeira Guerra Mundial, um grupo de poetas surrealistas que se reuniam em cafés, entre os quais se incluía André Breton, seu papa, Paul Éluard, e outros, tentou o seguinte exercício (os críticos literários modernos o atribuem ao ânimo deprimido do pós-guerra e à necessidade de escapar à realidade). Num pedaço de papel dobrado, cada um deles escreveria em sua vez parte de uma frase predeterminada, não sabendo da escolha dos outros. O primeiro pegaria um adjetivo, o segundo um substantivo, o terceiro um verbo, o quarto um adjetivo e o quinto um substantivo. O primeiro exercício publicado desse arranjo aleatório (e coletivo) produziu a seguinte sentença poética: *Os cadáveres delicados beberão o vinho novo*. Impressionante? A coisa soa ainda mais poética no francês original: *Les cadavres exquis boiront le vin nouveau*. Poesia bastante boa foi produzida dessa maneira, às vezes com ajuda de um computador. Mas ela nunca foi verdadeiramente tomada a sério fora da beleza de suas associações, seja a produzida por disparates aleatórios de um ou mais cérebros desorganizados, seja as construções mais elaboradas de um criador consciente.

Independente de ser a poesia obtida por uma máquina Monte Carlo ou cantada por um homem cego na Ásia Menor, a linguagem é poderosa quando se trata de oferecer prazer e consolo. Testar sua validade intelectual traduzindo-a em simples argumentos lógicos roubaria seu grau variável de potência, às vezes de modo excessivo; nada pode ser mais insosso do que a poesia traduzida. Um argumento convincente do papel da linguagem é a existência de línguas sagradas sobreviventes, não corrompidas pelo teste simples do uso diário. As religiões semíticas, como o judaísmo, o islamismo e o cristianismo original, compreendiam esse ponto; manter uma língua longe da racionalização do uso cotidiano evita a corrupção do vernáculo. Há quatro décadas, a Igreja católica fez com que os serviços religiosos e liturgias passassem do latim para as línguas locais; pode-se argumentar que isso causou uma queda nas crenças religiosas. Subitamente, a religião se sujeitou a ser julgada pelos padrões intelectuais e científicos, deixando de lado o padrão estético. A Igreja ortodoxa grega cometeu o erro feliz de, na hora de traduzir algumas de suas orações do grego clerical, no vernáculo baseado no semítico que é falado pelos gregos sírios da região de Antioquia (Turquia meridional e Síria setentrional), escolher o árabe clássico, uma língua inteiramente morta. Minha família tem sorte, assim, de poder rezar numa mistura de coiné morto (grego clerical) e no não menos morto árabe corânico.

O que é que essa questão tem a ver com um livro sobre o acaso? Nossos genes ditam uma necessidade de *péché mignon*. Até mesmo os economistas, que em geral encontram meios abstrusos de escapar completamente da realidade, estão começando a compreender que o que nos faz pulsar não é, necessariamente, o contador que temos dentro de nós. Não precisamos ser racionais e científicos quando se trata dos detalhes da vida diária — apenas nas coisas que podem nos causar mal e ameaçar nossa sobrevivência. A vida moderna parece nos convidar a fazer o oposto: nos tornar extremamente realistas e intelectuais quando se trata de assuntos como religião e comportamento pessoal, e tão irracionais quanto possível quando se trata de mercados e assuntos comandados pelo acaso. Tenho encontrado colegas, gente "racional", direta, que não compreende como adoro a poesia de Baudelaire e Saint-John Perse ou escritores obscuros (e muitas vezes impenetráveis) como Elias Canetti, Borges ou Walter Benjamin. Contudo, ficam vidrados ao ouvir as "análises" de algum guru na televisão, ou ao comprar ações de uma empresa sobre a qual não sabem absolutamente nada, com base em dicas de vizinhos que dirigem carros de luxo. O Círculo de Viena, ao destroçar a filosofia verborrágica estilo Hegel, explicava que do ponto de vista científico era puro lixo, e do ponto de vista artístico era inferior à música. Preciso dizer que acho Baudelaire muito mais agradável do que o noticiário da CNN ou George Will.

Há um ditado iídiche que diz: *Se sou forçado a comer porco, que seja da melhor qualidade*. Se vou ser enganado pelo acaso, melhor que seja do tipo mais belo (e inofensivo). Esse ponto será retomado na Parte III.

5. Sobrevivência do menos apto: a evolução pode ser iludida pelo acaso?

CARLOS, O MAGO DOS MERCADOS EMERGENTES

Eu costumava encontrar Carlos numa variedade de festas em Nova York, onde ele se mostrava impecavelmente vestido, embora um pouco tímido com as mulheres. Eu sempre o interrogava, tendo de insistir para que falasse de seu ganha-pão: compra e venda de títulos de mercados emergentes. Como um sujeito educado, ele acedia aos meus pedidos, mas ficava tenso; para ele, falar inglês, a despeito de sua fluência, parecia exigir certo esforço físico que o fazia contrair os músculos da cabeça e do pescoço (algumas pessoas não são feitas para falar línguas estrangeiras). O que são títulos de mercados emergentes? "Mercado emergente" é o eufemismo politicamente correto para definir um país com baixo nível de desenvolvimento (como cético, não empresto essa certeza linguística à "emergência" desses países). Títulos são instrumentos financeiros emitidos por esses governos estrangeiros, em especial Rússia, México, Brasil, Argentina e Turquia, e são trocados por centavos quando esses governos não estão em situação muito boa. Subitamente os investidores acorreram para esses mercados no início dos anos 1990 e foram arriscando cada vez mais, adquirindo títulos exóticos em quantidades crescentes. Todos esses países estavam construindo hotéis com canais de noticiário americanos disponíveis, academias de ginástica equipadas com esteiras e enormes telas de televisão, dando a sensação de união à aldeia global. Todos tinham acesso aos mesmos gurus e "apresentadores" financeiros. Os banqueiros logo foram investir naqueles títulos, e as nações utilizavam as receitas para construir hotéis ainda melhores, de modo que mais investidores visitavam o país. Em certo momento, esses títulos passaram a ser moda e os centavos se transformaram em dólares; aqueles que conheciam um mínimo do negócio acumularam grandes fortunas.

Carlos, supõe-se, descende de uma família aristocrática latino-americana que ficou bastante empobrecida com as dificuldades econômicas da década de 1980, mas dificilmente encontrei alguém de um país devastado cuja família não tivesse, em certa época, possuído toda uma província ou, digamos, sido fornecedora de jogos de dominó aos tsares da Rússia. Depois de se graduar, ele foi para Harvard em busca de um ph.D. em economia, que era o tipo de coisa que os aristocratas latino-americanos tinham o hábito de fazer na época (com vistas a salvar suas economias dos males de mãos sem ph.D.). Era um bom estudante, mas não conseguia encontrar um tópico para a tese a ser defendida. Tampouco conquistou o respeito do seu orientador, que achava que ele não tinha imaginação. Carlos conformou-se com o mestrado e uma carreira em Wall Street.

Uma mesa de mercados emergentes, iniciando no negócio e ligada a um banco de Nova York, contratou Carlos em 1992. Ele tinha a receita para o sucesso: sabia encontrar no mapa os países menos desenvolvidos que emitiam os títulos de dívida em dólar. Sabia o que significava Produto Interno Bruto. Parecia sério, inteligente e bem articulado, a despeito de seu forte sotaque espanhol. Era o tipo de pessoa que os bancos se sentem confortáveis em colocar diante de seus clientes. Que contraste com os outros traders, que não tinham educação!

Carlos chegou ali bem a tempo de ver as coisas acontecerem no mercado. Quando entrou para o banco, o mercado para títulos de mercados emergentes era pequeno, e os traders ficavam alojados em lugares pouco confortáveis da sala do pregão. Mas a atividade logo transformou-se numa parcela grande e crescente dos lucros do banco.

Ele generalizava ao se referir à comunidade de traders de mercados emergentes: dizia que era um conjunto de aristocratas cosmopolitas vindos de mercados emergentes de todas as partes do mundo, o que me fazia lembrar a hora internacional do cafezinho na Wharton School. Eu achava estranho que raramente uma pessoa se especializasse no mercado de seu país de nascimento. Mexicanos sediados em Londres negociavam valores mobiliários russos; iranianos e gregos se especializavam em títulos brasileiros; argentinos lidavam com títulos turcos... Diferentemente de minha experiência com traders de verdade, eles são geralmente bem-educados, vestem-se com apuro e colecionam obras de arte, mas não são intelectuais. Parecem conformados demais para ser traders de verdade. Costumam ter entre trinta e quarenta anos, devido à juventude de seu mercado. É de esperar que muitos deles comprem bilhetes para a temporada da Metropolitan Opera House. Traders de verdade, acredito, vestem-se mal, são feios e exibem mais curiosidade intelectual sobre o conteúdo de uma lata de lixo do que sobre um quadro de Cézanne.

Carlos prosperou como economista/trader. Ele tinha uma grande rede de amigos em vários países latino-americanos e sabia exatamente o que ocorria lá. Comprava títulos que achava atraentes, ou porque lhe deixavam uma boa comissão ou porque acreditava que seriam mais procurados no futuro e, portanto, valorizariam. Talvez fosse errado chamá-lo de trader. Um trader compra e vende (ele pode vender o que não possui e comprá-lo mais tarde, na esperança de realizar um lucro numa baixa, o que é chamado de "venda a descoberto"). Carlos só comprava — e em grandes quantidades. Acreditava que recebia um bom bônus pelo risco de reter esses títulos, porque havia valor econômico em emprestar dinheiro a esses países. A venda a descoberto, na sua opinião, não fazia sentido econômico.

Dentro do banco, Carlos era a referência para mercados emergentes. Ele apresentava as últimas cifras econômicas ao mínimo pedido. Almoçava frequentemente com o presidente do conselho. Na sua opinião, trading era economia, e pouca coisa mais. Isso vinha funcionando muito bem para ele. Carlos recebeu promoção atrás de promoção, até que se tornou chefe dos traders dos mercados emergentes na instituição. Começando em 1995, Carlos se deu exponencialmente bem na sua nova função, obtendo uma expansão de seu capital numa base firme (isto é, o banco concedia uma parcela maior de seus fundos para suas operações) — tão depressa que ele era incapaz de usar inteiramente seus novos limites de risco.

Os anos dourados

O motivo pelo qual Carlos teve anos bons não foi apenas porque comprou títulos de mercados emergentes cujo valor subiu durante o período. Foi principalmente porque ele também os comprou quando estavam muito baratos. Carlos entrou firme, comprando quando os preços experimentavam um pânico momentâneo. O ano de 1997 teria sido ruim se ele não tivesse firmado sua posição depois da queda em outubro, quando ocorreu uma falsa crise do mercado de ações. O fato de ter sobrepujado os pequenos reveses tornou-o invencível. Ele não podia errar. Acreditava que a intuição econômica com a qual era agraciado lhe proporcionava decisões acertadas em trading. Depois de uma queda brusca do mercado, Carlos verificava os fundamentos e, se permanecessem firmes, comprava mais daquele título para ter alívio quando o mercado se recuperasse. Examinando o passado dos títulos dos mercados emergentes entre a época em que Carlos começou a se envolver com eles e seu último cheque polpudo, em dezembro de 1997, vê-se uma linha inclinada ascendente, com pequeninas quedas ocasionais, tais como a desvalorização mexicana de 1995, seguidas de uma longa subida de preços. Podem-se também observar pequenas quedas ocasionais que se transformaram em "excelentes oportunidades de compra".

Foi o verão de 1998 que levou Carlos à ruína — aquela última queda que não teve recuperação. Sua folha corrida de hoje inclui apenas um trimestre ruim — mas bota ruim nisso. Ele havia ganho perto de 80 milhões de dólares, acumulados, nos anos anteriores. Perdeu 300 milhões em apenas um verão. O que aconteceu? Quando o mercado começou a cair em junho, suas fontes lhe informaram que a venda acelerada era meramente resultado de uma "liquidação" de um hedge fund de Nova Jersey chefiado por um ex-professor de Wharton. O fundo especializou-se em títulos hipotecários e tinha acabado de receber instruções para reduzir seu estoque geral. O estoque incluía alguns títulos russos, principalmente porque os *yield hogs*, como esses papéis eram chamados, contribuíam com a ideia de montar uma carteira "diversificada" de títulos de alto rendimento.

Fazendo preço médio

Quando o mercado começou a cair, Carlos acumulou títulos russos, a uma média de 52 dólares cada. Era característica dele diminuir o preço médio. Os problemas, considerou, nada tinham a ver com a Rússia, e não seria um fundo de Nova Jersey, chefiado por algum cientista maluco, que ia decidir o destino daquele país. "Leia meus lábios: é uma li-qui-da-ção!", gritava ele para os que questionavam sua compra.

Ao final de junho, suas rendas do trading para 1998 haviam caído de mais de 60 milhões para 20 milhões de dólares. Aquilo o deixou com raiva. Mas ele calculou que se o mercado voltasse a subir aos níveis de antes da liquidação de Nova Jersey, chegaria a 100 milhões de dólares. Aquilo era inevitável, assegurava Carlos. Os títulos, dizia ele, nunca, nunca serão negociados a menos de 48 dólares. Ele estava arriscando muito pouco para, com toda certeza, ganhar tanto.

Então veio o mês de julho. O mercado caiu um pouco mais. O título russo de referência ficou em 43 dólares. Suas posições naufragavam, e Carlos apostou mais fichas. Naquele momento ele já estava abaixo de 30 milhões de dólares no ano. Seus chefes começaram a ficar nervosos, mas ele continuava lhes dizendo que a Rússia não ia para o buraco. Ficava repetindo o chavão de que o país era muito grande para fracassar. Estimava que recuperá-lo custaria tão pouco e beneficiaria tanto a economia mundial que não fazia sentido liquidar o estoque agora. "É hora de comprar, não de vender", dizia ele, repetidamente. "Esses títulos estão sendo negociados a um preço muito próximo de seu possível valor de moratória." Em outras palavras, se a Rússia ficasse inadimplente e não tivesse dólares para pagar os juros de sua dívida, aqueles títulos quase não sofreriam. De onde ele tirara tal ideia? De discussões com outros traders e economistas de mercados emergentes (ou híbridos de economista com trader). Carlos aplicou cerca de metade de seu patrimônio líquido, então 5 milhões de dólares, no título principal russo. "Vou me aposentar com os lucros", disse ele ao corretor que fez a transação.

Ultrapassando os limites

O mercado continuou caindo. No início de agosto, os títulos já eram vendidos a trinta dólares. Em meados daquele mês, estavam a vinte. E Carlos não fazia nada. Achava que o preço na tela era muito pouco importante no seu negócio de comprar "valor".

Sinais de fadiga de batalha começaram a aparecer no seu comportamento. Ele foi ficando sobressaltado e perdendo a pose. Gritava com alguém nas reuniões: "*Stop loss* é pra gente imbecil! Não vou comprar na alta e vender na baixa!". Nas sucessivas e bem-sucedidas jogadas ele aprendera a humilhar e fazer pouco dos traders que não trabalhavam com mercados emergentes. "Se tivéssemos caído fora em outubro de 1997, depois das maiores perdas, não teríamos tido aqueles excelentes resultados no ano", ouviu-se repetir. Além disso, ele disse à gerência: "Esses títulos estão sendo negociados a níveis muito reduzidos. Os que puderem investir agora nesses mercados vão obter lucros maravilhosos". Toda manhã, Carlos passava uma hora discutindo a situação com economistas do mercado do mundo inteiro. Todos eles pareciam contar uma história semelhante: a liquidação era excessiva.

A mesa de corretagem de Carlos experimentava perdas em outros mercados também. Ele perdeu dinheiro no mercado dos títulos russos em rublos. Seus prejuízos se acumulavam, mas ele continuava contando à direção os boatos que ouvia sobre as grandes perdas em outros bancos — maiores que as dele. Carlos se justificava mostrando que estava "indo bem em relação à indústria". Isso é um sintoma de problemas sistêmicos: mostra que há toda uma comunidade de traders fazendo exatamente a mesma coisa. Essas declarações, de que outros traders também estão em dificuldades, são autoincriminadoras. A estrutura mental de um trader deve orientá-lo a fazer exatamente *o que as outras pessoas não estão fazendo*.

No final de agosto, seu carro-chefe, os títulos principais russos, estava sendo negociado a dez dólares. O patrimônio líquido de Carlos se reduzira a quase metade. Ele foi demitido. Seu superior também, o chefe de trading. O presidente do banco foi transferido para um "novo cargo recém-criado". Os membros do conselho de administração não conseguiam compreender por que o banco tinha se exposto tanto com um governo que não estava pagando seus próprios funcionários — entre os quais, o que era perturbador, se incluíam os militares. Aquele era um dos pontos que os economistas de mercados emergentes em todo o mundo, que tanto falavam entre si, se esqueceram de levar em conta. O veterano trader Marty O'Connell chama isso de efeito Corpo de Bombeiros. Ele observou que os bombeiros que ficam muito tempo sem trabalhar e que conversam bastante com os outros acabam por concordar em muitas coisas que um observador externo, imparcial, acharia absurdas (eles desenvolvem opiniões políticas bem parecidas). Os psicólogos dão a isso um nome mais elegante, mas meu amigo Marty não tem treinamento em psicologia clínica.

Os nerds do Fundo Monetário Internacional levaram um baile do governo russo, que os ludibriou. É preciso lembrar que economistas são avaliados por sua inteligência, não pela medida científica de seu conhecimento da realidade. Entretanto, o preço dos títulos não foi ludibriado. Ele sabe mais que os economistas, mais do que os Carlos dos departamentos de mercados emergentes.

Louie, um trader veterano de uma mesa de corretagem vizinha, que sofrera muita humilhação na mão dos traders dos mercados emergentes, foi vingado. Nascido e criado no Brooklyn, na época tinha 52 anos, e durante três décadas sobrevivera a todo e qualquer ciclo concebível do mercado. Ele olhou calmamente para Carlos sendo escoltado por um segurança para a porta como um soldado capturado. Então murmurou, no seu sotaque do Brooklyn: "Esquemaconomia econômica. É tudo dinâmica de mercado".

Carlos agora está fora do mercado. A possibilidade de que a história venha a provar que ele estava correto (em certo ponto do futuro) não tem nada a ver com o fato de que ele é um trader ruim. Ele tem todas as características de um homem ponderado e seria o genro ideal. Mas tem a maioria dos atributos de um trader ruim. E, em determinado ponto, o mais rico dos traders é, com frequência, o pior deles. Chamarei isso de *problema transeccional*: em determinada época do mercado, os traders que têm mais lucros são provavelmente aqueles que melhor se adaptaram ao último ciclo. Isso não acontece muitas vezes com dentistas e pianistas — devido à natureza do acaso.

JOHN, O TRADER DE ALTO RENDIMENTO

Conhecemos John, vizinho de Nero, no capítulo 1. Com 35 anos ele tinha passado por Wall Street como operador de títulos privados de alta rentabilidade, negociando papéis de "alto rendimento" durante sete anos desde que se formara na Pace Graduate Business School. Subiu em tempo recorde até chefiar uma equipe de dez traders — graças a uma jogada entre duas firmas semelhantes de Wall Street, o que lhe rendeu um generoso contrato com participação nos lucros, o qual permitia que ele recebesse 20% dos lucros que realizasse no final de cada ano fiscal. Além disso, ele podia investir seu próprio dinheiro nas transações — um grande privilégio.

John não era uma pessoa que se pudesse chamar de inteligente, mas ele acreditava possuir uma boa dose de intuição para os negócios. Diziam que era "pragmático" e "profissional". Dava a impressão de que nascera para aquilo, nunca dizendo nada inusitado ou fora de propósito. Permanecia calmo na maior parte das circunstâncias, raramente traindo qualquer forma de emoção. Até mesmo os palavrões ocasionais (Wall Street é assim!) eram ditos tão dentro do contexto que soavam... profissionais.

Vestia-se impecavelmente. Isso devia-se também a suas viagens mensais a Londres, onde seu departamento tinha uma filial supervisionando atividades de alto rendimento na Europa. Usava um terno escuro próprio para homens de negócios, da Saville Row, com uma gravata Ferragamo — o bastante para transmitir a impressão de que era a epítome do profissional bem-sucedido de Wall Street. Toda vez que se encontrava com ele, Nero ficava com a impressão de estar malvestido.

A mesa de John se concentrava numa atividade denominada trading de "alto rendimento", que consistia em adquirir títulos "baratos", que rendiam, digamos, 10%, enquanto a taxa de empréstimo da instituição era de 5,5%. Isso dava um rendimento líquido de 4,5%, também chamado *diferencial de taxa de juros* — que parecia pequeno, mas podia ser alavancado e multiplicado por um fator de alavancagem. Ele fazia isso em diversos países, tomando emprestado à taxa de juros local e investindo em ativos "arriscados". Foi fácil para John juntar mais de 3 bilhões de dólares em face desse tipo de operação, em uma variedade de continentes. Ele se protegia da exposição do risco da taxa de juros vendendo títulos futuros dos governos americano, inglês, francês e outros, limitando assim sua aposta ao diferencial entre os dois instrumentos. John se sentia protegido por essa estratégia de hedge — bem agasalhado (ou assim pensava) contra as horrorosas flutuações das taxas de juros mundiais.

O quant que conhecia computadores e equações

John tinha como auxiliar Henry, um *quant* estrangeiro que, apesar de seu inglês incompreensível, tinha a fama de ser pelo menos tão competente quanto ele próprio em métodos de gerenciamento de riscos. John não sabia matemática, então dependia de Henry. "O cérebro dele e meu senso de negócios", vivia dizendo. Henry lhe fornecia as avaliações de risco relativas à carteira em geral. Sempre que ficava preocupado, John pedia a Henry um relatório bem atualizado. Henry tinha se formado em pesquisa operacional quando John o contratou. Sua especialidade era uma área denominada finança computacional, que, como o nome indica, parece se concentrar em rodar programas de computador durante a noite. Sua renda passou de 50 mil a 600 mil dólares em um ano.

A maior parte dos lucros que John gerava para a instituição não era atribuída ao diferencial da taxa de juros entre os instrumentos descritos acima. Vinha das mudanças de valor dos títulos que John tinha, principalmente porque muitos outros traders os estavam adquirindo, a fim de imitar a estratégia dele (elevando, assim, o preço desses ativos). O diferencial da taxa de juros estava chegando perto do que John acreditava ser seu "valor justo". Ele achava que os métodos que usava para calcular o "valor justo" eram bons. Tinha o apoio de um departamento inteiro, que o ajudava a analisar e determinar quais títulos eram atrativos, e oferecia potencial para a valorização do capital. Era normal obter esses lucros tão grandes ao longo do tempo.

John ganhava dinheiro para seus empregadores constantemente, embora talvez se tratasse mais de quantidade que de constância. A cada ano os lucros que ele gerava quase que dobravam em comparação com o anterior. Durante seu último ano, sua renda experimentou um salto quântico, e ele viu o capital alocado à sua mesa de corretagem inchar bem além de suas expectativas mais malucas. Seu bônus anual foi de 10 milhões de dólares (antes dos impostos, o que geraria algo perto de um pagamento de imposto total de 5 milhões). O patrimônio líquido de John chegava a 1 milhão de dólares quando ele tinha 32 anos. Com 35 anos, ele tinha ultrapassado 16 milhões. A maior parte viera da acumulação de bônus, mas uma parcela considerável vinha dos lucros de sua carteira de investimentos pessoal. Dos 16 milhões, ele insistia em manter cerca de 14 milhões investidos no seu negócio. Isso lhe permitia, graças à alavancagem (isto é, o uso de dinheiro emprestado), manter uma carteira de 50 milhões de dólares em seus negócios de corretagem, com 36 milhões tomados emprestados do banco. O efeito da alavancagem é que uma perda pequena teria seu valor multiplicado, deixando-o limpo.

Foram precisos somente uns poucos dias para que os 14 milhões de dólares se transformassem em fumaça — e para que John perdesse o emprego. Tudo aconteceu durante o verão de 1998, com o derretimento dos preços dos títulos de alto rendimento. Os mercados entraram numa fase volátil, na qual quase tudo o que ele tinha investido voltou-se contra ele ao *mesmo tempo*. Seus hedges não funcionaram mais. Ele ficou possesso com Henry, que não tinha previsto os acontecimentos. Talvez houvesse um bug no programa.

A reação de John às primeiras perdas foi, caracteristicamente, ignorar o mercado. "A gente fica louco se der atenção aos modismos", disse ele. O que queria dizer era que o "ruído" era reversível e que provavelmente seria sobrepujado pelo "ruído" na direção oposta. Foi essa a tradução, em linguagem simples, da informação que lhe fora passada por Henry. Mas o "ruído" continuou aumentando na mesma direção.

Como no ciclo bíblico, foram necessários sete anos para John se tornar um herói e apenas sete dias para transformá-lo num idiota. Ele agora é um pária: perdeu o emprego e ninguém retorna seus telefonemas. Muitos de seus amigos estão na mesma situação. Como? Com toda a informação que tinha disponível, sua ficha anterior (e, portanto, a seus olhos, sua inteligência e seu conjunto de qualidades acima da média) e a ajuda de matemática sofisticada, como ele pôde fracassar? Seria possível que tivesse esquecido a figura do acaso, escondida nas sombras?

John levou muito tempo para descobrir o que havia ocorrido, devido à rapidez dos acontecimentos e seu estado de estupor. A queda no mercado não foi muito grande. O problema foi sua alavancagem, que era enorme. O que mais o chocou foi que todos os seus cálculos davam àquela ocorrência uma probabilidade de um em 1 septilhão de anos. Henry chamava aquilo de evento "dez sigma". O fato de Henry ter dobrado a probabilidade não pareceu ter importância. A probabilidade correta era de dois em 1 septilhão de anos.

Quando será que John vai se recuperar da provação pela qual passou? Provavelmente nunca. Não porque perdeu dinheiro. Perder dinheiro é algo a que os bons traders estão acostumados. Mas ele explodiu: ele perdeu mais do que tinha planejado. Sua autoconfiança foi varrida. Mas há outra razão pela qual ele nunca mais vai se recuperar: John nunca foi trader, em primeiro lugar. Ele era uma daquelas pessoas que estavam ali quando tudo aconteceu.

Em seguida ao incidente, John passou a se ver como alguém "arruinado"; contudo, seu patrimônio líquido estava ainda perto de 1 milhão de dólares, podendo ser invejado por mais de 99,9% dos habitantes do planeta. Entretanto, há uma diferença entre o nível de riqueza que se atinge vindo de cima e um nível de riqueza atingido vindo de baixo. O caminho de 16 milhões para 1 milhão não é tão agradável quanto o de zero a 1 milhão. Além disso, John está envergonhadíssimo; ainda tem medo de encontrar, por acaso, seus velhos amigos na rua.

Seu chefe deveria estar bem mais infeliz com o resultado geral. John saiu com algum dinheiro do episódio, o 1 milhão que havia economizado. Ele devia ser agradecido porque o episódio não lhe custou nada — além do desgaste emocional. Seu patrimônio líquido não ficou negativo. Não foi o caso de seu último empregador. John ganhou para os bancos de investimento de Nova York com quem trabalhou perto de 250 milhões de dólares no decurso de sete anos, e perdeu mais de 600 milhões para seu último empregador em uns poucos dias.

Características compartilhadas

O leitor deve ser prevenido de que nem todos os traders que lidam com mercados emergentes e com mercados de alto rendimento falam e se comportam como Carlos e John. Apenas os mais bem-sucedidos — o que é triste — e talvez aqueles que tiveram maior sucesso durante o ciclo de alta entre 1992 e 1998.

Na idade que têm, tanto John quanto Carlos ainda podem trabalhar. Seria bom que olhassem fora dos mercados financeiros. A probabilidade é que não sobrevivam ao incidente. Por quê? Porque, discutindo a situação com cada um deles, pode-se rapidamente perceber que compartilham os traços de um *joguete do acaso muito bem-sucedido*. O que é mais preocupante é que seus chefes e empregadores têm o mesmo traço. Eles também estão permanentemente fora do mercado. Veremos, por todo este livro, o que caracteriza isso. De novo, talvez não haja uma clara definição disso, mas você reconheceria quando encontrasse. Não importa o que John e Carlos façam, eles continuarão sendo joguetes do acaso.

UMA REVISÃO DOS JOGUETES DO MERCADO EM FACE DAS CONSTANTES ALEATÓRIAS

A maior parte dos traços se enquadra na mesma confusão coluna da direita/coluna da esquerda do Quadro P1. Abaixo segue um breve esboço deles:

Superestimação da precisão de suas crenças em determinado campo, seja econômico (Carlos) ou estatístico (John). Eles nunca cogitam que o trading com base em variáveis econômicas ter funcionado no passado pode ter sido mera coincidência, ou, ainda pior, que a análise econômica se adequava aos eventos passados, mascarando o elemento aleatório existente. Carlos entrou no mercado numa época em que seu estilo funcionava, mas ele nunca o testou em períodos em que os mercados se comportavam de maneira exatamente oposta às ponderadas análises econômicas. Houve períodos em que a economia deixou os traders na mão e outros em que ela os ajudou.

O dólar americano estava supervalorizado (isto é, as moedas estrangeiras estavam subvalorizadas) no início da década de 1980. Os traders que usaram sua intuição econômica e compraram moedas estrangeiras foram varridos de cena. Contudo, mais tarde, aqueles que procederam da mesma forma ficaram ricos (membros do primeiro grupo explodiram). É o acaso! Aqueles que negociaram a descoberto ações japonesas no final da década de 1980 sofreram o mesmo destino — poucos sobreviveram e recuperaram suas perdas durante o colapso dos anos 1990. Na época em que escrevo, há um grupo de operadores, chamados traders "macro", que estão morrendo como moscas. O "lendário" (ou melhor, sortudo) investidor Julian Robertson encerrou seus negócios em 2000, depois de ter sido uma estrela até aquele ano. Nosso debate sobre a distorção do viés do sobrevivente esclarecerá esse ponto, mas, é óbvio, não há nada menos rigoroso do que o uso aparentemente rigoroso que eles fazem da análise econômica nas suas operações de trading.

Uma tendência a se prender a sua posição. Há um ditado que diz que traders ruins preferem abandonar as esposas à posição. A lealdade a ideias não é algo bom para traders, cientistas ou qualquer um.

A tendência a mudar sua história. Eles se tornam investidores "no longo prazo" quando estão perdendo dinheiro, mudando de lá para cá e vice-versa, oscilando entre traders e investidores para se adaptar aos mais recentes vaivéns da fortuna. A diferença entre um trader e um investidor está na duração e no tamanho de sua aposta. Não há absolutamente nada de errado em investir "no longo prazo", desde que não se misture isso com trading no curto prazo. O problema é justamente que muitas pessoas se tornam investidores no longo prazo depois que perderam dinheiro, postergando sua decisão de vender.

Não ter um plano de ação preciso que antecipe como agir na eventualidade de perdas. Eles simplesmente não têm consciência dessa possibilidade. Ambos compram mais títulos depois que o mercado sofreu uma forte queda, e não como resposta a um plano predeterminado.

Ausência de pensamento crítico, expresso em não rever sua postura e adotar a decisão de "parar as perdas". Traders simplistas não gostam de vender pelo "melhor preço". Eles não levam em consideração que seu método de determinar o preço talvez esteja errado, em vez de achar que o mercado cai para acomodar sua medida do valor. Talvez estejam certos, mas pode ser que não tenham pensado na possibilidade de furos em seus métodos. Com todos os seus defeitos, veremos que Soros parece raramente examinar um resultado desfavorável sem testar sua própria estrutura de análise.

Negação. Quando ocorrem perdas, não há uma aceitação clara do que aconteceu. O preço na tela perde sua realidade em favor de um "valor" abstrato. Na postura clássica de negação, surgem declarações do tipo "isso é apenas o resultado de vendas de liquidação, de dificuldades". Eles ignoram, continuamente, as mensagens da realidade.

Como pode os traders que cometeram todos os erros do figurino terem tanto sucesso? Devido a um princípio simples relativo ao acaso. Essa é a manifestação do viés do sobrevivente. Tendemos a pensar que traders ganham dinheiro *porque* são bons. Talvez tenhamos colocado a causalidade de cabeça para baixo ao considerá-los bons justamente porque fazem dinheiro. Pode-se ganhar dinheiro nos mercados financeiros apenas devido ao acaso.

Tanto Carlos quanto John são o tipo de gente que se beneficiou de um ciclo do mercado. Não foi simplesmente se envolverem com os mercados certos. Eles tinham uma propensão, dentro de seu estilo, que se adequava extremamente bem às propriedades das subidas de preço que seus mercados experimentaram durante o episódio. Eram *compradores na queda*. Vendo em retrospectiva, essa era a característica mais desejável entre 1992 e o verão de 1998, nos mercados específicos nos quais os dois homens se especializaram. A maioria dos que porventura tinham esse traço específico durante aquele segmento da história dominou o mercado. Seu resultado foi mais alto, e eles substituíram pessoas que talvez fossem melhores traders.

TEORIAS EVOLUTIVAS INGÊNUAS

Essa história ilustra como traders ruins levam vantagem em termos de sobrevivência sobre os bons. Em seguida, vamos levar a discussão a um nível mais alto de generalidade. Deve-se ser ou cego ou idiota para rejeitar as teorias darwinianas da autosseleção. Entretanto, a simplicidade das ideias tem levado segmentos de amadores (bem como alguns cientistas profissionais) a acreditar, cegamente, num darwinismo contínuo e infalível em todos os campos, inclusive na economia.

Há algumas décadas, o biólogo Jacques Monod lamentava-se por todo mundo acreditar que ele era um especialista na evolução (o mesmo pode ser dito dos mercados financeiros); as coisas pioraram. Muitos amadores acreditam que as plantas e os animais se reproduzem num caminho de uma só via, na direção da perfeição. Traduzindo a ideia em termos sociais, eles creem que as companhias e organizações vão, graças à competição (e à disciplina do relatório trimestral), melhorando irreversivelmente. Os mais fortes sobreviverão; os mais fracos desaparecerão. Como investidores e traders, eles acreditam que, deixando-os competir, os melhores prosperarão e os piores aprenderão um novo ofício (trabalhando como frentista ou dentista).

As coisas não são tão simples. O fato é que as organizações não se reproduzem como membros vivos da natureza — as ideias de Darwin se referem à aptidão reprodutiva, não à sobrevivência. O problema vem, como tudo o mais neste livro, do acaso. Zoólogos descobriram que, uma vez injetado o acaso num sistema, os resultados podem ser muito surpreendentes: o que parecia ser uma evolução pode ser apenas um desvio de rumo, possivelmente uma regressão. Por exemplo, Stephen Jay Gould (reconhecidamente mais um "popularizador" da ciência do que um verdadeiro cientista) descobriu amplas evidências do que ele chamava de "ruído genético", ou "mutações negativas", despertando assim a ira de alguns de seus colegas (ele levou as ideias um pouco longe demais). Ocorreu então um debate acadêmico, ficando Gould contra pessoas como Dawkins, que para seus pares tinha mais conhecimento da matemática do acaso. As mutações negativas são traços que sobrevivem, a despeito de serem piores do que aqueles que substituíram, do ponto de vista da aptidão reprodutiva, mas que no entanto não devem durar mais que umas poucas gerações (no que é chamado de agregação temporal).

As coisas podem ficar ainda mais surpreendentes quando o acaso muda de forma, como acontece em uma alteração de regime, que corresponde a situações em que todos os atributos de um sistema mudam a ponto de ficar irreconhecíveis para o observador. A aptidão darwiniana se aplica a espécies que se desenvolvem ao longo de muito tempo, não a espécies observadas num período curto. A agregação temporal elimina muitos dos efeitos do acaso: as coisas (eu leio *ruído*) se equilibram no longo prazo, como se diz.

Devido aos eventos raros abruptos, não vivemos num mundo onde tudo "converge" continuamente na direção da melhoria. Também acontece que as coisas, na vida, não se movem *continuamente*, em absoluto. A crença na continuidade estava arraigada na nossa cultura até o início do século XX. Dizia-se que a natureza não dava saltos, e as pessoas citam isso em latim bem sonante: *natura no facit saltus*. Esse lema é em geral atribuído ao botânico Lineu, do século XVIII, que, obviamente, estava errado. Foi também usado por Leibniz como justificativa do cálculo diferencial, pois ele acreditava que as coisas são contínuas, não importa a resolução com que as olhemos. Como muitas declarações do tipo "faz sentido", bem sonantes (essa dinâmica fazia perfeito sentido intelectual), verificou-se que estava totalmente errada, tendo sido negada pela mecânica quântica. Descobrimos que, em nível bem pequeno, as partículas saltam (discretamente) entre seus estados; elas não deslizam entre eles.

A evolução pode ser enganada pelo acaso?

Vamos terminar este capítulo com o seguinte pensamento. Lembre-se de que alguém com apenas um conhecimento comum do problema do acaso acreditaria que um animal se encontra no estado máximo de adequação em relação às condições de seu tempo. Não é isso que evolução significa; *na média os* animais estarão aptos, mas não um único entre eles, e não em todas as épocas. Exatamente como um animal poderia ter sobrevivido devido à sorte de seu caminho de amostragem, os "melhores" operadores de dado negócio podem vir de um subconjunto de operadores que sobreviveram devido a um caminho de amostragem que ficou livre do evento raro evolutivo. O aspecto negativo é que, quanto mais tempo esses animais continuarem sem encontrar um evento raro, mais vulneráveis ficarão em relação a ele. Dissemos que, se estendêssemos o tempo indefinidamente, então, por *ergodicidade*, tal evento acontecerá, com toda a certeza — e a espécie será extinta! Isso porque evolução significa aptidão a uma única série temporal apenas, não à média de todos os meios possíveis.

Devido a um vício da estrutura do acaso, uma pessoa que tem lucro, como John, alguém que é um puro perdedor no longo prazo e, portanto, inapto à sobrevivência, apresenta um alto grau de elegibilidade no curto prazo e tem a propensão de multiplicar seus genes. Lembre-se do efeito hormonal na postura e seu efeito sinalizador para outros parceiros sexuais em potencial. Seu sucesso (ou pseudossucesso, devido à sua fragilidade) ficará evidenciado em suas feições, como um farol. Um inocente parceiro sexual em potencial será enganado, pensando (incondicionalmente) que ele tem uma estrutura genética superior até o evento raro seguinte. Sólon parece ter acertado; mas tente explicar o problema a um ingênuo homem de negócios darwiniano — ou a seu vizinho rico do outro lado da rua.

6. Obliquidade e assimetria

A MEDIANA NÃO É A MENSAGEM

O escritor e cientista Steven Jay Gould (que, em dada época, foi um modelo para mim) recebeu, certa vez, um diagnóstico de que tinha uma forma fatal de câncer na mucosa do estômago. A primeira informação que obteve sobre a probabilidade de se salvar foi de que a sobrevivência *mediana* era de aproximadamente oito meses — dado que ele achou semelhante à exortação do profeta Isaías ao rei Ezequiel para pôr sua casa em ordem como preparação para a morte.

Bem, um diagnóstico médico, sobretudo de alguma gravidade, pode motivar as pessoas a fazer uma pesquisa intensa, particularmente no caso de escritores prolíficos como Gould, que necessitava de mais tempo para completar alguns projetos. A pesquisa feita por ele revelou uma história bem diferente em relação à que lhe haviam fornecido; o principal era que a sobrevivência *esperada* era consideravelmente mais alta do que oito meses. Ele percebeu que *valor esperado* e *mediana* não significam a mesma coisa. Mediana significa que aproximadamente 50% das pessoas morrem em menos de oito meses e que 50% sobrevivem por mais tempo. Mas os do segundo grupo viviam por consideravelmente mais tempo, em geral como uma pessoa comum, chegando aos 73,4 anos, ou perto disso, previstos pelas tabelas das companhias de seguro.

Há assimetria. As mortes ocorrem logo no começo, ou então se vive por muito tempo. Sempre que há assimetria nos resultados, o valor *médio* de sobrevivência não tem nada a ver com a sobrevivência *mediana*. Isso levou Gould, que esboçou então o conceito de obliquidade, a escrever seu artigo "A mediana não é a mensagem", profundamente sincero. Sua tese é de que o conceito de mediana usado na pesquisa médica não caracteriza uma distribuição de frequência.

Vou simplificar a tese de Gould introduzindo o conceito de *média* (também chamada *expectativa*) por meio de um exemplo menos mórbido: o do jogo. Vou apresentar um exemplo tanto de probabilidades assimétricas quanto de resultados assimétricos para explicar o problema. "Probabilidades assimétricas" quer dizer que elas não são de 50% para cada evento, mas que a probabilidade de um lado é maior do que a probabilidade do outro. "Resultados assimétricos" quer dizer que os desfechos não são iguais.

Suponha que eu desenvolva uma estratégia de jogo em que tenho 999 chances em mil de ganhar um dólar (evento A), e uma chance em mil de perder 10 mil dólares (evento B), como mostrado no Quadro 6.1. Minha expectativa é uma perda de perto de nove dólares (obtida multiplicando-se as probabilidades pelos resultados correspondentes). A *frequência* ou *probabilidade* da perda, em si e por si mesma, é totalmente irrelevante; é preciso avaliá-la em conexão com a *magnitude* do resultado. Aqui, A é muito mais provável do que B. A maior probabilidade é de ganhar dinheiro apostando em A, mas essa não é uma boa ideia.

Quadro 6.1

Evento	*Probabilidade*	*Resultado*	*Expectativa*
A	999/1000	US$ 1	US$ 0,999
B	1/1000	−US$ 10000	−US$ 10
		Total	−US$ 9,001

A questão é bastante comum e elementar; pode ser compreendida por qualquer um que faz uma aposta simples. Contudo, tenho lutado toda a minha vida com gente que trabalha no mercado financeiro e que não parece internalizá-la. Não estou falando de novatos; estou falando de gente com diplomas de pós-graduação (mesmo que MBA) que não consegue chegar a um acordo sobre a diferença.

Como as pessoas não percebem isso? Por que confundem probabilidade com expectativa, isto é, probabilidade e probabilidade multiplicada pelo resultado? Isso ocorre principalmente porque grande parte da educação escolar vem de exemplos em ambientes simétricos, como o lançamento de uma moeda no ar, em que essa diferença não tem importância. De fato, a chamada "curva do sino", a qual parece ter encontrado uso universal na sociedade, é inteiramente simétrica. Falaremos mais disso adiante.

ZOOLOGIA DO TOURO E DO URSO

A imprensa em geral nos inunda de conceitos tais como "touro" e "urso", que se referem ao efeito de preços mais altos (touro) ou mais baixos (urso) nos mercados financeiros. Mas também vemos pessoas dizerem "eu estou *touro* em Johnny" ou "eu estou *urso* naquele cara, Nassim, ali atrás, que me parece incompreensível", para denotar a crença na probabilidade de alguém subir na vida. Preciso dizer que as ideias de *touro* e *urso* são com frequência palavras ocas, sem qualquer aplicação no mundo do acaso — particularmente se um mundo assim, como o nosso, apresenta resultados assimétricos.

Quando estava trabalhando no escritório em Nova York de uma grande firma de investimentos, eu era submetido, de vez em quando, a reuniões de caráter semanal, mortificantes, que congregavam a maior parte dos profissionais da sala de corretagem na cidade. Não escondo o fato de que não gostava delas, e não apenas porque me faziam perder um tempo que eu podia passar na academia de ginástica. Embora as reuniões incluíssem traders, isto é, pessoas que eram avaliadas por seu desempenho numérico, elas eram principalmente um fórum para o pessoal de vendas (capaz de encantar os clientes), e a categoria de apresentadores chamados de "economistas" ou "estrategistas" de Wall Street, que faziam pronunciamentos sobre o destino dos mercados, mas não se envolviam em qualquer forma de risco, tendo assim seu sucesso dependente da retórica, e não baseado em fatos testados. Durante a discussão, as pessoas deviam apresentar suas opiniões sobre a situação do mundo. Para mim, a era pura poluição intelectual. Todos tinham uma história, uma teoria e ideias a compartilhar com os outros. Não gosto de gente que, tendo pesquisado bastante na biblioteca, pensa que tem uma visão bem original e perspicaz sobre determinado assunto (mas respeito gente com uma mente científica, como meu amigo Stan Jonas, que se sentia compelido a passar as noites lendo profusamente sobre determinado assunto e tentando imaginar o que havia sido feito por outros a respeito daquela questão antes de emitir uma opinião — o leitor ouviria a opinião de um médico que não lê publicações médicas?).

Devo confessar que minha melhor estratégia (para dissipar o tédio e a alergia a trivialidades ditas com confiança) era falar o máximo que pudesse, evitando ouvir respostas e tentando resolver equações de cabeça. Falar muito me ajudava a clarear a mente, e, com um pouquinho de sorte, eu não receberia "convites" para voltar (isto é, não era forçado a comparecer) à reunião da semana seguinte.

Certa vez me pediram, numa dessas reuniões, para expressar meu ponto de vista sobre o mercado de ações. Declarei, sem a menor ostentação, que achava que havia uma alta probabilidade de ligeira alta na semana seguinte. Qual era a probabilidade? "Cerca de 70%." Claro que aquela era uma opinião forte. Então alguém interrompeu. "Mas, Nassim, você acabou de se gabar de ter vendido a descoberto uma grande quantidade de futuros SP500, apostando que o mercado cairia. O que o fez mudar de ideia?" "Não mudei de ideia! Tenho muita fé na minha aposta! (risos) Na verdade, agora quero vender ainda mais!" Os outros que estavam na sala ficaram completamente confusos. "Você é touro ou urso?", perguntou-me um estrategista. Respondi que eu não conseguia entender aquelas palavras fora do contexto puramente zoológico. Exatamente como ocorria com os eventos A e B no exemplo precedente, minha opinião era de que o mercado tinha mais probabilidade de subir (touro), mas que era preferível vender (urso), porque, se caísse, eu perderia muito. Subitamente, os poucos traders na sala entenderam minha opinião e começaram a emitir opiniões semelhantes. E eu não fui forçado a voltar para a próxima reunião.

Vamos admitir que o leitor compartilhe da minha opinião, que o mercado na próxima semana tenha uma probabilidade de 70% de subir e de 30% de cair. Entretanto, digamos que ele fosse subir 1% na média, enquanto fosse cair uma média de 10%. O que faria o leitor? Seria touro ou urso?

Quadro 6.2

Evento	*Probabilidade*	*Resultado*	*Expectativa*
O mercado sobe	70%	Sobe 1%	0,7
O mercado cai	30%	Cai 10%	–3
		Total	–2,3

Assim, touro e urso são termos usados por pessoas que não se envolvem na prática da incerteza, como os comentaristas de televisão, ou que não têm experiência em lidar com o risco. É uma pena que os investidores e homens de negócios não sejam pagos em probabilidades, mas em dólares. Portanto, não é a probabilidade de um evento que interessa, mas quanto é ganho no momento do evento. A frequência do lucro é irrelevante; é a magnitude do resultado que conta. É um fato puramente contábil que, à parte os comentaristas, poucas pessoas levam para casa um cheque que dependeu de *quantas vezes* estavam certas ou erradas. Essa categoria inclui os "estrategistas-chefes" dos principais bancos de investimentos que o público pode observar na televisão, que não são em nada melhores que os apresentadores. Eles são famosos, parecem falar coisas razoáveis, jogam bem com números, mas, funcionalmente, estão ali para divertir, pois, para que suas previsões tivessem alguma validade, necessitariam de uma estrutura estatística de testes. Sua fama não vem do resultado de um teste sofisticado, mas do resultado de suas habilidades de apresentador.

O filho insolente de 29 anos

À parte a necessidade de distração nessas reuniões superficiais, tenho resistido a dar "dicas sobre o mercado" como trader, o que tem causado certa tensão entre alguns amigos e parentes. Um dia, um amigo de meu pai — do tipo rico e ousado — telefonou-me durante uma visita que fez a Nova York (para colocar na mesa os elementos da ordem de precedência, ele foi logo me dizendo ao telefone que tinha vindo no Concorde, com um comentário depreciativo sobre esse meio de transporte). Ele queria que eu lhe desse minha opinião sobre diversos mercados financeiros. Eu não tinha opinião a respeito, não pretendia fazer nenhum esforço para formular uma e não estava nem de longe interessado no assunto. O cavalheiro ficou me espicaçando com perguntas sobre o estado das economias e os bancos centrais europeus; eram perguntas precisas, sem dúvida objetivando comparar minha opinião com a de algum "especialista" que cuidava de sua conta em uma das grandes firmas de investimento de Nova York. Deixei claro que não tinha nenhuma dica e não pareci preocupado com aquilo. Não estava interessado em mercados ("sim, sou trader") e não fazia previsões. Eu lhe expliquei algumas das minhas ideias sobre a estrutura do acaso e a verificabilidade dos pregões dos mercados, mas o homem queria uma declaração mais precisa de como se comportariam os mercados de títulos europeus quando chegasse o Natal.

Ele ficou com a impressão de que eu estava de brincadeira, o que quase estragou seu relacionamento com meu pai. O tal amigo ousado e rico telefonou para ele com a seguinte queixa: "Quando faço a um advogado uma pergunta sobre assuntos legais, ele me responde com cortesia e precisão. Quando faço a um médico uma pergunta sobre medicina, ele me dá sua opinião. Nenhum especialista jamais me faltou com o respeito. Mas seu filho insolente e presunçoso de 29 anos fica bancando a prima-dona e se recusa a me responder sobre a tendência do mercado!".

Eventos raros

A melhor descrição de uma vida inteira de negócios no mercado — a minha — seria "apostas oblíquas"; isto é, tirar proveito dos eventos raros, que tendem a não se repetir com frequência e, consequentemente, apresentam um grande lucro. Tento ganhar dinheiro com pouca frequência, a menor possível, apenas porque acredito que os eventos raros não são devidamente levados em conta e que, quanto mais raro o evento, mais subavaliado é em termos de preço. Além do meu próprio empiricismo, acredito que o aspecto contraintuitivo do negócio (e o fato de que nosso aparato emocional não o comporta) me dá algum tipo de vantagem.

Por que esses eventos são subavaliados? Por causa de uma tendência psicológica; as pessoas à minha volta na carreira concentravam-se demais em decorar toda a segunda seção do *Wall Street Journal* durante viagens de trem para poder refletir adequadamente sobre os atributos dos eventos raros. Ou talvez assistissem a gurus demais na televisão. Ou gastassem muito tempo aprimorando seus PalmPilots. Até mesmo alguns veteranos experientes parecem não absorver a ideia de que a frequência não tem importância. Jim Rogers, um "lendário" investidor, fez a seguinte declaração:

> Não compro opções. Fazer isso é pedir para ir parar em um pensionato. Alguém fez um estudo para a SEC e descobriu que 90% de todas as opções expiram como perdas. Bem, pensei que, se 90% de todas as posições compradas em opções

no longo prazo perdem dinheiro, isso significa que 90% de todas as posições vendidas em opções ganham dinheiro. Se eu quiser usar opções para ser urso, vendo opções de compra.

Parece claro que o dado estatístico de que 90% de todas as posições montadas em opções perdem dinheiro não tem sentido (isto é, a *frequência*) se não levarmos em conta *quanto* dinheiro é ganho, na média, nos 10% restantes. Se apostarmos cinquenta vezes na média, quando a opção é em dinheiro, então posso, com segurança, declarar que comprar opções é pedir para ir parar num palácio, em vez de num pensionato. O sr. Jim Rogers parece ter ido muito longe na vida para alguém que não distingue probabilidade e expectativa (estranhamente, ele era parceiro de George Soros, um homem complexo, que prosperou com eventos raros, de quem falaremos mais adiante).

Um desses eventos raros foi a crise do mercado de ações em 1987, que me fez ganhar dinheiro como trader e me permitiu o luxo de me envolver em todo tipo de erudição. Nero, da casa pequena no capítulo 1, tem como objetivo se safar do atoleiro evitando se expor aos eventos raros — uma abordagem extremamente defensiva. Sou muito mais agressivo do que ele e dou um passo adiante: organizei minha carreira e meus negócios de tal forma que fui capaz de tirar proveito dos eventos raros. Em outras palavras, tenho como objetivo lucrar com eles por meio de minhas apostas assimétricas.

Simetria e ciência

Na maior parte das disciplinas, essa simetria não tem importância. Infelizmente, as técnicas empregadas em finanças são com frequência importadas de outras áreas — as finanças ainda são uma disciplina jovem (por certo ainda não é uma "ciência"). As pessoas na maioria dos campos fora das finanças não têm o problema de eliminar os valores extremos de sua amostragem quando a diferença do produto entre diversos resultados não é significativa, o que é geralmente o caso na educação e na medicina. Um professor que calcula a média das notas de seus alunos descarta a mais alta e a mais baixa, que ele chamaria de caudas, e faz a média das restantes sem que isso seja considerado uma prática imprópria. Os meteorologistas, aliás, fazem o mesmo com as temperaturas extremas — uma ocorrência inusitada poderia desviar o resultado geral (embora, como veremos, isso possa ser um erro na previsão das propriedades futuras da calota de gelo). Assim, quem lida com finanças pega emprestada a técnica e ignora os eventos infrequentes, não percebendo que o efeito de um pode levar uma companhia à falência.

Muitos cientistas do mundo físico estão também sujeitos a esse tipo de tolice, interpretando erroneamente as estatísticas. Um exemplo flagrante é o debate sobre o aquecimento global. Muitos não perceberam o aquecimento nos seus primeiros estágios, pois retiraram de suas amostragens os picos de temperatura, acreditando que não tinham probabilidade de ocorrer novamente. Pode ser uma boa ideia extirpar os extremos quando calculamos as temperaturas médias para o programa de férias. Mas a coisa não funciona quando estudamos as propriedades físicas do tempo atmosférico. Esses cientistas ignoraram de início o fato de que aqueles picos, embora raros, tinham o efeito de fazer crescer desproporcionalmente o derretimento cumulativo da calota de gelo. Exatamente como em finanças, um evento que traz grandes consequências, mesmo raro, não pode ser ignorado.

QUASE TODO MUNDO ESTÁ ACIMA DA MÉDIA

Jim Rogers não é a única pessoa que comete o erro de confundir média e mediana. Para ser justo com ele, algumas pessoas que vivem de suas ideias, como o famoso filósofo Robert Nozik, cometeram versões desse mesmo erro (Nozick, fora isso, foi um pensador admirável e incisivo; antes de sua morte prematura, ele talvez fosse o filósofo americano mais respeitado de sua geração). Em seu livro *A natureza da racionalidade*, ele apresenta como é típico dos filósofos, argumentos evolutivos amadores e escreve que "não mais de 50% dos indivíduos podem ser mais saudáveis que a média". É claro que mais de 50% dos indivíduos podem ser mais saudáveis que a média. Suponha que você tem um número bem pequeno de pessoas muito pobres e o resto na faixa da classe média. A média vai ser mais baixa que a mediana. Pegue uma população de dez pessoas, nove delas com renda de 30 mil dólares e uma com renda de mil. A média vai ser de 27100 dólares, e nove de dez pessoas vão estar acima da média.

A Figura 6.1 mostra uma série de pontos com um nível inicial W_0 e terminando em W_1. Também pode se ver como o desempenho, hipotético ou realizado, da sua estratégia de trading favorita, o registro de desempenho de um gerente de investimentos, o preço do metro quadrado de um *palazzo* na Florença renascentista, a série de preços do mercado de ações da Mongólia ou a diferença entre os mercados americanos e mongol. É composto de dado número de observações sequenciais W_1, W_2 etc., ordenadas de tal modo que a da direita vem *depois* daquela da esquerda.

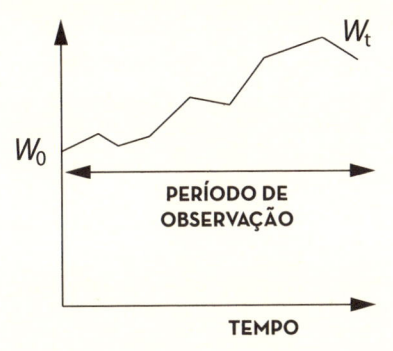

Figura 6.1   Introdução às séries temporais

Se estivéssemos lidando com um mundo determinístico — isto é, desprovido do acaso (o mundo da coluna da direita do Quadro P1, da p. 22), e tivéssemos certeza do que aconteceria, as coisas seriam bem fáceis. O padrão das séries forneceria informações consideráveis e previsíveis. Seria possível dizer com precisão o que aconteceria em certo dia no futuro, daqui a um ano, talvez daqui a uma década. Não precisaríamos nem mesmo de um estatístico; bastaria um engenheiro de segunda categoria. Esse engenheiro não precisaria nem mesmo ter um diploma moderno; um aluno de Laplace, do século XIX, seria capaz de resolver as equações, chamadas de *equações diferenciais* ou *equações do movimento*, pois estamos estudando a dinâmica de uma entidade cuja posição depende do tempo.

Se estivéssemos lidando com um mundo em que o acaso estivesse mapeado, também seria mais fácil, dado que há um campo inteiro criado para tal, chamado *econometria* ou *análise das séries temporais*. Seria só chamar um econometrista simpático (minha experiência com econometristas é que eles geralmente são educados e amistosos com outros profissionais). Ele entraria com os dados num software e daria um diagnóstico, dizendo se vale a pena investir com um trader que tem certa ficha de resultados ou se é melhor ir atrás de determinada estratégia de investimentos. Você poderia até mesmo comprar a versão para estudantes do software do econometrista por menos de 999 dólares e instalá-la em seu computador em um fim de semana de chuva.

Mas não temos certeza se o mundo em que vivemos é bem mapeado. Veremos que a avaliação derivada da análise desses atributos passados pode, de vez em quando, ser importante. Contudo, também pode ser destituída de sentido; e pode, ocasionalmente, enganá-lo e levá-lo na direção oposta. Às vezes, os dados do mercado se transformam numa simples armadilha; eles mostram a você o oposto de sua natureza, simplesmente para fazer com que invista em papéis ou gerencie mal seus riscos. Moedas que exibem a maior estabilidade histórica, por exemplo, são as mais inclinadas a crises. Isso foi descoberto, de modo amargo, no verão de 1997 pelos investidores que preferiam a segurança das moedas estáveis da Malásia, Indonésia e Tailândia (elas eram atreladas ao dólar, de modo a não ter volatilidade, até suas súbitas, agudas e brutais desvalorizações).

Podemos ser severos demais ou frouxos demais ao aceitar informações do passado como predição do futuro. Como cético, rejeito terminantemente as séries temporais do passado como indicação de desempenho futuro; preciso de muito mais dados. Minha principal razão para isso é o *evento raro*, mas tenho muitas outras.

Aparentemente, essa minha assertiva parece contradizer discussões anteriores, nas quais culpo gente por não ter aprendido com a história. O problema é que absorvemos demais coisas da história recente, superficial, com declarações do tipo "isso nunca aconteceu antes", mas não da história em geral (coisas que nunca ocorreram em uma área tendem eventualmente a ocorrer). Em outras palavras, a história nos ensina que coisas que nunca aconteceram de fato acontecem. Ela pode nos ensinar muito fora das séries temporais estreitamente definidas; quanto mais amplo o olhar, melhor é a lição. Em outras palavras, a história nos ensina a evitar o estigma do empirismo ingênuo, que consiste em aprender de fatos históricos casuais.

A FALÁCIA DO EVENTO RARO

A mãe de todas as decepções

O evento raro, devido à sua natureza dissimulada, pode tomar uma série de formas. Foi observado pela primeira vez no México, onde é chamado pelos acadêmicos de *problema do peso*. Os econometristas ficaram intrigados pelo comportamento das variáveis econômicas mexicanas durante a década de 1980. O suprimento de dinheiro, as taxas de juros e uma medida similar de pequena relevância para a história mostraram certo comportamento errático, frustrando muitos dos esforços para construir um modelo. Esses indicadores ficavam oscilando entre períodos de estabilidade e rápidas explosões de turbulência, sem aviso.

Generalizando, comecei chamando de evento raro qualquer comportamento em que a ideia de cuidado com águas calmas pudesse se aplicar. A sabedoria popular muitas vezes nos previne contra o velho vizinho que parece permanecer obsequioso e reservado, o modelo de excelente cidadão, até que você vê o retrato dele num jornal de âmbito nacional como um assassino tresloucado que partiu para uma série de atos violentos. Antes, não se sabia que tivesse cometido nenhuma contravenção. Não havia meio de predizer que uma pessoa tão agradável tivesse tal comportamento patológico. Associo os eventos raros a qualquer má compreensão dos riscos que se originam de uma interpretação estreita de séries temporais passadas.

Os eventos raros são sempre inesperados; de outro modo, não ocorreriam. O exemplo típico é o que se segue. Você investe em um hedge fund de resultados estáveis e nenhuma volatilidade, até que um dia recebe uma carta começando com "Um evento imprevisto e *inesperado*, considerado uma ocorrência rara" (o grifo é meu). Mas eventos raros existem precisamente porque são inesperados. São em geral causados por pânico, estes próprios resultado de liquidações (todos os investidores correndo para a porta ao mesmo tempo, livrando-se de tudo o que puderem, o mais rápido possível). Se o gestor do fundo ou o trader esperassem a ocorrência, não teriam investido naquilo, e o evento raro nunca teria ocorrido.

O evento raro não é limitado a um papel do mercado: pode afetar facilmente o desempenho de toda uma carteira de investimentos. Por exemplo, muitos traders se envolvem na compra de papéis hipotecários e os protegem para afastar os riscos e eliminar a volatilidade, esperando obter lucros além dos que conseguiriam com títulos públicos (que são usados como o balizamento do lucro mínimo esperado, em qualquer investimento). Eles usam programas de computador e conseguem assistência significativa de ph.Ds. em matemática aplicada, astrofísica, física das partículas, engenharia elétrica, dinâmica dos fluidos e, às vezes (embora raramente), de simples ph.Ds. em finanças. Uma carteira assim apresenta resultados estáveis durante longos períodos. Então, subitamente, como que por acidente (não acredito em acidentes), a carteira perde 40% de seu valor, quando se esperava, na pior das hipóteses, uma queda de 4%. Você chama o gestor para expressar sua raiva e ouve que não foi culpa dele, mas, de alguma forma, o relacionamento mudou de maneira dramática (literalmente). Ele mostrará a você que os fundos semelhantes experimentaram os mesmos problemas.

Lembre que alguns economistas chamam o evento raro de "problema do peso". Essa designação não parece ser um estereótipo mal aplicado. As coisas não melhoraram com a moeda do vizinho ao sul dos Estados Unidos senão no início da década de 1980. Longos períodos de estabilidade levaram hordas de traders de moedas de bancos e de operadores de hedge fund às águas calmas dos pesos mexicanos; eles gostam de ter a moeda por causa dos altos juros que ela proporcionava. Então, inesperadamente, explodem, perdem dinheiro dos investidores, perdem o próprio emprego e mudam de carreira. Depois estabelece-se um novo período de estabilidade. Novos traders de moedas aparecem, sem lembrança do evento. Eles correm para o peso mexicano, e a história se repete.

É estranho que a maioria dos instrumentos financeiros de renda fixa apresente eventos raros. Na primavera de 1998, passei duas horas explicando a um então importante operador de hedge fund o conceito do problema do peso. Esbaldei-me explicando-lhe que a ideia era comum a toda forma de investimento que se baseie numa interpretação ingênua da volatilidade das séries temporais passadas. A resposta foi: "Você tem toda a razão. Não toco em peso mexicano. Só investimos em rublo russo". Ele explodiu poucos meses depois. Até então, o rublo russo tinha taxas de juros atraentes, convidativas para os gananciosos de todos os tipos. Ele e outros que tinham investimentos em rublos perderam perto de 97% de seu dinheiro durante o verão de 1998.

Vimos no capítulo 3 que o dentista não gosta de volatilidade porque produz uma alta incidência de pontadas negativas. Quando mais de perto ele observa seu desempenho, mais dores experimenta devido à maior variabilidade em uma resolução maior. Consequentemente, investidores, por motivos emocionais apenas, serão atraídos por estratégias que experimentam *raras*, porém *grandes*, variações. É varrer o acaso para debaixo do tapete. Psicólogos descobriram recentemente que as pessoas tendem a ser mais sensíveis à presença ou à ausência de determinado estímulo que a sua magnitude. Isso implica que uma perda é sentida primeiro apenas como uma perda, com maiores implicações depois. O mesmo acontece com os lucros. O agente prefere que o número de perdas seja baixo e que o número de ganhos seja alto, em vez de otimizar o desempenho total.

Podemos examinar outros aspectos do problema; pense em alguém envolvido numa pesquisa científica. Dia após dia, vai se lançar à dissecação de camundongos no seu laboratório, desconectado do mundo. Ele pode tentar e tentar por anos, sem conseguir nenhum resultado com seu trabalho. Sua cara-metade pode perder a paciência com o *perdedor* que vem para casa toda noite cheirando a urina de camundongo. Até que — bingo! — um dia ele aparece com um resultado. Alguém observando a série temporal de sua ocupação não veria absolutamente nenhum ganho, embora cada dia o deixasse mais perto, *em probabilidade*, de obter um resultado.

A mesma coisa com as editoras; elas podem publicar livros comuns atrás de livros comuns sem que o modelo de seu negócio sofra a mais leve contestação se uma vez em cada década tiver um best-seller como Harry Potter — desde que, é claro, publiquem trabalhos de alta qualidade, que tenham uma pequena probabilidade de atrair público. Um economista interessante, Art De Vany, consegue aplicar essas ideias em dois campos: a indústria cinematográfica e a saúde e o estilo de vida dele próprio. De Vany descobriu as propriedades assimétricas dos lucros de filmes e as levou a outro nível: o tipo selvagem de incerteza não mensurável que discutimos no capítulo 10. O que também é interessante é que ele descobriu que somos feitos para experimentar uma atividade física extremamente assimétrica. Caçadores-coletores tinham momentos de ócio seguidos por explosões de intenso gasto energético. Aos 65 anos, Art tem o corpo de um homem com metade de sua idade.

Nos mercados de capitais, há uma categoria de traders que têm eventos raros ao *inverso*, para quem a volatilidade é, com frequência, portadora de boas notícias. Esses traders perdem dinheiro com regularidade, mas em pequenas quantias, e fazem dinheiro raramente, mas em grandes quantidades. Eu os chamo de caçadores de crises. Sou feliz em ser um deles.

Por que os estatísticos não detectam eventos raros?

Para o leigo, a estatística pode parecer bastante complexa, mas o conceito que é usado hoje é tão simples que um amigo matemático francês só a chamava, depreciativamente, de "cozinha". Ela se baseia em uma única ideia: quanto mais informação você tiver, maior confiança tem no resultado. Agora, o problema: o quanto de mais informação? O método estatístico comum se baseia no constante aumento do nível de confiança em proporção não linear para o número de observações. Isto é, para um aumento de n vezes no tamanho da amostra, aumentamos nosso conhecimento em um número que é a raiz quadrada de n. Suponhamos que eu esteja tirando bolas de uma urna que contém bolas vermelhas e pretas. Meu nível de confiança quanto à proporção relativa de bolas vermelhas e pretas, depois de vinte retiradas, não é duas vezes o que tenho depois de dez retiradas; é de vinte multiplicado pela raiz quadrada de dois (que é 1,41).

Quando a estatística se torna complicada e não nos ajuda, temos distribuições que não são simétricas, como a da urna acima. Se há uma pequena probabilidade de encontrar uma bola vermelha em uma urna dominada por bolas pretas, então nosso conhecimento sobre a *ausência* de bolas vermelhas aumentará muito vagarosamente — mais vagarosamente do que a raiz quadrada esperada de uma taxa n. No entanto, nosso conhecimento sobre a presença de bolas vermelhas aumentará violentamente a partir do momento em que encontrarmos uma. Essa assimetria no conhecimento não é trivial; é fundamental neste livro — um problema filosófico central para pessoas como Hume e Karl Popper (falarei sobre isso adiante).

Para avaliar o desempenho de um investidor, precisamos de técnicas astutas e menos intuitivas, ou talvez tenhamos que limitar nossas avaliações a situações em que nosso julgamento independe da frequência desses eventos.

Uma criança perversa substitui as bolas pretas

Mas há notícias ainda piores. Em alguns casos, se a incidência de bolas vermelhas é, em si mesma, distribuída aleatoriamente, nunca viremos a saber a composição da urna. Isso é chamado de *problema da estacionaridade*. Pense numa urna que é furada no fundo. Enquanto vou tirando amostras dela, sem que eu saiba, uma criança perversa acrescenta bolas de uma cor ou de outra. Minha conclusão, então, se torna sem significado. Posso concluir que as bolas vermelhas representam 50% da urna; então a criança perversa, me ouvindo, substitui rapidamente todas as bolas vermelhas por pretas. Isso torna precário grande parte do conhecimento que obtemos por meio da estatística.

Um efeito bem parecido ocorre no mercado. Tomamos o passado como uma amostragem única e homogênea, e acreditamos que aumentamos consideravelmente nosso conhecimento do futuro a partir da observação da amostragem do passado. Mas e se crianças malvadas estiverem mudando a composição da urna? Em outras palavras, o que acontecerá se tudo mudar?

Tenho estudado e praticado econometria por mais da metade da minha vida (desde meus dezenove anos), tanto em sala de aula quanto na atividade de trader. A "ciência" da econometria consiste na aplicação da estatística a amostragens tiradas em diferentes períodos, que chamamos de *séries temporais*. Ela se baseia no estudo de séries temporais de variáveis econômicas, dados e outros assuntos. No começo, quando não sabia praticamente nada (isto é, até menos do que hoje), eu ficava imaginando se as séries temporais que refletiam as atividades de pessoas já mortas ou aposentadas deveriam ser levadas em conta para prever o futuro. Os econometristas que sabiam bem mais do que eu acerca de tais questões não se faziam perguntas desse tipo; isso indicava que, com toda a probabilidade, era uma pergunta idiota. Um proeminente econometrista, Hashem Pesaran, respondeu a uma questão semelhante recomendando fazer "mais e melhor econometria". Agora estou convencido de que a maior parte da econometria é inútil — grande parte do que os estatísticos financeiros sabem talvez não valha a pena saber. Isso porque uma soma de zeros, ainda que repetida 1 bilhão de vezes, continua sendo zero; da mesma forma, uma acumulação de pesquisas e avanços na complexidade levará a nada se não há um terreno firme debaixo dela. Estudar os mercados europeus da década de 1990 será certamente de grande valia para um historiador; mas que tipo de inferência podemos tirar agora, quando a estrutura das instituições e dos mercados mudou tanto?

Observe que o economista Robert Lucas desferiu um golpe na econometria argumentando que, se as pessoas fossem racionais, isso faria com que elaborassem padrões previsíveis do passado e os adaptassem, de modo que a informação passada seria completamente inútil para prever o futuro (o argumento, formulado de maneira bem matemática, rendeu-lhe o Prêmio de Ciências Econômicas em Memória de Alfred Nobel). Somos humanos e agimos de acordo com nosso conhecimento, que integra dados passados. Posso traduzir essa questão com a analogia que se segue. Se traders racionais detectam um padrão de ações subindo às segundas-feiras, então, assim que esse padrão se torna detectável, seria anulado pelas pessoas comprando na sexta-feira, em antecipação a tal efeito. Não há propósito em procurar padrões que estão disponíveis para todo mundo que tenha uma conta junto a uma corretora; uma vez detectados, eles serão anulados.

De alguma forma, o que veio a ser conhecido como "crítica Lucas" não foi levado adiante pelos "cientistas". Acreditava-se piamente que os sucessos científicos da Revolução Industrial poderiam ser transportados para as ciências sociais, em particular com movimentos como o marxista. A pseudociência se apresentou com um conjunto de idealistas imbecis que tentavam criar uma sociedade feita sob medida, cuja epítome é o planejador central. A economia era a candidata mais provável para tal uso da ciência; é possível disfarçar o charlatanismo sob o peso de equações e sair ileso, sem experimentos controlados. Bem, o espírito desses métodos, denominado de cientificismo por seus detratores (como eu), foi além do marxismo, indo parar na disciplina das finanças, quando uns poucos técnicos pensaram que seu conhecimento matemático poderia levá-los a entender os mercados. A prática de "engenharia financeira" surgiu com enormes doses de pseudociência. Os que praticavam tais métodos mediam os riscos com a ferramenta da história para uma indicação do futuro. Diremos apenas, a essa altura, que a mera possibilidade de que as distribuições não sejam estacionárias já faz com que todo o conceito se transforme em um erro caro (e talvez muito caro). Isso nos leva a uma questão mais fundamental: o problema da indução, que abordarei no capítulo a seguir.

7. O problema da indução

DE BACON A HUME

Agora vamos discutir essa questão do ponto de vista mais amplo da filosofia do conhecimento científico. Há um problema na inferência que é mais conhecido como problema da indução. É uma questão que vem atormentando a ciência há muito tempo, mas que não causou tanto mal a ela quanto aos mercados financeiros. Por quê? Porque o conteúdo aleatório torna seus efeitos cumulativos. Em nenhum lugar o problema da indução é mais importante do que no mundo das finanças — e em nenhum lugar ele foi tão ignorado.

Cygnus atratus

Em seu *Tratado sobre a natureza humana*, o filósofo escocês David Hume colocou a questão da seguinte forma (que foi reformulada por John Stuart Mill no famoso *problema do cisne negro*): nenhuma quantidade de observações de cisnes brancos permite a inferência de que todos os cisnes são brancos, mas a observação de um único cisne negro é suficiente para refutar essa conclusão.

Hume estava preocupado com a ciência de sua época (século XVIII), que experimentava a passagem do escolasticismo, inteiramente baseado no raciocínio dedutivo (sem nenhuma ênfase na observação do mundo real), para, devido a Francis Bacon, uma super-reação, um empirismo ingênuo e não estruturado. Bacon argumentara contra "o fiar da teia de aranha do aprendizado", com pouco resultado prático. A ciência havia mudado, graças a ele, para uma atitude de ênfase na observação empírica. O problema é que, sem um método adequado, as observações empíricas podem nos levar a desvios. Hume preveniu contra esse tipo de conhecimento e enfatizou a necessidade de mais rigor na obtenção e interpretação do conhecimento — que é chamado de *epistemologia* (de *episteme*, a palavra grega para aprendizado). Ele foi o primeiro *epistemólogo* moderno (os epistemólogos são frequentemente chamados de metodologistas ou filósofos da ciência). O que estou escrevendo aqui não é a completa verdade, pois Hume disse coisas muito piores do que isso; ele era obsessivamente cético e nunca acreditou que se pudesse determinar de fato uma ligação causal entre dois itens. Mas vamos suavizar um pouco suas declarações neste livro.

Niederhoffer, um cavalheiro vitoriano

A história de Victor Niederhoffer é ao mesmo tempo triste e interessante, na medida em que mostra a dificuldade de unir empiricismo extremo e lógica em uma única pessoa — empiricismo puro implica necessariamente ser iludido pelo acaso. Dou esse exemplo porque, de certo modo, como Francis Bacon, Victor Niederhoffer se colocou contra a teia de aranha do aprendizado da Universidade de Chicago e a eficiência de mercado religiosa dos anos 1960 quando estavam em seu pior momento. Em contraste com o escolasticismo dos teóricos financeiros, seu trabalho observava dados em busca de anomalias, e de fato encontrou algumas. Ele também deduziu a inutilidade do noticiário, ao mostrar que ler o jornal não conferia nenhuma vantagem aos seus leitores quanto a fazer previsões. Niederhoffer tirava seu conhecimento do mundo de dados passados despojados de preconceitos, comentários e histórias. Desde então, toda uma indústria de operadores desse tipo, chamada de *arbitragem estatística*, floresceu; alguns dos mais bem-sucedidos foram inicialmente seus aprendizes. A história de Niederhoffer ilustra como o empiricismo não pode ser inseparável da metodologia.

No centro desse modus está o dogma de Niederhoffer de que qualquer afirmação "testável" deve ser testada, já que nossa mente comete muitos erros empíricos quando confia em vagas impressões. O conselho é óbvio, mas raramente seguido. Quantos efeitos assumidos como dados não residem aí? Uma declaração testável é aquela que pode ser dividida em componentes quantitativos e submetida a exame estatístico. Por exemplo, uma declaração ao estilo da sabedoria convencional, como: "Acidentes acontecem mais perto de casa" pode ser testada medindo-se a distância média entre o acidente e o domicílio do motorista (se, digamos, 20% dos acidentes acontecem dentro de um raio de vinte quilômetros). Entretanto, é preciso ter cautela na interpretação; um intérprete ingênuo do resultado poderia dizer que você tem mais probabilidade de se envolver em um acidente se dirige no seu bairro do que em lugares afastados, o que é um exemplo de empirismo ingênuo. Por quê? Porque os acidentes talvez aconteçam mais perto de casa simplesmente porque as pessoas passam mais tempo dirigindo em sua vizinhança (se elas passam 20% do seu tempo dirigindo num raio de vinte quilômetros).

Mas há um aspecto mais severo do empiricismo ingênuo. Posso usar dados para refutar uma hipótese, mas nunca para prová-la. Posso usar a história para refutar uma conjectura, porém nunca para afirmá-la. Por exemplo, a afirmação "O mercado nunca cai 20% num determinado período de três meses" pode ser testada, mas é completamente inútil se verificada. Posso quantitativamente rejeitar a hipótese encontrando contraexemplos, mas é impossível aceitá-la simplesmente porque, no passado, o mercado nunca caiu 20% em nenhum período de três meses (não se pode fazer o salto lógico de "nunca caiu" para "nunca cai" com facilidade). Amostras podem ser bastante insuficientes; mercados podem mudar; podemos não saber muito sobre o mercado a partir de informações históricas.

É mais seguro usar dados para rejeitar que para confirmar hipóteses. Por quê? Considere as seguintes afirmações:

Afirmação A: *Nenhum cisne é negro porque eu olhei para 4 mil cisnes e não encontrei nenhum negro.*
Afirmação B: *Nem todos os cisnes são brancos.*

Sob o ponto de vista lógico, não posso fazer a afirmação A, não importa quantos cisnes brancos sucessivos tenha observado na vida e venha a observar no futuro (exceto, é claro, se eu tiver o privilégio de observar, com toda a certeza, todos os cisnes disponíveis). Contudo, é possível fazer a afirmação

B encontrando um único cisne negro na minha amostragem. Na realidade, a afirmação A fica refutada pela descoberta da Austrália, que trouxe à nossa vista o *Cygnus atratus*, uma variedade de cisne negro como carvão! O leitor verá aqui uma pitada de Popper, porque há forte assimetria entre as duas declarações. Essa assimetria está nas próprias bases do conhecimento. Ela é central por eu lidar com o acaso, como trader.

Afirmei que as pessoas raramente testam afirmações testáveis; isso pode ser melhor para aqueles que não conseguem lidar com as consequências da inferência. A afirmação indutiva a seguir ilustra o problema de se interpretar dados passados literalmente, sem metodologia ou lógica: "Acabei de fazer um completo exame estatístico da vida do presidente Bush. Durante 58 anos, em cerca de 21 mil observações, ele não morreu uma única vez. Posso, portanto, considerá-lo imortal, com um alto grau de significação estatística". A tão divulgada falha de Niederhoffer ocorreu quando vendia opções descobertas baseadas em seus testes e assumia que aquilo que ele vira no passado era uma generalização precisa do que viria a acontecer no futuro. Ele confiou na afirmação de que o mercado nunca havia feito aquilo antes, então realizou operações que representariam uma pequena entrada se a afirmação fosse verdadeira e uma enorme perda caso fosse equivocada. Quando a coisa explodiu, algumas décadas de desempenho ficaram à sombra de um único evento que só durou alguns minutos.

Outra falha lógica nesse tipo de afirmação histórica é que muitas vezes, quando um grande evento ocorre, ouve-se dizer que "nunca aconteceu antes", como se fosse preciso estar ausente do passado do evento para constituir uma surpresa. Então por que consideramos o pior caso que ocorreu em nosso próprio passado o pior cenário possível? Se o passado, ao trazer surpresas, não lembrou o passado anterior a ele (o que chamo de passado do passado), então por que nosso futuro deveria lembrar nosso passado atual?

Há outra lição nessa história, talvez a mais importante: Niederhoffer parece abordar os mercados como uma fonte de orgulho, status e vitórias sobre seus "adversários" (como eu), tal qual um jogo com regras definidas. Ele era um campeão avassalador e altamente competitivo; mas a realidade não tem as mesmas leis e regras fechadas e simétricas dos jogos. Sua natureza competitiva fez com que entrasse numa disputa feroz para "vencer". Como vimos no último capítulo, os mercados (e a vida) não são situações do tipo ganhar ou perder, já que o custo das perdas pode ser notavelmente diferente dos ganhos com as vitórias. Maximizar a probabilidade de vencer não significa maximizar a expectativa do jogo quando a estratégia inclui assimetria, ou seja, uma pequena chance de uma grande perda e uma grande chance de um pequeno ganho. Se você desenvolvesse uma estratégia do tipo roleta-russa com uma baixa probabilidade de uma grande perda, uma que o leve à falência a cada tantos anos, provavelmente figuraria como vencedor na maior parte das amostras — com exceção do ano em que morrer.

Tenho que me lembrar de nunca deixar de reconhecer as ideias dos empiricistas dos anos 1960 e suas contribuições iniciais. Aprendi bastante com Niederhoffer, principalmente por contraste, e particularmente com o último exemplo, no sentido de não abordar nada como um jogo cujo objetivo é ganhar, a menos, é claro, que se trate de um jogo. Mesmo nesse caso, não gosto da estrutura asfixiante dos jogos competitivos e do aspecto diminuidor de obter orgulho de um desempenho numérico. Também aprendi a me manter distante de pessoas competitivas, que tendem a reduzir o mundo a commodities e categorias, como quantos trabalhos científicos publicaram em dado ano ou qual é sua posição em determinada classificação. Há algo não filosófico em investir o orgulho e o ego na ideia de que "minha casa/minha biblioteca/meu carro é maior que a dos meus pares". E é tolice afirmar que se é o primeiro de sua categoria quando se está sentado sobre uma bomba-relógio.

Para concluir, empiricismo extremo, competitividade e falta de estrutura lógica em uma inferência pode ser uma combinação bastante explosiva.

O AGENTE DE PROMOÇÕES DE SIR KARL

Em seguida, discutirei como descobri Karl Popper via outro trader, talvez o único que respeitei de verdade. Não sei se isso se aplica a outras pessoas, mas, a despeito de ser um ávido leitor, eu raras vezes vi meu comportamento ser realmente afetado (de modo permanente) por qualquer coisa que tenha lido. Um livro pode me causar forte impressão, mas ela tende a desvanecer depois que outra a substitui no meu cérebro (de um novo livro). Tenho que descobrir as coisas por mim mesmo (lembre-se da seção "Forno quente", no capítulo 2). Essas autodescobertas duram muito.

Uma exceção das ideias que ficaram comigo são as de Sir Karl, que descobri (ou talvez tenha redescoberto) através dos escritos do trader e filósofo de estilo próprio George Soros, que parece ter organizado sua vida em torno da promoção das ideias de Karl Popper. O que aprendi com George Soros não foi exatamente o que ele talvez esperasse que alguém aprendesse. Eu discordava de suas ideias quando se tratava de economia e filosofia. A princípio, embora o admirasse muito, eu concordava com pensadores profissionais que o ponto forte de Soros não era a especulação filosófica. No entanto, ele se considera um filósofo — o que o torna cativante em mais de uma maneira. Peguemos seu primeiro livro, *A alquimia das finanças*. Por um lado, ele parece discutir ideias de explicação científica lançando palavras grandes como "dedutivo-nomológico", alguém sempre suspeito, como remanescente de escritores pós-modernos que bancam o filósofo ou o cientista ao usar referências complexas. Por outro, ele não parece ter grande domínio dos conceitos. Por exemplo, conduz o que chama de "experimento de trading" e usa o sucesso da negociação para sugerir que a teoria por trás dela é válida. Isso é ridículo: eu poderia jogar o dado para provar minhas crenças religiosas e usar um resultado favorável como evidência de que minhas ideias estão corretas. O fato de que o portfólio especulativo de Soros se mostrou positivo prova pouca coisa. Não se pode inferir muito de um único experimento em um ambiente aleatório — um experimento precisa de repetibilidade mostrando algum componente casual. Em segundo lugar, Soros culpa de modo indiscriminado a ciência da economia, o que pode estar correto, mas não quer dizer que ele fez a lição de casa. Por exemplo, ele escreve que a categoria de pessoas que trata como "economistas" acredita que tudo converge ao equilíbrio, quando isso só se aplica a *alguns* casos de economistas neoclássicos. Há muitas teorias econômicas que acreditam que a saída de um nível de preços pode causar mais divergência e ciclos de retorno em cascata. Houve um considerável volume de pesquisas nesse sentido por exemplo na teoria dos jogos (os trabalhos de Harsanyi e Nash) ou na economia da informação (os trabalhos de Stiglitz, Akerlof e Spence). Colocar todos os economistas em um único cesto é injusto e pouco rigoroso.

Mas, apesar de algumas bobagens em seus escritos, que provavelmente tinham o propósito de convencer a si próprio de que não era apenas um trader, ou por causa disso, sucumbi ao charme desse húngaro que, como eu, tem vergonha de ser trader e prefere que seu trabalho seja uma extensão menor de sua vida intelectual mesmo que não haja muita erudição em seus ensaios. Nunca tendo me impressionado por pessoas com dinheiro (e encontro um monte de gente assim na vida), não as tomo nem remotamente como modelo. Talvez o oposto ocorra, pois em geral tenho aversão a essa gente, devido à atitude de heroísmo épico que sempre acompanha o enriquecimento rápido. Soros foi o único que parece de fato compartilhar dos meus valores. Ele queria ser levado a sério como professor da Europa Oriental, e aconteceu de ficar rico devido à validade de suas ideias (foi somente fracassando na tentativa de obter aceitação de outros intelectuais que ele tentaria ganhar status de alfa por meio do dinheiro, como se fosse um sedutor que, depois de tentar muito, terminasse usando um apêndice, como uma Ferrari vermelha, para conquistar uma mulher). Além disso, embora Soros não demonstre com muita clareza em seus escritos, ele sabia como lidar com o acaso, mantendo uma mente crítica aberta e mudando de opinião sem o menor constrangimento (o que ocasionou o efeito colateral de fazer com que tratasse as pessoas como se fossem guardanapos). Ele andava por aí declarando-se falível, mas ganhava poder ao reconhecer isso, enquanto outros cultivam ideias mais elevadas acerca de si mesmos. Compreendia Popper. E vivia uma vida popperiana.

Como aparte, Popper não me era estranho. Eu tinha ouvido falar rapidamente dele quando era adolescente e quando tinha vinte e poucos anos, como parte de minha educação na Europa e nos Estados Unidos. Mas, na época, não compreendi suas ideias tal como eram apresentadas nem achei que seriam importantes para qualquer coisa na minha vida. Eu estava numa idade em que é preciso ler tudo, o que impede as paradas contemplativas. A pressa tornou difícil perceber que havia algo de importante em Popper. Ou foi meu condicionamento pela cultura intelectual refinada da época (tanto Platão, tantos marxistas, tanto Hegel, tantos intelectuais pseudocientíficos), o sistema educacional (tantas hipóteses propostas como verdade) ou o fato de que eu era muito novo e lia demais para que pudesse estabelecer uma ponte até a realidade.

Popper esvaiu-se de minha mente sem ficar dependurado em uma única célula cerebral — não há nada na bagagem de um jovem se não houver experiência para fazê-lo permanecer ali. Além disso, quando comecei no mercado de capitais, entrei numa fase anti-intelectual: eu precisava fazer dinheiro não aleatoriamente, a fim de assegurar meu futuro e minha riqueza, que tinham acabado de evaporar com a guerra do Líbano (até então eu vivia com o desejo de me tornar um confortável homem dedicado ao ócio, como quase todo mundo na minha família nos dois séculos anteriores). De súbito, senti-me financeiramente inseguro e fiquei com medo de me tornar um empregado em alguma firma que me transformaria num escravo corporativo, com uma "filosofia de trabalho" (sempre que ouço essa expressão eu a interpreto como *mediocridade ineficiente*). Eu precisava do apoio de minha conta bancária para comprar tempo para pensar e desfrutar a vida. O que eu não queria, de jeito nenhum, era passar os dias filosofando e trabalhando no McDonald's mais perto. Filosofia, para mim, tornara-se algo retórico, que as pessoas faziam quando tinham muito tempo livre; era uma atividade reservada para aqueles que não eram bem versados em métodos quantitativos e outras coisas produtivas. Era um passatempo que devia ser limitado às horas mortas da noite, em bares em torno do campus universitário, quando já se havia tomado uns drinques e se tinha um programa leve pela frente — desde que se esquecesse o episódio hilário logo no dia seguinte. Filosofia demais podia colocar um homem em dificuldades, talvez transformá-lo num ideólogo marxista. Popper não reemergiria senão depois que eu assegurasse minha carreira como trader.

Localização, localização

Diz-se que as pessoas geralmente se lembram do dia e da localização em que foram arrebatadas por uma ideia importante. O poeta religioso e diplomata Paul Claudel lembra-se do ponto exato de sua *conversão* (ou reconversão) ao catolicismo na catedral de Notre-Dame, em Paris, perto de determinada coluna. Assim, eu me lembro exatamente do ponto (a livraria Barnes & Noble, na esquina da rua 21 com a Quinta Avenida) onde, em 1986, inspirado por Soros, li cinquenta páginas de *A lógica da pesquisa científica* e comprei febrilmente todos os títulos de Popper que encontrei, temendo que viessem a se esgotar. Foi numa salinha lateral, mal iluminada, que tinha um cheiro característico de mofo. Eu me lembro vivamente dos pensamentos que passaram voando pela minha cabeça, como uma revelação.

Popper veio a ser exatamente o oposto do que eu de início pensava sobre um "filósofo": ele era a epítome do homem direto e prático. Nessa época, eu já era trader de opções havia alguns anos e tinha raiva dos pesquisadores acadêmicos em finanças que me atormentavam, particularmente por estar tirando minha renda do fracasso dos modelos deles. Eu já havia começado a dar palestras para acadêmicos em finanças como parte de meu envolvimento com derivativos e encontrava dificuldade em transmitir-lhes certas ideias básicas sobre mercados financeiros (eles acreditavam nos seus próprios modelos um pouquinho demais). Enquanto isso, já rondava minha mente a ideia de que esses pesquisadores não tinham entendido o ponto crucial da questão, mas eu não sabia bem que ponto era esse. Não era o que eles sabiam, mas como sabiam, a razão de meu aborrecimento.

A resposta de Popper

Popper surgiu com uma resposta importante para o problema da indução (para mim, ele veio com *a* resposta). Nenhum homem influenciou o modo como os cientistas fazem ciência tal qual Sir Karl — a despeito do fato de muitos de seus colegas filósofos profissionais o acharem ingênuo (o que pesa a seu favor, na minha opinião). A ideia de Popper é que a ciência não deve ser levada tão seriamente quanto parece ser (ao se encontrar com Einstein, Popper não o encarou como o semideus que o próprio físico pensava ser). Para ele, há somente dois tipos de teorias:

1. Teorias que se sabe ser erradas, pois foram testadas e propriamente rejeitadas (ele as chama de *falsificadas*).
2. Teorias que ainda não se sabe se são erradas, e portanto ainda não são *falsificadas*, mas estão passíveis de ser provadas erradas.

Por que uma teoria nunca está *certa*? Porque nunca saberemos se todos os cisnes são brancos (Popper pediu emprestada a ideia kantiana de uma falha nos nossos mecanismos de percepção). O mecanismo de teste pode ser falho. Entretanto, a assertiva de que há um cisne negro pode ser feita. Uma teoria nunca pode ser verificada. Parafraseando de novo o treinador de beisebol Yogi Berra, os dados passados encerram muita coisa boa, mas o ruim é o lado ruim. Assim, uma teoria só pode ser aceita provisoriamente, e algo que não recai em uma dessas duas categorias não é uma teoria. Uma teoria que não apresenta um conjunto de condições sob as quais seria considerada errada deve ser denominada charlatanismo — e também seria impossível de ser rejeitada. Por quê? Porque o astrólogo sempre pode encontrar uma razão para explicar o evento passado, dizendo que "Marte estava alinhado, mas não tanto assim" (da mesma forma, para mim, um trader que não tem um ponto que o faria mudar de opinião não é trader). Na realidade, a diferença entre a física newtoniana, que foi *falsificada* pela relatividade de Einstein, de um lado, e a astrologia, de outro, está na ironia que se segue. A teoria de Newton é científica porque pode ser falsificada, uma vez que sabemos que está errada, enquanto a astrologia não está porque não oferece condições sob as quais possamos rejeitá-la. A astrologia não pode ser refutada, devido à hipótese auxiliar que entra em jogo. Esse ponto está na base da divisão entre ciência e tolice (e é chamado de "problema da demarcação").

Sob um ponto de vista mais prático, para mim, Popper tinha muitas dificuldades com a estatística e os estatísticos. Ele recusava cegamente a noção de que o conhecimento pode sempre aumentar com mais informações — que é o alicerce da inferência estatística. Pode ser que isso aconteça, em alguns casos, mas não sabemos em quais. Muita gente ponderada, tal como John Maynard Keynes, chegou, de forma independente, às mesmas conclusões. Os detratores de Sir Karl acreditam que repetir inúmeras vezes um experimento em condições favoráveis deve levar a uma aceitação cada vez maior da ideia de que "a coisa funciona". Eu passei a entender melhor a posição de Popper a partir do momento em que vi o primeiro evento raro fazer grandes estragos numa sala de trading. Sir Karl temia que houvesse certo tipo de conhecimento que não aumenta com mais informações — mas que tipo é esse não podemos saber. A razão pela qual acho que Popper é importante para os traders é que, para ele, a questão do conhecimento e da descoberta não está tanto em lidar com o que sabemos, mas em lidar com o que não sabemos. Sua famosa citação diz:

> Estes são homens com ideias ousadas, mas fortemente críticos em relação a suas próprias ideias; eles tentam descobrir se elas estão certas tentando primeiro descobrir se não estão erradas. Trabalham com hipóteses arrojadas e tentativas severas na rejeição de suas próprias hipóteses.

"Estes" são cientistas. Mas podem ser qualquer coisa.

Colocando o mestre no contexto, Popper estava se rebelando contra o crescimento da ciência. Sob o ponto de vista intelectual, ele chocou o mundo considerando as dramáticas mudanças na filosofia tentativas de passá-la de verbal e retórica para científica e rigorosa, como vimos na apresentação do Círculo de Viena, no capítulo 4. Essas pessoas eram, às vezes, chamadas de positivistas lógicos, de acordo com o movimento denominado positivismo, do qual Augusto Comte foi pioneiro na França, o qual representava a cientificização do mundo (literalmente, de tudo sob o sol). Foi como a Revolução Industrial do rol das ciências humanas. Sem elaborar mais sobre o positivismo, devo observar que Popper era o antídoto dessa doutrina. Para ele, a verificação não é possível. O verificacionismo é mais perigoso do que qualquer outra coisa. Levadas ao extremo, as ideias de Popper parecem ingênuas e primitivas — mas elas funcionam. Note que seus detratores o chamam de um falsificacionista ingênuo.

Sou um falsificacionista ingênuo extremado. Por quê? Porque posso sobreviver a isso. Meu popperismo extremado e obsessivo é levado ao seguinte ponto. Especulo, em todas as minhas atividades, sobre teorias que representem alguma visão do mundo, mas com a seguinte condição: nenhum evento raro pode me causar dano. De fato, eu gostaria que todos os eventos raros concebíveis me ajudassem. Minha ideia de ciência diverge daquela assumida por pessoas à minha volta que se autonomeiam cientistas. Ciência é mera especulação, mera formulação de hipóteses.

Sociedade aberta

O falsificacionismo de Popper está intimamente ligado à ideia de uma sociedade aberta. Uma sociedade aberta é aquela em que não subsiste nenhuma verdade permanente; o que permitiria o surgimento de contraideias. Karl Popper compartilhava ideias com seu amigo, o economista Von Hayek, que endossava o capitalismo como um estado no qual os preços podem disseminar a informação, a qual o socialismo burocrático sufocaria. Tanto a noção de falsificacionismo quanto a de sociedade aberta são, contraintuitivamente, ligadas à de um método rigoroso para lidar com o acaso no meu trabalho diário como trader. É claro que uma mente aberta é uma necessidade quando se está lidando com o acaso. Popper acreditava que qualquer ideia de utopia é, necessariamente, fechada, por sufocar suas próprias refutações. A simples ideia de um bom modelo para a sociedade, o qual não pode ser deixado aberto para falsificação, é o totalitarismo. Aprendi com Popper, além da diferença entre uma sociedade aberta e uma fechada, a diferença entre uma mente aberta e uma fechada.

Ninguém é perfeito

Tenho informações pouco lisonjeiras sobre Popper, o homem. Testemunhas de sua vida privada consideravam-na nada popperiana. O filósofo e professor de Oxford Bryan Magee, que foi amigo dele por quase três décadas, descreve-o como avesso às coisas do mundo (exceto em sua mocidade) e estritamente centrado em seu trabalho. Ele passou os últimos cinquenta anos de sua longa carreira (tendo vivido 92) fechado ao mundo exterior, isolado de distrações e de estímulos externos. Também se dedicou a dar às pessoas "bons conselhos sobre sua carreira e vida privada, embora entendesse muito pouco tanto de uma quanto de outra. Tudo isso, é claro, foi em direção contrária a suas professadas (e genuínas) convicções e práticas filosóficas".

Na mocidade, as coisas não ficaram muito melhores. Membros do Círculo de Viena tentavam evitá-lo, não por causa de ideias divergentes, mas porque ele constituía um problema social. "Ele era brilhante, porém autocentrado, tanto inseguro quanto arrogante, irascível e hipócrita. Era terrível quando se tratava de ouvir os outros, e queria ganhar discussões a qualquer custo. Não conhecia nada de dinâmica de grupo e não tinha habilidade para agir de acordo com isso."

Vou me escusar do discurso-padrão sobre o divórcio entre ideias e prática, exceto para acentuar o interessante problema genético: gostamos de emitir opiniões lógicas e racionais, mas não apreciamos, necessariamente, sua execução. Ainda que possa parecer estranho, essa tese só foi descoberta há pouco (veremos que não somos geneticamente aptos a ser racionais e a agir de modo racional; somos mais aptos, com a máxima probabilidade, a transmitir nossos genes em um ambiente não sofisticado). Também ainda que possa parecer estranho, George Soros, autocrítico obsessivo, soa mais popperiano do que o próprio Popper em seu comportamento profissional.

Indução e memória

A memória nos humanos é uma grande máquina de fazer inferências indutivas. Pense nas lembranças: o que é mais fácil recordar, uma coleção de fatos aleatórios grudados ou uma história, algo que tem uma série de ligações lógicas? A causalidade fica mais facilmente na memória. Nosso cérebro teria menos trabalho para reter a informação nesse caso. O *tamanho* seria menor. Mas o que é indução exatamente? Indução é ir de muitos particulares ao geral. É muito útil, já que o geral ocupa muito menos espaço na memória que uma coleção de particulares. O efeito de tal compressão é a redução do grau de acaso detectado.

A aposta de Pascal

Vou concluir com a apresentação do meu próprio método para lidar com o problema da indução. O filósofo Pascal proclamava que a melhor estratégia para os humanos é acreditar na existência de Deus. Isso porque, se Deus existe, então o crente pode ser recompensado. Se Ele não existe, o crente não tem nada a perder. De maneira coerente, devemos aceitar a assimetria no conhecimento; há situações em que usar a estatística e a econometria pode ser útil. Mas não quero que minha vida dependa disso.

Como Pascal, vou apresentar, portanto, o seguinte argumento. Se a ciência da estatística pode me beneficiar em alguma coisa, vou usá-la. Se ela representa uma ameaça, então não vou usá-la. Quero tirar o melhor que o passado possa me oferecer sem seus perigos. Assim, uso a estatística e os métodos indutivos para fazer apostas agressivas, mas não uso para gerenciar meus riscos e minha posição. Surpreendentemente, todos os traders sobreviventes que conheço parecem ter feito a mesma coisa. Eles negociam papéis apoiados em ideias baseadas em certas observações (que incluem a história), mas, como os cientistas popperianos, tomam medidas para que os custos de estar errados sejam limitados (e para que a probabilidade de isso acontecer não derive dos dados passados). Diferentemente de Carlos e John, eles sabem, antes de se engajar numa estratégia de negociação, quais eventos mostrarão que sua conjectura estava errada, e dão o devido desconto (lembre-se de que Carlos e John usavam a história tanto para fazer suas apostas quanto para medir o risco que corriam). Então encerram a transação. Isso é chamado de *stop loss*, um ponto de saída predeterminado, uma proteção contra o cisne branco. Raras vezes vejo isso em prática.

OBRIGADO, SÓLON

Para terminar, tenho que confessar que, ao acabar de escrever a Parte I, o que eu disse sobre a genialidade da ideia de Sólon teve um enorme efeito tanto sobre meu modo de pensar quanto sobre minha vida privada. A composição da Parte I me tornou ainda mais confiante quanto ao meu afastamento da mídia e dos outros membros da comunidade de negócios, principalmente de outros investidores e traders, por quem desenvolvo um desprezo cada vez maior. Atualmente, tenho desfrutado da leitura dos clássicos como nunca desde a infância. Estou agora pensando no próximo passo: recriar uma época de baixa informação, mais determinística, digamos, o século XIX, ao mesmo tempo me beneficiando dos progressos técnicos (tais como a máquina Monte Carlo) de todas as descobertas no campo médico e dos avanços da justiça social de nossa era. Eu teria, então, o melhor de tudo. Isso é o que se chama de evolução.

Parte II

Macacos em máquinas de escrever — Viés do sobrevivente e outras distorções dos fatos

Se pusermos um número infinito de macacos diante de máquinas de escrever (de construção robusta) e os deixarmos bater a esmo nas teclas, temos certeza de que um deles sairia com uma versão exata da *Ilíada*. Examinando melhor, essa ideia poderia ser menos interessante do que parece à primeira vista, já que a probabilidade é muito pequena. Mas vamos levar o raciocínio um passo adiante. Agora que descobrimos esse herói entre os macacos, algum leitor apostaria suas economias em que o macaco escrevesse a *Odisseia* a seguir?

Nessa história, é o segundo passo que é interessante. Até onde o desempenho passado (aqui, escrever à máquina a *Ilíada*) pode ser importante na previsão do desempenho futuro? O mesmo se aplica a qualquer decisão baseada no desempenho passado, dependendo-se meramente dos atributos da série temporal passada. Pense no macaco aparecendo à sua porta com o impressionante desempenho passado. Ei, ele escreveu a *Ilíada*.

O principal problema com a inferência em geral é que aqueles cuja profissão é tirar conclusões de dados geralmente caem na armadilha mais depressa e com mais confiança do que os outros. Quanto mais dados temos, mais probabilidade há de que nos vejamos afogados neles. Isso porque a sabedoria comum entre pessoas com um mínimo conhecimento das leis da probabilidade as manda basear sua tomada de decisão no seguinte princípio: é muito pouco provável que alguém se saia consideravelmente bem, e de modo continuado, sem estar fazendo alguma coisa certa. As fichas de desempenho se tornam, assim, muito importantes. Essas pessoas se baseiam na probabilidade de uma sucessão de êxitos e dizem a si mesmas que, se alguém se saiu melhor do que os outros no passado, então há uma grande chance de se sair melhor do que a multidão no futuro — e uma chance bastante grande, aliás. Entretanto devemos tomar cuidado com as coisas fáceis de entender: um reduzido conhecimento da probabilidade pode levar a piores resultados do que nenhum conhecimento.

DEPENDE DO NÚMERO DE MACACOS

Não nego que, se alguém teve um desempenho melhor do que o restante no passado, presume-se que sua capacidade o faça sair-se melhor no futuro. Contudo, essa suposição pode ser fraca, muito fraca, a ponto de se mostrar inútil na tomada de decisão. Por quê? Porque tudo depende de dois fatores: o conteúdo aleatório da profissão e o número de macacos em operação.

O tamanho da amostra inicial tem enorme importância. Se há cinco macacos no jogo, eu ficaria muito impressionado com o escritor da *Ilíada*, a ponto de suspeitar que seja a reencarnação do poeta da Antiguidade. Se há 1 bilhão elevado à potência de 1 bilhão de macacos, eu ficaria menos impressionado — na verdade, seria uma surpresa se um deles não viesse a apresentar uma obra bem conhecida (mas não especificada) apenas por sorte (talvez *Memórias de Casanova*). Seria possível até mesmo esperar que um dos macacos nos saísse com *A terra em balanço*, do ex-vice-presidente Al Gore, e ainda sem os chavões.

Esse problema tem efeitos mais malévolos sobre o mundo dos negócios do que sobre outras atividades da vida, devido à sua alta dependência em relação ao acaso (já traçamos um paralelo desfavorável entre os negócios, dependentes do acaso, e a odontologia). Quanto maior o número de executivos, maior a probabilidade de um deles se sair excepcionalmente bem, por pura sorte. Raras vezes vi alguém contar os macacos. No mesmo viés, poucos contam os investidores no mercado, a fim de calcular não a probabilidade de sucesso, mas a probabilidade condicional de histórias bem-sucedidas, dado o número de investidores em operação em determinada história do mercado.

MACACOS ESCONDIDOS

Há outros aspectos do problema dos macacos: na vida real, os macacos que ficam para trás não são contáveis, muito menos visíveis. Eles permanecem escondidos, enquanto a gente vê apenas os vencedores — é natural que aqueles que fracassam sumam sem deixar traço. Da mesma forma, vemos os sobreviventes, e apenas os sobreviventes, o que faz com que tenhamos uma percepção errada das chances. Não reagimos ante a probabilidade, mas à avaliação que a sociedade faz dela. Como vimos no caso de Nero Tulip, até mesmo pessoas com conhecimento de probabilidade reagem de maneira pouco inteligente à pressão social.

ESTA SEÇÃO

A Parte I descreveu situações em que as pessoas não compreendem o evento raro e parecem não aceitar a possibilidade de sua ocorrência ou suas penosas consequências. Ali também expus minhas próprias ideias, aquelas que parecem não ter sido exploradas na literatura. Contudo, um livro sobre o acaso não estará completo sem a apresentação das possíveis tendências que poderemos ter, à parte as deformações causadas pelo evento raro. O tema da Parte II é mais prosaico; farei rapidamente uma síntese das predisposições do acaso, conforme discutidas na agora abundante literatura existente sobre o assunto.

Essas predisposições podem ser esboçadas da seguinte maneira: (a) viés do sobrevivente (ou macacos em uma máquina de escrever), confirmando que vemos apenas os vencedores e temos uma visão distorcida das probabilidades (capítulos 8 e 9), (b) o fato de que a sorte é, com máxima frequência, o motivo do grande sucesso (capítulo 10), e (c) a deficiência biológica de nossa incapacidade de entender a probabilidade (capítulo 11).

8. Milionários demais no vizinho

COMO FAZER CESSAR A DOR DO FRACASSO

Feliz, de certo modo

Marc mora na Park Avenue, na cidade de Nova York, com sua esposa Janet e seus três filhos. Ganha 500 mil dólares por ano, alternando-se épocas de euforia do mercado e recessão — ele não acredita que a recente explosão de prosperidade tenha vindo para ficar e não está mentalmente ajustado a essa recente elevação na sua renda. Um homem rotundo quase chegando aos cinquenta anos, com feições flácidas que o fazem parecer dez anos mais velho, Marc leva a vida aparentemente confortável (mas insípida) de um advogado trabalhando na cidade grande. Pertence ao lado calmo dos residentes de Manhattan. Certamente não é um homem que fica circulando pelos bares ou frequentando festas até tarde da noite em Tribecca e no Soho. Ele e sua esposa têm uma casa de campo e um jardim de rosas, e tendem a se preocupar (tanto mentalmente quanto por condicionamento), como muita gente de sua idade, com (na seguinte ordem) conforto material, saúde e status. Nos dias úteis, ele não chega em casa antes das 21h30, e às vezes pode-se encontrá-lo no escritório até perto da meia-noite. Quando chega o fim de semana, Marc está tão fatigado que adormece durante as três horas de viagem até a casa de campo e passa a maior parte do sábado deitado na cama, recuperando-se e curando-se.

Ele foi criado numa cidade pequena do Meio-Oeste, filho de um pacífico contador especializado em tributos, que trabalhava com lápis amarelos bem apontados. Sua obsessão com a ponta do lápis era tão forte que ele sempre levava um apontador no bolso. Marc mostrou sinais de inteligência precoce. Saiu-se extremamente bem no ensino médio. Estudou artes liberais em Harvard e depois direito em Yale. Nada mau, diríamos. Mais tarde, sua carreira levou-o para o direito empresarial. Ele começou trabalhando em causas importantes para uma prestigiosa firma de advocacia de Nova York, onde mal tinha tempo de escovar os dentes. Isso não é exagero, pois ele quase sempre jantava no escritório, acumulando gordura corporal e pontos em sua avaliação, visando se tornar sócio da firma. Mais tarde, virou sócio dentro dos sete anos costumeiros, mas não sem os custos humanos costumeiros. Sua primeira esposa (a quem conhecera na faculdade) o deixou, cansada de sua ausência e desgastada com a deterioração de sua conversa — mas, por ironia, acabou indo viver e mais tarde se casou com outro advogado de Nova York, provavelmente com uma conversa também chata, mas que a fez mais feliz.

Trabalho demais

O corpo de Marc foi ficando progressivamente mais flácido; seus ternos sob medida precisavam de visitas periódicas ao alfaiate, apesar das ocasionais dietas drásticas. Depois de ter se recuperado da depressão iniciada com o abandono da esposa, ele começou a sair com Janet, sua colega de profissão, e logo casou-se com ela. Tiveram três filhos em rápida sucessão, compraram um apartamento na Park Avenue e a casa de campo.

Os conhecidos mais chegados de Janet são outros pais da escola particular de Manhattan frequentada por seus filhos e os vizinhos do prédio. Do ponto de vista material, Marc e Janet se situam na escala mais baixa desse grupo, talvez entre os últimos. São os mais pobres de seu círculo, pois os outros condôminos são executivos de grandes empresas, traders extremamente bem-sucedidos de Wall Street e empresários da alta roda. A escola particular de seus filhos acolhe a segunda leva de filhos do clã empresarial, com esposas-troféu — na verdade, talvez a terceira, considerando a discrepância de idade e a aparência de modelo das outras mães. A esposa de Marc, Janet, tem uma aparência caseira, de quem tem casa de campo e jardim de rosas.

Você é um fracasso

A estratégia de Marc de morar em Manhattan pode ser racional, pois seu horário de trabalho exigente tornaria impossível morar num subúrbio elegante. Mas o ônus que isso representa para sua esposa Janet é monstruoso. Por quê? Por causa de seu insucesso relativo, como é geograficamente definido por seus vizinhos da Park Avenue. Todo mês, mais ou menos, Janet tem uma crise, cedendo ao peso do estresse e de ser esnobada por outra mãe na escola quando vai pegar os filhos, ou por uma mulher com diamantes maiores no elevador do prédio, tendo em conta que o apartamento deles é do tipo menor. Por que seu marido não tem tanto sucesso? Ele não é inteligente e trabalhador? Não chegou perto dos 1600 pontos no teste de avaliação escolar? Por que será que esse Ronald Qualquer-Coisa, cuja esposa nem mesmo cumprimenta Janet, vale centenas de milhões, enquanto seu marido, que estudou em Harvard e Yale, que tem um Q.I. tão alto, dispõe de uma poupança insignificante?

Não vamos nos envolver demasiadamente nos dilemas dignos de Tchékov da vida particular de Marc e Janet, mas o caso deles fornece uma ilustração muito comum do efeito emocional do *viés do sobrevivente*. Janet acha que seu marido é um fracasso, por comparação, mas está calculando as probabilidades de modo grosseiro, usando a distribuição errada para inferir uma escala. Quando comparado com a população dos Estados Unidos em geral, Marc tem se saído muito bem, melhor do que 99,5% dos outros. Quando comparado com seus amigos do ensino médio, ele ainda se sai muito bem, fato que poderia comprovar se tivesse tempo de comparecer às festas da turma, no topo da qual estaria. Ele também se sai melhor do que 90% dos outros alunos de Harvard (financeiramente, é claro) e 60% dos colegas do curso de direito em Yale. Mas, quando comparado a seus vizinhos de condomínio, está lá embaixo! Por quê? Porque ele escolheu morar entre pessoas que têm muito sucesso, numa área onde o fracasso não tem vez. Em outras palavras, aqueles que fracassaram não aparecem absolutamente na amostra, fazendo com que pareça que Marc não teve nenhum tipo de sucesso. Morando na Park Avenue, não se veem os perdedores, apenas os vencedores. Como somos recortados — da população em geral — e temos que morar em comunidades pequenas, é difícil avaliar nossa situação nos limites geográficos estreitamente definidos de nosso hábitat. No caso de Marc e Janet, isso leva a um considerável estresse emocional; aqui temos uma mulher que casou com um homem muito bem-sucedido, mas tudo o que ela consegue ver é o fracasso comparativo, pois não pode compará-lo emocionalmente com uma amostra que lhe faria justiça.

Além dessa percepção errônea do desempenho de alguém, outro efeito opera: quando você fica rico, muda-se para uma vizinhança rica, então se torna pobre de novo. E a isso se aplica o mesmo efeito psicológico: você se acostuma com a riqueza e volta a determinado ponto de insatisfação. O motivo pelo qual algumas pessoas nunca se satisfazem com o dinheiro (além de certo ponto) tem sido alvo de discussões técnicas sobre a felicidade.

Alguém poderia dizer a Jane, de maneira racional: "Leia este livro, *Iludidos pelo acaso*, escrito por um trader matemático sobre as deformações que o acaso impõe à vida; ele dará a você um senso estatístico de perspectiva, de modo que se sinta melhor". Como autor, eu gostaria de dizer que ofereço uma panaceia por um preço módico, mas prefiro dizer que, na melhor das expectativas, o livro pode lhe oferecer algo em torno de uma hora de consolo. Janet talvez necessite de algo mais drástico, que a alivie. Tenho repetido que se sentir mais racional e ficar imune às emoções das desfeitas sociais não é próprio da raça humana, pelo menos do nosso atual código de DNA. Não há consolo que possa ser encontrado na racionalidade — como trader, aprendi alguma coisa sobre os esforços infrutíferos de se racionalizar contra a correnteza. Eu aconselharia Janet a se mudar para um bairro de operários, onde ia se sentir menos humilhada por seus vizinhos e elevada na ordem de precedência, indo além da probabilidade de sucesso. Eles poderiam usar a deformação na direção oposta. Se Janet se importa com status, então eu chegaria a recomendar um grande conjunto habitacional.

VIÉS DO SOBREVIVENTE

Mais especialistas

Recentemente, li um best-seller chamado *O milionário mora ao lado*, um livro extremamente enganador (mas quase agradável) escrito por dois "especialistas". Seus autores tentam deduzir certos atributos que são comuns às pessoas ricas, examinando um grupo e descobrindo que elas não levam uma vida de esbanjamento. Eles as denominaram de acumuladoras, ou seja, pessoas prontas a adiar o consumo a fim de acumular fundos. A maior parte do atrativo do livro vem do fato simples, mas contraintuitivo, de que essas pessoas têm menor probabilidade de parecer ricas — é claro que custa dinheiro parecer rico e se comportar como tal, sem contar o tempo consumido ao se gastar dinheiro. Levar uma vida próspera é algo que consome tempo: comprar roupas da moda, conversar sobre vinhos, ir a restaurantes caros. Todas essas atividades demandam bastante tempo da pessoa e a desviam do assunto que deve ser sua preocupação real: a acumulação de riqueza nominal (e de papéis). A moral do livro é que os mais ricos devem ser procurados entre aqueles que menos se suspeita que sejam ricos. Por outro lado, aqueles que agem como ricos e parecem sê-lo submetem seu patrimônio a demandas que infligem dano considerável e irreversível a suas aplicações no mercado.

Vou deixar de lado a questão segundo a qual não vejo nenhum *heroísmo* especial em juntar dinheiro, particularmente se, além disso, a pessoa é tola o bastante para nem mesmo tentar tirar qualquer benefício tangível da riqueza (além do prazer de contar regularmente seu rico dinheirinho). Não tenho nenhuma vontade de sacrificar grande parte de meus hábitos, prazeres intelectuais e padrões pessoais para me transformar num bilionário como Warren Buffett, e certamente não vejo motivo para me tornar um se eu tivesse que adotar hábitos espartanos (até mesmo miseráveis) e viver na minha primeira casa. Algo nos elogios que se derramam sobre ele por viver austeramente, embora seja tão rico, me escapa; se a austeridade é o objetivo, ele deveria se tornar monge ou assistente social — devemos lembrar que se tornar rico é um ato puramente egoísta, não um ato social. A virtude do capitalismo é que a sociedade pode tirar vantagem da ganância das pessoas, em vez de tirar vantagem de sua benevolência, mas não há necessidade de, além disso, exaltar essa ganância como uma conquista moral (ou intelectual). (O leitor pode facilmente ver que, à parte algumas poucas exceções, como George Soros, não fico impressionado por gente com dinheiro.) Tornar-se rico não é diretamente um feito moral, mas não é aí que reside a falha do livro.

Como dissemos, os heróis de *O milionário mora ao lado* são acumuladores, gente que adia os gastos a fim de investir. É inegável que tal estratégia pode funcionar; o dinheiro gasto não traz frutos (além do prazer de quem gasta). Mas os benefícios prometidos no livro parecem grosseiramente exagerados.

Uma leitura mais atenta da tese dos autores revela que a amostra deles inclui uma dose dupla do viés do sobrevivente. Em outras palavras, tem duas falhas cumulativas.

Vencedores visíveis

A primeira tendência vem do fato de que as pessoas ricas selecionadas para a amostragem estão entre os macacos sortudos nas máquinas de escrever. Os autores não fizeram nenhuma tentativa de corrigir suas estatísticas com o fato de que viram apenas os vencedores. Não fazem menção aos "acumuladores" que acumularam coisas erradas (membros da minha família são peritos nisso; os que acumularam o fizeram com moedas prestes a ser desvalorizadas e ações de companhias que mais tarde foram para o brejo). Em nenhum lugar vemos mencionado o fato de que algumas pessoas são sortudas o bastante para ter investido dinheiro nos vencedores; e elas, sem dúvida, teriam achado seu lugar no livro. Há um modo de lidar com essa predisposição: abaixemos a fortuna do milionário médio em, digamos, 50%, baseados no fato de que a predisposição faz com que o patrimônio líquido médio do milionário observado seja mais alto nesse percentual (o que consiste em somar o efeito dos perdedores na panela geral). Isso certamente modificaria as conclusões.

Um mercado em alta

Quanto à segunda falha, mais grave, já discuti o problema da indução. O relato se centra num episódio inusitado da história; aceitar sua tese implica aceitar que os resultados atuais de valores dos ativos são permanentes (o tipo de convicção que prevalecia antes da Crise de 1929). Lembre-se de que os preços dos ativos vêm (ainda na época em que escrevo) sendo negociados no mercado mais em alta da história, e seus valores vieram se multiplicando astronomicamente durante as duas últimas décadas. Um dólar investido na ação média teria aumentado de valor quase vinte vezes a partir de 1982 — e isso para a ação média. A amostragem poderia incluir gente que investiu em ações, mostrando que elas se saíram melhor do que a média. Praticamente, todas as pessoas estudadas ficaram ricas devido à inflação dos preços dos ativos; em outras palavras, a partir da inflação recente em papéis financeiros e ativos, que começou em 1982. Um investidor que utilizou a mesma estratégia em dias menos nobres do mercado com certeza teria uma história diferente para contar. Imagine o livro sendo escrito em 1982, depois da prolongada erosão do valor das ações, ajustado de acordo com a inflação, ou em 1935, depois da perda de interesse do mercado de ações.

Ou pensemos que o mercado de ações dos Estados Unidos não é o único veículo para se investir. Consideremos o destino daqueles que, em lugar de gastar seu dinheiro comprando brinquedos caros e pagando excursões de esqui, tenham adquirido liras libanesas, denominadas títulos do Tesouro (como fez meu avô), ou títulos de alto risco de Michael Milken (como fizeram muitos colegas meus na década de 1980). Voltemos na história e imaginemos o acumulador comprando títulos imperiais russos que traziam a assinatura do tsar Nicolau II, e tentando acumular ainda mais descontando-os junto ao governo soviético, ou imóveis na Argentina na década de 1930 (como fez meu bisavô).

O erro de se ignorar o viés do sobrevivente é crônico, até mesmo (e talvez especialmente) entre os profissionais. Como? Somos treinados para tirar vantagem da informação que está diante dos nossos olhos, ignorando a informação que não vemos. Quando escrevo, os fundos de pensão e as companhias de seguro dos Estados Unidos e da Europa de alguma forma compraram o argumento de que "no longo prazo, ações *sempre* lucram 9%", apoiado por estatísticas. As estatísticas estão certas, mas são história. Meu argumento é de que posso encontrar um título financeiro em algum lugar entre os 40 mil disponíveis que cresceu duas vezes mais do que isso todos os anos sem falha. Devemos colocar o dinheiro da seguridade social nele?

Um breve resumo a essa altura: mostrei como tendemos a tomar, erroneamente, uma realização entre todas as possíveis histórias aleatórias como a mais representativa delas, esquecendo que pode haver outras. Em suma, a predisposição de se olhar somente os sobreviventes implica que *a realização de mais alto desempenho será a mais visível*. Por quê? Porque os perdedores não aparecem.

OPINIÃO DE UM GURU

A indústria de administração de fundos é coalhada de gurus. No entanto, o campo é fortemente influenciado pelo acaso, e o guru vai acabar caindo numa armadilha, em particular se não tiver um treinamento adequado em inferência. Na época em que escrevo, há um desses gurus que desenvolveu o hábito muito infeliz de redigir livros sobre o assunto. Com um de seus pares, ele calculou o sucesso da política "Robin Hood" de investir com o menos bem-sucedido dos gestores em dada população de gestores. Isso consiste em tirar dinheiro do ganhador e alocá-lo ao perdedor, e vai contra a sabedoria prevalente de investir com o ganhador e tirar dinheiro do perdedor. Fazendo isso, sua estratégia no papel (ou seja, como num jogo de Banco Imobiliário, e não executado na vida real) conseguiu um retorno consideravelmente mais alto do que se tivessem ficado grudados ao vencedor. Seu exemplo hipotético pareceu-lhes provar que é possível não ficar com o melhor gestor, como estaríamos inclinados a fazer, mas mudar para o pior gestor, ou pelo menos essa parece ser a tese que eles tentam apresentar.

A análise contém uma falha severa, que qualquer estudante de mestrado em economia financeira deveria ser capaz de descobrir a uma primeira leitura. Sua amostragem tinha apenas *sobreviventes*. Eles simplesmente se esqueceram de levar em conta os gestores que faliram. Uma amostragem assim inclui gestores que estavam operando durante a simulação e ainda *estão operando hoje*. É verdade que a amostragem deles incluiu gestores de fundos com fraco desempenho, mas apenas aqueles que se saíram mal e depois se recuperaram, sem ser alijados do negócio. É óbvio que investir com os que se saíram mal em certa época, mas se recuperaram (com o benefício da retrospectiva) seria um bom negócio! Se tivessem continuado com desempenho fraco, estariam fora do negócio e não seriam incluídos na amostragem.

Como se deveria realizar uma simulação apropriada? Tomando a população de gestores de fundos existente, digamos, há cinco anos e passando a simulação até hoje. É claro que os atributos daqueles que deixam o conjunto tendem ao fracasso; poucas pessoas bem-sucedidas num negócio assim lucrativo desistiriam porque estavam ganhando dinheiro demais. Antes de nos voltarmos a uma apresentação mais técnica dessas questões, uma menção ao muito idealizado otimismo. Otimismo, dizem, é indicativo de sucesso. É mesmo? Porque também pode ser indicativo de fracasso. Pessoas otimistas certamente correm mais riscos porque têm muita confiança em suas chances; aqueles que vencem aparecem entre os ricos e famosos, enquanto aqueles que falham desaparecem das análises, infelizmente.

9. É mais fácil comprar e vender do que fritar um ovo

Hoje à tarde tenho uma consulta marcada no dentista (que estará concentrado em me arrancar informações sobre títulos brasileiros). Posso afirmar, com certa dose de conforto, que ele sabe alguma coisa sobre dentes, em particular se entro no consultório com dor de dente e saio de lá aliviado. Seria difícil para alguém que não sabe literalmente nada sobre dentes me dar esse tipo de alívio, exceto se contasse com uma sorte particular naquele dia — ou se tivesse experimentado sorte o bastante durante a vida para vir a ser dentista mesmo sem saber nada sobre dentes. Olhando para o diploma dele na parede, determino que as probabilidades de que tenha dado respostas corretas sucessivas em suas provas e obturado de maneira satisfatória uns poucos milhares de cáries antes de se diplomar de maneira puramente aleatória são notavelmente pequenas.

À noite, vou ao Carnegie Hall. Pouco posso dizer sobre a pianista; até mesmo seu nome esqueci, porque me era pouco familiar, numa língua estrangeira. Tudo o que sei é que ela estudou num conservatório de Moscou. Mas posso esperar ouvir a música saída do piano. Seria raro ter alguém que, tendo se saído com bastante brilho no passado a ponto de vir tocar no Carnegie Hall, houvesse apenas se beneficiado da sorte. A expectativa de deparar com uma fraude, alguém desqualificado que só batuque no piano e produza sons cacofônicos, é tão baixa que posso descartá-la.

Eu estava em Londres sábado passado. Os sábados em Londres são mágicos; agitados mas sem o trabalho sistemático de um dia útil ou a triste resignação de um domingo. Sem um relógio de pulso ou um plano, eu me encontrei diante de minhas esculturas favoritas, de autoria de Canova, no Albert and Victoria Museum. Minha inclinação profissional imediatamente me fez questionar se o acaso desempenhou um papel importante na produção daquelas estátuas de mármore. Os corpos são produções realísticas de figuras humanas, só que mais harmoniosos e bem equilibrados do que qualquer coisa que eu já tenha visto naturalmente produzido (vem-me à mente *materiem superabat opus*, de Ovídio). Essa delicada beleza poderia ser produto da sorte?

Posso fazer praticamente a mesma afirmação sobre qualquer um operando no mundo físico, ou em um negócio no qual o grau de aleatoriedade seja baixo. Mas há um problema em tudo que se relaciona com o mundo dos negócios. Fico aborrecido porque amanhã, infelizmente, tenho uma reunião com um administrador de fundos que procura minha ajuda, e a dos meus amigos, para descobrir investidores. Ele tem o que alega ser uma *boa ficha de desempenho*. Tudo o que posso deduzir é que aprendeu a comprar e vender. E é mais difícil fritar um ovo do que comprar e vender. Bem... o fato de que ganhou dinheiro no passado pode ter certa importância, mas não tanta quanto se imagina. Não é o mesmo que dizer que todos os casos são assim; há alguns exemplos nos quais se pode confiar numa ficha de desempenho, mas — infelizmente — não são muitos. Como o leitor agora sabe, o gestor de fundos pode esperar ser menosprezado por mim durante a apresentação, particularmente se não evidenciar um mínimo de humildade e não mostrar que tem dúvidas, coisa que eu esperaria de alguém lidando com o acaso. Provavelmente vou bombardeá-lo com perguntas que ele não está preparado para responder, cego como está diante dos resultados passados. Provavelmente contarei a ele que Maquiavel atribuía à sorte pelo menos 50% do sucesso (e o resto à esperteza e ao brilhantismo), isso antes da criação dos mercados de capitais modernos.

Neste capítulo, discuto algumas das conhecidas propriedades contraintuitivas dos registros de desempenho e das séries temporais históricas. O conceito apresentado aqui é bem conhecido por algumas de suas variações sob o nome de *viés do sobrevivente, data mining, data snooping, superaptidão, regressão à média* etc., situações básicas em que a performance é exagerada pelo observador devido a uma compreensão equivocada da importância do acaso. É claro que essa ideia tem implicações bastante perturbadoras. Ela se estende a situações mais gerais em que o acaso pode desempenhar um papel importante, tal como a escolha de um tratamento médico ou a interpretação de eventos coincidentes.

Quando sou tentado a sugerir uma possível futura contribuição da pesquisa financeira à ciência em geral, refiro-me à análise de garimpagem de dados e ao estudo do viés do sobrevivente. Essas duas atividades têm sofrido refinamento na área das finanças, mas eles podem ser estendidos a todas as áreas da investigação científica. Por que as finanças são um campo tão rico? Porque é uma das poucas áreas de investigação onde temos muita informação (sob a forma de abundantes séries de preços), mas não a capacidade de levar a efeito experimentos como acontece, digamos, na física. Essa dependência de dados passados ressalta seus grandes defeitos.

ENGANADOS PELOS NÚMEROS

Investidores tipo placebo

Muitas vezes me deparo com perguntas do tipo: "Você está me dizendo que talvez eu só dependa da sorte na minha vida?". Bem, ninguém realmente acredita que tudo é uma questão de sorte. Minha abordagem é de que, com nossa máquina Monte Carlo, podemos fabricar situações puramente aleatórias. Podemos fazer exatamente o oposto dos métodos convencionais; no lugar de analisar gente real à procura de qualidades, podemos criar gente artificial com qualidades precisamente conhecidas. Assim, podemos fabricar situações que dependem de sorte pura, sem adulterações, sem a sombra de capacidades ou o que quer que tenhamos chamado de não sorte no Quadro P1. Em outras palavras, podemos criar "ninguéns" de quem rir; eles serão, *propositalmente*, despidos de qualquer sombra de capacidade (exatamente como uma droga placebo).

Vimos no capítulo 5 como as pessoas podem sobreviver devido a características que no momento são adequadas a determinada estrutura do acaso. Aqui, tomamos uma situação muito mais simples, em que *conhecemos a estrutura do acaso*. O primeiro exercício é refinar o velho ditado popular segundo o qual *até mesmo um relógio quebrado marca a hora certa duas vezes por dia*. Vamos levar a ideia um pouco mais adiante para mostrar que a estatística é uma faca de dois gumes. Vamos usar o gerador Monte Carlo apresentado anteriormente e com ele construir uma população de 10 mil gestores de fundos de investimento fictícios (o gerador não é totalmente necessário, pois podemos usar uma moeda ou até mesmo álgebra simples, mas ele é consideravelmente mais ilustrativo — e divertido). Suponha que cada um dos gestores tem um jogo perfeitamente equilibrado; cada um tem 50% de probabilidade de ganhar 10 mil dólares ao fim do ano, e 50% de probabilidade de perder 10 mil dólares. Vamos apresentar uma restrição adicional: uma vez que um gestor tenha um único ano ruim, ele cai fora da amostragem. Assim, operaremos como o lendário especulador George Soros, que, dizem, falava a seus gestores, reunidos numa sala (com um sotaque da Europa Oriental): "Metade de vocês estará na rua ano que vem". Como Soros, temos padrões de desempenho extremamente altos; estamos procurando gestores de fundos com uma ficha de desempenho impecável. Não temos paciência para gente com fraco desempenho.

O gerador Monte Carlo jogará uma moeda para o alto: *coroa* e o gestor ganhará 10 mil no ano; *cara* e perderá 10 mil. Fazemos isso no primeiro ano. Ao fim dele, esperamos que 5 mil gestores tenham ganhado mais de 10 mil cada e 5 mil tenham ganhado menos de 10 mil. Agora, repetimos isso no segundo ano. De novo, esperamos que 2500 gestores estejam acima do limite; no próximo ano, 1250; no quarto ano, 625; no quinto ano, 313. Temos agora 313 gestores que ganharam dinheiro por cinco anos consecutivos. Com pura sorte.

Ao mesmo tempo, se jogarmos um desses traders bem-sucedidos no mundo real, receberíamos comentários muito interessantes e úteis sobre seu estilo notável, sua mente incisiva e as influências que o ajudaram a atingir tamanho sucesso. Alguns analistas talvez atribuíssem suas conquistas a elementos precisos em suas experiências de infância. Seu biógrafo ia se demorar no incrível modelo que seus pais lhe deram; veríamos fotos em preto e branco no meio do livro retratando uma grande mente sendo moldada. No ano seguinte, se ele não se excedesse mais em seu desempenho (lembre que suas chances de ter um bom ano permanecem em 50%), começariam a culpá-lo, a encontrar motivos no relaxamento de sua ética de trabalho, em seu estilo de vida dissipado. Encontrariam algo que ele fez antes, quando era bem-sucedido, que depois parou de fazer, e atribuiriam o acaso a isso. A verdade, no entanto, seria que sua sorte acabou.

Ninguém precisa ser competente

Vamos levar a discussão adiante, para torná-la mais saborosa. Criamos um grupo que é composto exclusivamente de gestores incompetentes. Definiremos um gestor incompetente como alguém de quem se espera um resultado negativo, o equivalente das probabilidades que se acumulam contra ele. Instruímos o gerador Monte Carlo a tirar bolas de uma urna. Ela tem cem bolas, 45 pretas e 55 vermelhas. Tirando e substituindo as bolas tiradas, a proporção de bolas vermelhas para pretas permanecerá a mesma. Se tirarmos uma bola preta, o gestor ganhará 10 mil dólares. Se tirarmos uma bola vermelha, ele perderá 10 mil. Espera-se, assim, 45% de probabilidade de que ele ganhe 10 mil e 55% de probabilidade de que perca 10 mil. Na média, o gestor perderá mil dólares a cada rodada — mas somente *na média*.

No final do primeiro ano, podemos esperar ter 4500 gestores com lucro (45% deles); no segundo ano, 45% desse número, isto é, 2025; no terceiro, 911; no quarto, 410; no quinto, 184. Vamos dar aos gestores sobreviventes nome e vesti-los com ternos apropriados a homens de negócios. Na verdade, eles representam menos de 2% do grupo original. Mas receberão nossa atenção. Ninguém mencionará os outros 98%. O que podemos concluir?

O primeiro ponto contraintuitivo é que uma população composta inteiramente de gestores ruins produzirá uma pequena quantidade de fichas de desempenho extraordinárias. De fato, pressupondo que o gestor se apresente à sua porta sem ser solicitado, seria praticamente impossível descobrir se ele é bom ou ruim. Os resultados não se modificariam sensivelmente, mesmo se a população fosse composta apenas de gestores de quem se espera, no longo prazo, que perca dinheiro. Por quê? Porque, devido à volatilidade, alguns deles ganharão dinheiro. Podemos ver aqui que a volatilidade propicia, na verdade, decisões ruins sobre como investir.

O segundo ponto contraintuitivo é que a *expectativa do máximo desempenho*, no que diz respeito às fichas de desempenho, com o que estamos preocupados, depende mais do tamanho da amostragem inicial do que das probabilidades individuais de cada administrador. Em outras palavras, o número de administradores com ótimas fichas de desempenho em determinado mercado depende muito mais do número de pessoas que se lançaram no ramo de investimentos (em lugar de cursar odontologia) do que de sua capacidade de produzir resultados. Tudo depende, também, da volatilidade. Por que usamos o conceito de expectativa do máximo desempenho? Porque eu não estou preocupado, em absoluto, com a ficha de desempenho médio. Quero ver apenas os melhores gestores, não todos. Isso significa que veremos mais "excelentes gestores" em 2002 do que em 1998, desde que o grupo de iniciantes seja maior em 1997 do que era em 1993 — e posso garantir que era.

Regressão à média

O golpe de sorte em jogos é outro exemplo de uma percepção equivocada de sequências aleatórias. É muito provável em uma grande amostra de jogadores que um deles tenha uma onda de sorte extraordinariamente longa. Na verdade, é muito improvável que um jogador não especificado em algum lugar não tenha uma onda de sorte extraordinariamente longa. Trata-se de uma manifestação de um mecanismo chamado *regressão à média*. Vou explicá-lo a seguir.

Promova uma longa série de lançamento de moedas produzindo cara ou coroa com 50% de chance para cada e vá anotando os resultados no papel. Se a série for longa o bastante, você pode obter oito caras ou oito coroas seguidas, talvez até dez. No entanto, você sabe que, apesar disso, a probabilidade de dar cara ou coroa continua sendo de 50%. Agora imagine que cara ou coroa sejam apostas monetárias enchendo os cofres de um indivíduo. O desvio da norma visto em caras ou coroas excessivas é inteiramente atribuído aqui à sorte, ou, em outras palavras, à variância, e não às habilidades de um jogador hipotético (já que a probabilidade de obter um ou outro é a mesma).

O resultado é que, na vida real, quanto maior o desvio da norma, maior a probabilidade de vir da sorte que da habilidade. Considere que mesmo que se tenha 55% de probabilidade de dar cara, as chances de dez seguidas ainda são muito pequenas. Isso pode ser facilmente comprovado em histórias de traders muito proeminentes rapidamente voltando à obscuridade, como os heróis que eu costumava observar nas salas de operação. Isso se aplicado à altura dos indivíduos ou ao tamanho de cachorros. No último caso, considere que dois animais de porte médio produzam uma cria grande. Os cachorros maiores, caso difiram muito da média, tenderão a produzir crias menores que eles próprios, e vice-versa. A "reversão" dos maiores animais é o que tem sido observado na história e explicado como reversão à média. Note que, quanto maior o desvio, mais importante o efeito.

De novo, um alerta: nem todos os desvios vêm desse efeito, mas uma quantidade desproporcional deles vem.

Ergodicidade

Em um terreno mais técnico, preciso dizer que as pessoas acreditam que podem descobrir as propriedades da distribuição a partir da amostragem que estão observando. Quando se trata de questões que dependem do máximo, é outra distribuição que se está inferindo: a distribuição dos que têm melhor desempenho. Chamamos a diferença entre a média de tal distribuição e a distribuição incondicional de vencedores e perdedores de *viés do sobrevivente* — aqui, o fato de que cerca de 3% do grupo inicial ganhará dinheiro por cinco anos consecutivamente. Além disso, esse exemplo ilustra as propriedades da *ergodicidade*, quando o tempo elimina os efeitos perturbadores do acaso. Olhando para a frente, a despeito do fato de que esses administradores obtiveram lucros durante os últimos cinco anos, esperamos que eles empatem num período futuro qualquer. Seu desempenho não será melhor do que o de qualquer um dos pertencentes ao grupo inicial que fracassaram mais cedo no exercício. Ah, o longo prazo.

Há alguns anos, quando eu disse a certo A, então um sujeito do tipo Mestres do Universo, que as fichas de desempenho eram menos importantes do que ele pensava, ele achou a observação tão ofensiva que jogou o isqueiro violentamente na minha direção. O episódio me ensinou muita coisa. Lembre-se de que ninguém aceita o papel do acaso em seu próprio sucesso, apenas em seu fracasso. O ego dele estava inflado, pois chefiava um departamento de "grandes traders", que na época faziam fortuna nos mercados. Depois todos explodiram, durante o duro inverno de 1994 em Nova York (foi a primeira crise de títulos no mercado, em seguida à surpreendente elevação da taxa de juros feita por Alan Greenspan). O interessante é que, seis anos mais tarde, dificilmente se encontrava qualquer um deles ainda no mercado (ergodicidade).

Lembre-se de que o viés do sobrevivente depende do tamanho da população inicial. A informação de que uma pessoa ganhou dinheiro no passado somente graças a seus esforços não é nem significativa nem importante. Precisamos conhecer o tamanho da população de onde ela veio. Em outras palavras, sem saber quantos gestores no conjunto tentaram e fracassaram, não podemos avaliar a validade da ficha de desempenho. Se a população inicial inclui dez gestores, eu daria metade das minhas economias ao que se saiu bem, sem piscar. Se a população inicial é composta de 10 mil administradores, eu ignoraria os resultados. Essa última situação é geralmente a comum; nos dias de hoje muita gente tem sido atraída para o mercado financeiro. Muitos recém-formados estão escolhendo o trading como primeira carreira, fracassando e depois indo estudar odontologia.

Se, como num conto de fadas, esses gestores fictícios se materializassem como seres humanos reais, um deles poderia ser a pessoa que encontrarei amanhã, às 11h45. Por que escolhi 11h45? Porque farei perguntas sobre seu estilo de trading. Preciso saber como negocia papéis. Depois posso alegar que tenho que correr para outro compromisso se ele der muita ênfase à sua ficha de desempenho.

A VIDA É CHEIA DE COINCIDÊNCIAS

Em seguida, daremos uma olhada nas implicações de nosso viés na vida real, visando à compreensão da distribuição das coincidências.

A carta misteriosa

Você recebe uma carta anônima no dia 2 de janeiro informando que o mercado vai subir durante o mês. Isso se comprova, mas você não liga tanto devido ao bem conhecido efeito janeiro (historicamente, as ações sobem nesse mês). Aí você recebe outra carta, no dia 1º de fevereiro, dizendo que o mercado vai cair. De novo, isso se comprova. Depois você recebe outra carta, no dia 1º de março — a mesma história. Quando chega julho, você está intrigado pela presciência do anônimo e o convida para investir em um fundo estrangeiro especial. Você coloca todas as suas economias nele. Dois meses mais tarde, seu dinheiro se evaporou. Você vai chorar no ombro do vizinho, e ele lhe diz que se lembra de ter recebido duas dessas cartas misteriosas, mas não uma terceira. O vizinho lembra que a previsão da primeira estava correta, a da outra, incorreta.

O que aconteceu? O truque é o seguinte. O vigarista tira 10 mil nomes de uma lista telefônica. Ele envia uma carta "touro" para metade da amostragem e uma carta "urso" para a outra metade. No mês seguinte ele seleciona os nomes das pessoas para quem enviou a carta com a predição certa, isto é, 5 mil nomes. No mês seguinte, faz o mesmo com os restantes 2500 nomes, até que a lista fica reduzida a quinhentas pessoas. Dessas, restarão duzentas vítimas. Um investimento de mil ou 2 mil dólares em selos resultará em lucro de uns bons milhões.

Um jogo de tênis interrompido

Não é raro para alguém que assiste a um jogo de tênis na televisão ser bombardeado por anúncios de fundos que renderam mais (até aquele minuto) do que outros, por determinada porcentagem, em determinado período. Mas, de novo, por que alguém anunciaria se o rendimento não fosse maior que o dos concorrentes? Há uma alta probabilidade de um investimento chegar até você se o sucesso for causado inteiramente pelo acaso. Esse fenômeno é o que os economistas e o pessoal de seguros chamam de seleção adversa. Avaliar um investimento que chega até você requer padrões mais rígidos do que avaliar um investimento que se procura, devido a essa tendência de seleção. Por exemplo, indo a um grupo composto de 10 mil gestores, tenho 2% de chance de encontrar um sobrevivente espúrio. Ficando em casa e atendendo à campainha, essa chance é de 100%.

Sobreviventes reversos

Até agora, discutimos os sobreviventes espúrios — a mesma lógica se aplica à pessoa qualificada que tem as probabilidades trabalhando em seu favor, mas ainda assim termina no cemitério. Esse efeito é o exato oposto do viés do sobrevivente. Considere que tudo o que alguém precisa é de dois anos ruins na indústria de investimentos para encerrar a carreira de assumir riscos e que, mesmo quando as probabilidades estão consideravelmente a seu favor, tal resultado é bastante possível. O que as pessoas fazem para sobreviver? Elas maximizam suas probabilidades de se manter no jogo assumindo riscos do tipo cisne negro (como John e Carlos) — aqueles que desempenham bem na maior parte do tempo, mas correm o risco de explodir.

Paradoxo do aniversário

A maneira mais intuitiva de descrever o problema da garimpagem de dados para um não estatístico é com o denominado "paradoxo do aniversário", embora não se trate realmente de um paradoxo, mas simplesmente de uma extravagância perceptiva. Se você encontrar alguém por acaso, há uma chance em 365,25 de o seu aniversário coincidir com o da pessoa, e uma probabilidade consideravelmente menor de terem o mesmo aniversário e terem nascido no mesmo ano. Portanto, compartilhar a data de aniversário seria um evento coincidente, que você discutiria na mesa de jantar. Agora, vamos olhar para uma situação em que há 23 pessoas numa sala. Qual é a probabilidade de duas pessoas ali fazerem aniversário no mesmo dia? Cerca de 50%. Isso porque não estamos especificando quais pessoas devem compartilhar a data de aniversário; qualquer par serve.

Que mundo pequeno!

Uma ideia errada sobre probabilidade surge de encontros ocasionais que podemos ter com parentes ou amigos em lugares onde a expectativa de isso acontecer é muito baixa. "Que mundo pequeno!", diz-se, com frequência e com surpresa. Mas essas ocorrências não são improváveis — o mundo é muito maior do que pensamos. O que acontece é que não estamos testando as chances de um encontro com uma pessoa específica, num lugar específico e numa hora específica. O que estamos fazendo é simplesmente testar a probabilidade de qualquer encontro, com qualquer pessoa que já encontramos no passado e em qualquer lugar que visitaremos durante o período considerado. A probabilidade desse último evento é consideravelmente maior, tendo talvez milhares de vezes a magnitude do primeiro.

Quando o estatístico olha para os dados *para testar determinada relação*, digamos, para levantar a correlação entre a ocorrência de determinado evento, como uma declaração política e a volatilidade do mercado, a probabilidade é de que os resultados possam ser tomados seriamente. Mas, quando ele joga os dados num computador, procurando qualquer relação, é certo que surgirá uma conexão espúria, tal como o destino do mercado de ações estar ligado ao comprimento das saias das mulheres. E, exatamente como no caso da coincidência de aniversários, isso causará surpresa.

Garimpagem de dados, estatísticas e charlatanismo

Qual é a probabilidade de ganhar duas vezes na loteria de Nova Jersey? Uma em 17 trilhões. Contudo, isso aconteceu com Evelyn Adams, que o leitor poderia crer ser uma pessoa escolhida pelo destino. Usando o método que desenvolvemos acima, Percy Diaconis e Frederick Mosteller, de Harvard, estimaram em trinta para um a probabilidade de alguém, em algum lugar, de maneira totalmente não especificada, ser tão sortudo.

Algumas pessoas transportam suas atividades de garimpagem de dados para a teologia — afinal de contas, os antigos habitantes do Mediterrâneo costumavam ler mensagens nas entranhas dos pássaros. Uma interessante aplicação da garimpagem de dados na exegese bíblica aparece em *O código da Bíblia*, de Michael Drosnin. Ex-jornalista (aparentemente inocente no que se refere ao conhecimento de estatística), ele foi auxiliado pelas artes de um "matemático" e "previu" o assassinato do primeiro-ministro israelense Yitzhak Rabin por meio da decifração de um código bíblico. Ele informou isso a Rabin, que não levou o aviso muito a sério. O livro encontra irregularidades estatísticas na Bíblia, que ajudam a prever eventos como esse. Não é preciso dizer que vendeu bem o bastante para garantir uma sequência que previa em retrospectiva outros eventos do tipo.

O mesmo mecanismo está por trás da formação de teorias da conspiração. Como *O código da Bíblia*, elas podem parecer perfeitas em sua lógica e fazer com que pessoas inteligentes acreditem nelas. Posso criar uma teoria da conspiração baixando centenas de quadros de um pintor ou de um grupo de pintores e encontrando uma constante em todas (entre as centenas de milhares de traços). Então eu forjaria uma teoria da conspiração envolvendo uma mensagem secreta compartilhada pelos quadros. Parecido com o que o autor de *O código Da Vinci* fez.

O melhor livro que li na vida

Minhas melhores horas são as que passo em livrarias, onde vou, sem um objetivo definido, de livro a livro numa tentativa de tomar a decisão de se devo investir meu tempo em tal leitura. Minha compra geralmente é feita no impulso, baseada em indicações superficiais mas sugestivas. Com frequência,

não disponho de nada senão a capa e as orelhas para minha tomada de decisão. As capas geralmente têm elogios feitos por alguém, famoso ou não, e trechos de uma resenha da obra. Um bom elogio de uma pessoa famosa e respeitada ou de uma revista bem conhecida me leva a comprar o livro.
Qual é o problema? Tendo a confundir uma resenha literária, que se supõe ser uma avaliação da qualidade do livro, com resenhas dos *melhores* livros, desfiguradas pelo mesmo viés do sobrevivente. Tomo a distribuição do máximo de uma variável pela distribuição da variável propriamente dita, o que é um erro. O editor nunca colocará na capa do livro nada que não seja elogios à obra. Alguns autores vão até mesmo além, pegando uma resenha literária morna ou desfavorável e selecionando palavras que parecem elogiar o livro. Um desses exemplos veio de Paul Wilmott (um matemático financeiro inglês de raro brilho e irreverência), que anunciou que eu tinha lhe dado sua "primeira resenha desfavorável", mas usou um excerto de tal resenha como elogio na capa do livro (mais tarde ficamos amigos, o que me permitiu extrair dele um endosso deste livro).

A primeira vez que fui enganado por essa parcialidade foi ao comprar, aos dezesseis anos, *Manhattan Transfer*, um livro do escritor americano John dos Passos, baseado no elogio impresso na capa feito pelo filósofo Jean-Paul Sartre, que dizia algo como: "Dos Passos é o maior escritor de nossos tempos". Essa simples observação, possivelmente emitida em estado de embriaguez ou de extremo entusiasmo, fez com que esse escritor americano se tornasse leitura obrigatória nos círculos intelectuais europeus, pois o comentário de Sartre foi tomado, erroneamente, como uma avaliação consensual da qualidade dele, em vez de pelo que realmente era: o melhor comentário a seu respeito. (Apesar de ter recebido o Prêmio Nobel de Literatura, Dos Passos caiu na obscuridade.)

O backtester

Um programador me ajudou a construir um backtester. É um programa ligado a uma base de dados de preços históricos que me permite verificar o desempenho hipotético de qualquer regra de trading de complexidade média. Basta aplicar uma regra mecânica, como comprar ações da Nasdaq se elas fecharem a mais de 1,83% acima da média da semana anterior, e tenho uma ideia do desempenho passado. A tela mostrará imediatamente minha ficha de desempenho hipotética e a regra de negociação. Se não gostar dos resultados, posso mudar o percentual para, digamos, 1,2%. Também posso tornar a regra mais complexa. E fico tentando até encontrar algo que funcione bem.

O que é que estou fazendo? O mesmo que procurar um sobrevivente dentro do conjunto de regras que tenham possibilidade de funcionar. Estou *adequando* a regra aos dados. Essa atividade é denominada *data snooping*. Quanto mais tento, mais probabilidade terei, por pura sorte, de encontrar uma regra que funcione com os dados passados. Uma série aleatória sempre apresentará algum padrão detectável. Estou convencido de que existe um papel negociável no mundo ocidental que guarda uma correlação de 100% com as mudanças de temperatura em Oulan Bator, na Mongólia.

Falando de modo técnico, há implicações piores. Um importante trabalho recente de Sullivan, Timmerman e White vai além, considerando que as regras que hoje são usadas com sucesso talvez sejam resultado do viés do sobrevivente.

Suponhamos que, ao longo do tempo, os investidores tenham feito experiências com regras técnicas de trading extraídas de um universo bem amplo — em princípio, milhares de parametrizações de diversos tipos de regras. Com o passar do tempo, as regras que se mostram válidas historicamente recebem mais atenção e são consideradas "séries competidoras" pela comunidade de investimentos, enquanto regras de trading malsucedidas têm mais probabilidade de ser esquecidas [...] Se for considerado um grande número de regras ao longo do tempo, algumas, por simples sorte, até mesmo numa grande amostragem, mostrarão desempenho superior, mesmo que não possuam um poder genuíno de predizer os resultados de ativos. É claro que a inferência baseada apenas na questão das regras de trading sobreviventes pode ser enganadora nesse contexto, por não levar em conta o conjunto integral das regras de trading do início, a maioria das quais têm pouca probabilidade de haver mostrado um desempenho ruim.

Tenho que descontar certos excessos do backtest que observei de perto na minha carreira. Há um excelente produto projetado exatamente para esse fim, denominado Omega TradeStation, atualmente à venda e usado por dezenas de milhares de traders. Ele oferece até mesmo sua própria linguagem de computação. Sofrendo de insônia, os day traders, computadorizados, tornam-se testadores noturnos, garimpando dados à procura de suas propriedades. À força de lançarem seus macacos às máquinas de escrever, sem especificar que livro querem que o macaco escreva, acabarão encontrando algum ouro hipotético, em algum lugar. Muitos acreditam cegamente nisso.

Um dos meus colegas, um homem com diplomas de prestígio, veio a acreditar nesse mundo virtual a ponto de perder todo o senso da realidade. Se porque o mínimo de bom senso que lhe restou se desvaneceu rapidamente sob os montinhos de simulação, ou porque ele não tinha bom senso nenhum já de início, não sei dizer. Observando-o de perto, percebi que o ceticismo natural que poderia ter se esvaiu sob o peso dos dados — ele era extremamente cético, mas na área errada. Ah, Hume!

Uma aplicação mais inconstante

Historicamente, a medicina tem agido por tentativa e erro — em outras palavras, de maneira estatística. Hoje sabemos que pode haver conexões fortuitas entre sintomas e tratamento, e que alguns remédios têm sucesso em testes médicos por razões aleatórias. Não posso alegar ser especialista em medicina, mas sou um leitor constante de um segmento da literatura médica por mais da metade da última década, tempo o bastante para me preocupar com os padrões, como veremos no próximo capítulo. Os pesquisadores médicos raramente são estatísticos, e estatísticos raramente são pesquisadores médicos. Muitos pesquisadores médicos não têm a mais remota ideia da existência desse viés. Ele pode desempenhar um papel pequeno, mas certamente está presente. Um estudo médico recente relaciona o hábito de fumar com uma redução do câncer de mama, em conflito com todos os estudos prévios. A lógica indicaria que o resultado é suspeito, talvez mera coincidência.

A temporada dos lucros: iludidos pelos resultados

Os analistas de Wall Street, em geral, são treinados para encontrar os truques de contabilidade que as empresas usam para esconder seus lucros. Eles tendem a (ocasionalmente) vencer as empresas no jogo delas. Mas não são treinadas para refletir ou lidar com o acaso (nem para compreender as limitações de seus métodos em um autoexame — em relação a meteorologistas, analistas da Bolsa têm um registro pior e uma ideia melhor de seu desempenho passado). Quando uma empresa mostra um primeiro aumento nos lucros, não chama a atenção imediatamente. Na segunda vez, o nome começa a aparecer nas telas de computadores. Na terceira, a empresa merecerá recomendação de compras.

Da mesma forma que o problema da ficha de desempenho, considere um grupo de 10 mil empresas que se presume que na média mal tenham retorno igual à taxa livre de risco (isto é, títulos do Tesouro). Elas se engajam em todas as formas de negócios voláteis. No final do primeiro ano, teremos 5 mil empresas "cinco estrelas" mostrando um aumento nos lucros (pressupondo que não há inflação) e 5 mil "vira-latas". Depois de três anos, teremos 1250 empresas "cinco estrelas". A comissão de revisão das ações do banco de investimentos passará o nome delas ao corretor com a recomendação de "boa compra". Ele deixará mensagens dizendo que tem recomendações "quentes", que exigem ação imediata. Você receberá, por e-mail, uma longa lista de nomes. Comprará de um ou dois deles. Nesse ínterim, o gestor encarregado do seu plano de aposentadoria 401(k) adquire toda a lista.

Podemos aplicar o raciocínio à seleção de categorias de investimento — como se elas fossem os gestores do exemplo acima. Suponha que você está em 1900, com centenas de investimentos para examinar. Há os mercados de ações da Argentina, da Rússia imperial, do Reino Unido, da Alemanha unificada e um monte de outros a considerar. Uma pessoa racional teria comprado não apenas papéis do país emergente chamado Estados Unidos, mas também da Rússia e da Argentina. O resto da história é bem conhecido: enquanto muitos dos mercados de ações, como os do Reino Unido e dos Estados Unidos, saíram-se muito bem, o investidor na Rússia imperial teria em suas mãos nada mais que papel de parede de qualidade duvidosa. Os países que se deram bem não constituem um segmento grande do grupo inicial; seria de esperar que o acaso deixasse que uns poucos tipos de investimento dessem ótimos resultados. Fico pensando se os "especialistas" que fazem declarações tolas (autolucrativas), como "os mercados sempre sobem num período de vinte anos", têm ciência desse problema.

SORTE COMPARATIVA

Há um problema muito maior relacionado com o superdesempenho, ou a comparação entre duas ou mais pessoas ou entidades. Embora certamente sejamos iludidos pelo acaso quando se trata de uma única série temporal, a ilusão é maior quando se trata da comparação entre, vamos dizer, duas pessoas, ou uma pessoa e uma marca de referência. Por quê? Porque ambos são aleatórios. Vamos fazer uma experiência simples. Pegue dois indivíduos, por exemplo alguém e seu cunhado. Assuma que ambos tenham a mesma probabilidade de sorte e azar. Os resultados seriam sorte-sorte (sem diferença entre eles), azar-azar (de novo, sem diferença), sorte-azar (grande diferença entre eles), azar-sorte (de novo, grande diferença).

Recentemente, fui pela primeira vez a uma conferência de gestores de investimento e assisti a um palestrante entediante que comparava traders. A profissão dele é selecionar gestores de fundo e formar pacotes com eles para investidores, o que chamam de "fundos de fundos". Fiquei escutando enquanto ele mostrava números na tela. A primeira revelação foi que de repente o reconheci: era um antigo colega biologicamente transformado pela passagem do tempo. Ele costumava ser viçoso, cheio de energia, interessante; tinha se tornado chato, imponente e imoderadamente confortável com o sucesso. (O homem não era rico quando o conheci. Será que as pessoas reagem ao dinheiro de maneiras diferentes? Algumas passam a se levar muito a sério enquanto outras não?) A segunda revelação foi que, embora eu suspeitasse que ele tinha sido iludido pelo acaso, teria que ser em uma extensão muito maior do que alguém poderia imaginar, particularmente no que se referia ao viés do sobrevivente. Um cálculo rápido mostrou que 97% do que ele estava falando era apenas ruído. O fato de que estava *comparando* desempenhos tornava tudo ainda pior.

Curas para o câncer

Quando volto para casa de uma viagem à Ásia ou à Europa, a mudança de fuso muitas vezes me faz levantar muito cedo. De vez em quando, ainda que com bastante raridade, ligo a televisão à procura de informações sobre o mercado. O que me espanta nessas explorações noturnas é a abundância de declarações por parte de vendedores de medicina alternativa do poder de cura de seus produtos. Para provar o que alegam, eles apresentam o testemunho convincente de alguém que foi curado graças a seus métodos. Por exemplo, vi um paciente que teve câncer na garganta explicando como foi salvo por uma combinação de vitaminas que eram vendidas ao preço excepcionalmente baixo de 14,95 dólares — com toda a probabilidade ele estava sendo sincero (embora, é claro, tivesse sido recompensado por seu relato, talvez com um suprimento de vitaminas pelo resto da vida). A despeito de nossos progressos, as pessoas ainda acreditam na existência de ligações entre doença e cura com base nesse tipo de informação, e não há provas científicas que possam convencê-las mais do que um testemunho sincero e emotivo. Esse tipo de testemunho nem sempre vem de pessoas comuns, como fica claro em algumas declarações de ganhadores do Prêmio Nobel (na disciplina errada). Linus Pauling, que recebeu o Prêmio Nobel de Química, era tido como fã incondicional das propriedades medicinais da vitamina C, ingerindo ele próprio doses maciças diárias. Com seu discurso entusiasmado, ele contribuiu para a crença generalizada nas propriedades curativas dessa vitamina. Muitos estudos médicos, incapazes de rivalizar com as declarações de Pauling, caíram em ouvidos surdos, pois era difícil desfazer do testemunho de um "ganhador do Prêmio Nobel", mesmo que ele não fosse qualificado para falar sobre assuntos relacionados à medicina.

Muitas dessas alegações têm sido inofensivas, desconsiderando os lucros financeiros desses charlatães — mas muitos pacientes de câncer podem ter substituído terapias pesquisadas de maneira mais científica por esses métodos e morrido por ter negligenciado curas mais ortodoxas (os métodos não científicos são reunidos sob o que é chamado de "medicina alternativa", isto é, terapias não provadas, e a comunidade médica tem dificuldade de convencer a imprensa de que só há uma medicina, e medicina alternativa não é medicina). O leitor poderia ficar pensando sobre minha alegação de que o usuário desses produtos talvez seja sincero, o que não significa que foi curado pelo tratamento ilusório. A razão da cura é algo que se chama "remissão espontânea", quando uma pequena minoria de pacientes de câncer, por motivos que permanecem inteiramente especulativos, têm suas células cancerosas expulsas e se recuperam "milagrosamente". Alguma reviravolta faz com que o sistema imunológico do paciente erradique todas as células cancerosas do corpo. Essas pessoas também ficariam curadas se tivessem bebido um copo de água da fonte de

Vermont ou mastigado carne-seca. Na verdade, essas remissões espontâneas podem não ser tão espontâneas; podem ter, no fundo, uma causa que ainda não conseguimos detectar.

O falecido astrônomo Carl Sagan, devotado promotor do pensamento científico e obsessivo inimigo da não ciência, examinou as curas de câncer que resultaram de visitas a Lourdes, na França, através do simples contato com a água santa. Ele descobriu o interessante fato de que, do total de pacientes com câncer que visitaram o local, a proporção de curas era mais baixa do que a estatística de remissões espontâneas. Ou seja, era mais baixa do que a média daqueles que não haviam ido a Lourdes! Um estatístico deve inferir disso que as chances de sobrevivência de pacientes de câncer ficam ainda menores depois de uma visita a Lourdes?

O professor Pearson vai a Monte Carlo literalmente: o acaso não parece acaso

No início do século XX, quando começávamos a desenvolver técnicas para lidar com a ideia de resultados aleatórios, foram imaginados diversos métodos para detectar anomalias. O professor Karl Pearson (o nome Neyman-Pearson é familiar a qualquer pessoa que tenha feito um curso básico de estatística) elaborou o primeiro teste de não aleatoriedade (era, na realidade, um teste de desvio da normalidade, o que, para todos os propósitos, resumia-se no mesmo). Ele examinou milhões de sequências do que era chamado de Monte Carlo (o velho nome para a roleta) durante o mês de julho de 1902. Descobriu que, com um alto grau de significância estatística (com uma margem de erro menor do que um em 1 bilhão), as sequências não eram puramente aleatórias. Como? A roleta não parava em sequência aleatória? O professor ficou muito surpreso com a descoberta. Mas o resultado, por si só, não diz nada; sabemos que não há uma jogada que seja pura sorte, pois o resultado dela depende da qualidade do equipamento. Descendo a detalhes suficientes descobriríamos a não aleatoriedade em algum lugar (isto é, a própria roleta poderia não estar perfeitamente equilibrada, ou talvez a bolinha não fosse perfeitamente esférica). Os filósofos da estatística chamam a isso de *problema do caso referência*, para explicar que não se pode conseguir nenhuma aleatoriedade na prática, apenas na teoria. Além disso, um gestor questionaria se essa aleatoriedade pode conduzir a alguma regra que faça sentido visando a lucros. Se preciso apostar um dólar em 10 mil jogadas e espero lucrar um dólar pelos meus esforços, então é melhor arranjar um emprego de meio período como faxineiro.

Contudo, o resultado contém outro elemento suspeito. De mais importância prática aqui é o seguinte problema grave sobre a não aleatoriedade. Até mesmo os pais da ciência estatística esqueceram que uma série aleatória de jogadas de roleta não exibe um padrão que pareça aleatório; na verdade, dados que são absolutamente sem qualquer padrão seriam suspeitos ao extremo, e pareceriam feitos pela mão do homem. Uma jogada isolada aleatória tende a exibir algum tipo de padrão — se olharmos com bastante atenção. Observe que o professor Pearson estava entre os primeiros estudiosos que se interessaram em criar geradores artificiais de dados aleatórios, tabelas que se podia usar como entrada para diversas simulações científicas e de engenharia (os precursores do simulador Monte Carlo). O problema é que não era desejado que essas tabelas exibissem qualquer forma de regularidade. Contudo, a aleatoriedade real não parece aleatória!

Vou ilustrar mais esse ponto com o estudo de um fenômeno conhecido como "aglomerados cancerígenos". Consideremos um quadrado em que dezesseis dardos são atirados, aleatoriamente, atingindo-o com igual probabilidade em qualquer lugar. Se dividirmos esse quadrado em dezesseis quadrados menores, a expectativa é de que cada quadrado menor contenha um dardo na média — mas apenas na média. Há uma pequena probabilidade de se ter exatamente dezesseis em dezesseis quadrados diferentes. Uma grade média terá mais de um dardo em uns poucos quadrados e nenhum dardo em muitos quadrados. Será um incidente excepcionalmente raro que nenhum aglomerado (cancerígeno) se mostre na grade. Agora, pegue nossa grade com os dardos e cubra com um mapa de qualquer região. Se um jornal anunciar que uma das áreas (aquela com mais dardos que a média) contém radiação cancerígena, os advogados correm atrás de clientes.

O cão que não latia: sobre as predisposições no conhecimento científico

Na mesma linha de raciocínio, a ciência é desfigurada por um pernicioso viés do sobrevivente, afetando o modo como as pesquisas vêm a público. Da mesma forma que acontece com o jornalismo, a pesquisa que não produz resultados não consegue atingir a imprensa. Isso pode parecer algo sensato, pois os jornais não têm que ostentar uma manchete berrante dizendo que nada de novo está acontecendo (embora a Bíblia seja sábia o bastante para declarar *ein chadash tacht hashemesh* — "nada de novo debaixo do sol" —, ou seja, as coisas se repetem). O problema é que a descoberta de uma ausência e a ausência de descobertas se misturam. Pode haver uma importante informação no fato de que *não ocorreu nada*. Como observou Sherlock Holmes no caso do Estrela de Prata — o curioso era que o cachorro não latia. Mais problematicamente, há muitos resultados científicos que não são publicados porque não são estatisticamente significantes, mas, de qualquer forma, fornecem informação.

NÃO CHEGUEI A CONCLUSÃO ALGUMA

Com frequência me perguntam: "Quando não se trata de sorte?". Há trabalhos envolvendo o acaso em que o desempenho envolve pouca sorte, como cassinos, que conseguem controlar a aleatoriedade. Nas finanças, talvez isso ocorra também. Nem todos os traders são especulativos: existe um segmento de agentes de liquidez cujo trabalho envolve tirar, como agenciadores de apostas ou mesmo donos de loja, uma receita de uma transação. Se eles especulam, sua dependência dos riscos da especulação permanece pequena demais em comparação com seu volume total. Eles compram a um preço e vendem a um público a outro mais favorável, executando um grande número de transações. Tal renda lhes fornece alguma proteção da aleatoriedade. Essa categoria inclui operadores de pregão nas bolsas, traders bancários que "negociam contra o fluxo de pedidos", operadores de câmbio nos mercados do Levante. As habilidades envolvidas podem ser raras: pensamento rápido, alto nível de energia e de alerta, capacidade de inferir a partir da voz de um vendedor quão nervoso ele está. Pessoas assim podem fazer uma longa carreira (talvez de uma década). Elas nunca ganham muito, uma vez que sua renda é restringida pelo número de clientes, mas se saem bem probabilisticamente. São, de certa forma, os dentistas da profissão.

Fora dessa profissão bastante especializada que lembra um agente de apostas, para ser honesto, não sou capaz de determinar quem tem sorte e quem não tem. Sei que um tipo A parece ter menos sorte que um tipo B, mas minha confiança nisso é tão fraca quanto insignificante. Prefiro permanecer cético.

Com frequência, minha opinião é mal interpretada. Eu nunca disse que todos os ricos são idiotas e que as pessoas que não obtiveram sucesso não têm sorte. Na ausência de informações adicionais é preferível guardar seu julgamento para si mesmo. É mais seguro.

10. O perdedor leva tudo — sobre as não linearidades da vida

Aqui, examino o chavão "a vida é injusta", mas sob um ângulo novo: a vida é injusta de maneira *não linear*. Esse capítulo trata de como uma pequena vantagem na vida pode se traduzir em um resultado desproporcional ou em absolutamente nenhuma vantagem. Mas uma pequena, muito pequena, ajuda do acaso pode levar a uma situação invejável.

O EFEITO DO MONTINHO DE AREIA

Primeiro, vamos definir não linearidade. Há diversos modos de apresentar a questão, mas um dos mais populares na ciência é o chamado efeito do montinho de areia, que vou ilustrar como se segue. Estou sentado na praia de Copacabana, no Rio de Janeiro, tentando não fazer nada que seja extenuante, longe de qualquer coisa para ler ou escrever (sem sucesso, é claro, pois escrevo estas linhas mentalmente). Estou brincando com objetos de plástico próprios para a praia que pedi emprestados a uma criança, tentando construir um prédio — modesta e obstinadamente tentando emular a torre de Babel. Adiciono areia ao topo de forma contínua, levantando devagar a estrutura. Meus parentes babilônios achavam que poderiam atingir o céu assim. Eu tenho objetivos mais humildes: testar até que altura posso ir antes que a coisa desabe. Continuo adicionando areia, testando, querendo saber como a estrutura vai desabar no fim. Por nunca ter visto adultos construírem castelos de areia, uma criança me olha espantada.

Com o tempo — e para o grande prazer da criança espectadora — meu castelo desaba, reunindo-se ao restante da areia na praia. Pode-se dizer que o último grão de areia foi responsável pela destruição de toda a estrutura. O que vemos aqui é um efeito não linear resultante de uma força linear exercida sobre um objeto. Uma pequena adição, no caso o grão de areia, causou um resultado desproporcional, a saber, a destruição da minha torre de Babel, a torre de um iniciante. A sabedoria popular absorveu muitos fenômenos semelhantes, como se pode ver em expressões tais como "foi a gota d'água".

Essa dinâmica não linear tem um nome de livraria: teoria do caos, que é um termo mal aplicado, porque isso não tem nada a ver com caos. A teoria do caos se preocupa, primordialmente, com funções em que um pequeno acréscimo pode levar a uma resposta desproporcional. Os modelos populacionais, por exemplo, podem levar a um caminho de crescimento explosivo ou à extinção da espécie dependendo de uma pequena diferença na população no ponto de partida no tempo. Outra analogia científica popular é o tempo, e já se mostrou que uma única borboleta batendo asas na Índia pode causar um furacão em Nova York. Mas os clássicos também têm o que nos oferecer. Pascal (o mesmo da aposta do capítulo 7) disse que, se o nariz de Cleópatra fosse um pouquinho menor, o destino do mundo teria mudado. Ela tinha feições bonitas, dominadas por um nariz fino e alongado, o que fez com que Júlio César e seu sucessor, Marco Antônio, se interessassem por ela (aqui o esnobe intelectual em mim não pode resistir a divergir da sabedoria convencional; Plutarco alegava que foi a conversa de Cleópatra, e não sua boa aparência, que causou a paixão enlouquecida daqueles homens, e acredito piamente nisso).

Entra o acaso

Tudo fica mais interessante quando o acaso entra em cena. Imagine uma sala cheia de atores à espera de um teste de seleção. O número de vencedores será claramente pequeno, e eles serão aqueles geralmente tomados pelo público como representativos da profissão, como vimos na nossa discussão sobre o viés do sobrevivente. Os vencedores morarão em Bel Air, serão pressionados a consumir artigos de luxo e, devido ao estilo de vida dissoluto e arrítmico, talvez flertem com drogas proibidas. Quanto aos outros (a grande maioria), podemos imaginar seu destino: uma vida inteira servindo café fumegante num Starbucks da vizinhança, lutando contra o relógio biológico entre os testes.

Pode-se argumentar que o ator que conquista o papel principal que o catapulta para a fama e para piscinas caras tem qualidades que faltam aos outros, certo encanto ou uma característica física específica que é requerida para se fazer carreira. Discordo. É possível que o vencedor tenha algumas qualidades de ator, mas todos os outros também tinham, ou não estariam ali na sala de espera.

É um atributo interessante da fama o fato de ter sua própria dinâmica. Um ator se torna conhecido de algumas parcelas do público por ser conhecido por outra parcela desse mesmo público. A dinâmica dessa fama segue uma hélice rotativa, que pode ter começado no teste, cujo resultado pode ter se relacionado a um detalhe tolo, ao humor do examinador naquele dia. Se o examinador não tivesse se apaixonado, um dia antes, por uma pessoa com um sobrenome parecido, o ator selecionado desta história, usada como amostra, estaria servindo café na outra história que mencionamos.

Aprendendo datilografia

Pesquisadores usam frequentemente o exemplo do QWERTY para mostrar a malévola dinâmica de ganhar e perder em uma economia, e para ilustrar como o resultado, frequentemente, não é o desejado. A disposição das letras em uma máquina de escrever é um exemplo do sucesso do modelo menos merecedor. Isso porque as máquinas de escrever têm a ordem das letras no teclado arrumadas de uma maneira que não é a melhor, visando a diminuir a velocidade da digitação em vez de tornar essa tarefa mais fácil — de modo a evitar que a fita enrolasse, como acontecia. Assim, conforme começamos a construir máquinas melhores e processadores de texto computadorizados, foram feitas diversas tentativas de racionalizar o teclado dos computadores, sem resultado. As pessoas estavam treinadas num teclado do tipo QWERTY, com hábitos arraigados demais para mudar. Assim como um ator é alçado instantaneamente ao estrelato, as pessoas aceitam o que outras gostam de fazer. Forçar o processo a adotar uma dinâmica racional seria supérfluo; não, seria impossível. Isso se chama *resultado dependente do caminho*, e tem frustrado muitas tentativas matemáticas de moldar o comportamento.

A era da informação, homogeneizando nossos gostos, está fazendo com que a injustiça se torne até mesmo mais forte — aqueles que vencem conquistam quase todos os fregueses. O exemplo mais espantoso e o mais espetacular sucesso de quem tem sorte é da fabricante de software Microsoft e de seu mal-humorado fundador, Bill Gates. Embora seja difícil negar que Gates é um homem com altos padrões pessoais, certa filosofia de trabalho e inteligência acima da média, ele é o melhor? Ele *merece* o que tem? Claro que não. A maioria das pessoas trabalha (como eu) com seu software porque outras pessoas também trabalham, um efeito puramente circular (os economistas chamam isso de "externalidades em rede"). Ninguém nunca proclamou que o produto dele era o melhor. A maioria dos rivais de Bill Gates têm um ciúme obsessivo de seu sucesso. Ficam loucos pelo fato de ele ter conseguido um resultado tão espetacular enquanto muitos deles estão lutando para que suas empresas sobrevivam.

Essas ideias vão contra os modelos clássicos de economia, em que os resultados ou vêm de uma razão precisa (não há espaço para incerteza) ou o "mocinho" vence (o mocinho é aquele que é mais hábil e tem superioridade técnica). Os economistas descobriram os efeitos da dependência do caminho no seu ramo de atividade muito tardiamente, e aí tentaram, por meio de publicações, entrar de sola no assunto que, de outra maneira, continuaria esquecido. Por exemplo, Brian Arthur, um economista do Santa Fe Institute preocupado com não linearidades, escreveu que os eventos devidos ao acaso, aliados a um feedback positivo e não à superioridade tecnológica, determinavam a superioridade econômica — e não uma margem de definição abstrusa em determinada área de especialização. Enquanto os modelos econômicos anteriores excluíam o papel do acaso, Arthur explicava como "ordens inesperadas, reuniões oportunistas com advogados, modismos gerenciais... ajudariam a determinar quais passariam a vender primeiro e, com o tempo, que empresas dominariam".

A MATEMÁTICA NO MUNDO REAL E FORA DELE

Precisa-se de uma abordagem matemática do problema. Embora nos modelos convencionais (tais como o conhecido caminho aleatório browniano usado em finanças) a probabilidade de sucesso não mude a cada incremento, apenas a riqueza acumulada, Arthur sugere modelos como o processo Polya, que é muito difícil de trabalhar matematicamente, mas que pode ser compreendido com facilidade com a ajuda de um simulador Monte Carlo. O processo Polya pode ser apresentado da seguinte forma: suponhamos uma urna contendo inicialmente quantidades iguais de bolas pretas e vermelhas. Você tem que adivinhar, com antecedência, a cor da bola que vai tirar. Aqui o jogo é amarrado: diferentemente de uma urna tradicional, a probabilidade de acerto depende dos acertos passados, pois você se sai melhor ou pior dependendo do desempenho passado. Assim, a probabilidade de vencer aumenta com acertos passados, e a de perder aumenta com erros passados. Simulando esse processo, pode-se ver uma ampla variação de resultados, com surpreendentes sucessos e grande número de fracassos (que eu chamo de obliquidade).

Compare um processo assim com aqueles de modelo mais tradicional, isto é, uma urna sobre a qual o jogador faz conjecturas, mas na qual as bolas são substituídas. Digamos que você joga na roleta e ganha. Isso aumenta suas chances de ganhar de novo? Não. Mas isso acontece no caso do processo Polya. Por que ele é tão difícil de trabalhar, sob o ponto de vista matemático? Porque o conceito de independência (isto é, quando a próxima retirada não depende dos resultados passados) é violado. Independência é uma exigência para se trabalhar com a (conhecida) matemática da probabilidade.

O que deu errado no desenvolvimento da economia como ciência? Havia um monte de gente inteligente que se via obrigada a usar a matemática apenas para se assegurar de que era rigorosa no modo de pensar, de que o que fazia era ciência. Homens muito apressados (Leon Walras, Gerard Debreu e Paul Samuelson) decidiram introduzir as técnicas de modelagem matemática, sem considerar o fato de que ou o tipo de matemática que eles estavam usando era restritiva demais para a classe de problemas com os quais lidavam ou que deveriam perceber que a precisão da linguagem matemática poderia levar a acreditar que eles tinham soluções quando não tinham (lembre-se de Popper e dos custos de se levar a ciência a sério demais). Na verdade, a matemática com a qual lidavam não funcionou no mundo real, possivelmente porque eles precisavam de tipos de processos mais ricos — e se recusaram a aceitar o fato de que não usar qualquer tipo de matemática era, provavelmente, uma alternativa melhor.

Os chamados teóricos da complexidade vieram em socorro. Gerou-se grande excitação pelos trabalhos de cientistas que se especializaram em métodos quantitativos não lineares — e o Santa Fe Institute, perto da cidade de mesmo nome, no Novo México, era a Meca deles. É claro que esses cientistas estão trabalhando muito e nos apresentam soluções maravilhosas para as ciências físicas e modelos melhores para os parentes sociais daquelas (embora nada satisfatório tenha aparecido até hoje). Se eles afinal de contas não tiverem êxito, será simplesmente porque a matemática talvez seja apenas uma ferramenta secundária no mundo real. Observe que outra vantagem das simulações Monte Carlo é que podemos obter resultados onde a matemática não consegue e não pode nos ajudar. Libertando-nos das equações, a máquina Monte Carlo também nos liberta das armadilhas de uma matemática inferior. Como eu disse no capítulo 4, a matemática é meramente um meio de pensar e meditar no nosso mundo do acaso.

A ciência das redes

Estudos da dinâmica das redes se multiplicaram recentemente. Eles se tornaram populares com o livro *O ponto da virada*, em que Malcolm Gladwell mostra como alguns dos comportamentos de variáveis como epidemias se espalham extremamente rápido, acima de um nível crítico não especificado. (Como, por exemplo, o uso de tênis por crianças do centro ou a difusão de ideias religiosas. As vendas de livros sofrem um efeito similar, explodindo depois que cruzam um nível significativo no boca a boca.) Por que algumas ideologias ou religiões se espalham como fogo enquanto outras logo se extinguem? Como os modismos se dão? Como ideias se proliferam? Assim que se sai dos modelos convencionais de acaso (a família da curva do sino do acaso mapeado), algo significativo pode acontecer. Por que o site do Google tem tantos acessos em comparação com o da Associação Nacional de Engenheiros Químicos Aposentados? Quanto mais conectada uma rede, maior a probabilidade de alguém deparar com ela e mais conectada ela estará, especialmente se não há uma limitação significativa a essa capacidade. Note que às vezes é tolice procurar por "pontos críticos" específicos, porque eles podem ser instáveis e impossíveis de detectar, a não ser depois que o evento ocorre, como em muitos outros casos. Esses "pontos críticos" não são exatamente pontos, mas progressões (a chamada lei de potência de Pareto)? Embora seja claro que o mundo produz aglomerados, é triste que possam ser difíceis demais de prever (fora da física) para que esses modelos sejam levados a sério. De novo, o importante é saber da existência dessas não linearidades, não tentar criar um modelo para elas. O valor do trabalho do grande Benoit Mandelbrot reside em ter nos mostrado que existe um tipo "selvagem" de aleatoriedade sobre o qual nunca saberemos muito (devido a suas propriedades instáveis).

Nosso cérebro

Nosso cérebro não foi feito para não linearidades. As pessoas acham que se, por exemplo, duas variáveis estão causalmente ligadas, então um acréscimo constante em uma variável sempre deve produzir resultado na outra. Nosso aparato emocional é projetado para a causalidade linear. Por exemplo, você estuda todos os dias e aprende algo proporcional a seus estudos. Se não sentir que está indo para algum lugar, suas emoções farão com que se sinta desmoralizado. Mas a realidade raras vezes nos dá o privilégio de satisfazer uma progressão linear positiva: você pode estudar por um ano e não aprender nada, então, a menos que se desanime com a falta e resultado e desista, algo vai surgir de repente. Meu colega Mark Spitznagel resume isso da seguinte maneira: imagine que você toca piano todos os dias por um longo tempo, mal sendo capaz de executar uma musiquinha simples, e de repente se vê capaz de tocar Rachmaninov. Devido a essa não linearidade, as pessoas não compreendem a natureza do evento raro. Isso resume por que há rotas não aleatórias para o sucesso, mas muito, muito poucas pessoas têm a força mental necessária para segui-las. Aqueles que fazem um esforço extra são recompensados. Na minha profissão, é possível ter um título financeiro que se beneficie de preços de mercado mais baixos, mas que não reaja até certo ponto crítico. A maior parte das pessoas desiste antes da recompensa.

O burro de Buridan, ou o lado bom do acaso

A não linearidade dos resultados aleatórios é, às vezes, usada como uma ferramenta para resolver impasses. Consideremos o problema do empurrão não linear. Imagine um burro com fome e sede colocado à mesma distância de duas fontes, uma de comida e outra de água. Em uma situação assim, ele morreria tanto de fome quanto de sede, pois seria incapaz de decidir para onde iria primeiro. Agora injete um pouco de acaso no quadro, dando pequenos empurrões aleatórios no burro, fazendo com que se aproxime de uma das fontes, não importa qual, e portanto o afastando da outra. O impasse seria resolvido instantaneamente, e nosso feliz burro ficaria saciado de comida e depois água, ou de água e depois comida.

Com toda a certeza o leitor já experimentou uma versão do burro de Buridan, tirando cara ou coroa para resolver algum tipo de impasse de menor importância na vida, em casos em que deixamos o acaso nos ajudar no processo de tomada de decisão. Deixamos a deusa Fortuna tomar uma decisão e alegremente nos submetemos a ela. Eu, muitas vezes, uso o burro de Buridan (sob seu nome matemático) quando meu computador congela entre duas alternativas (para ser técnico, essas "aleatorizações" são feitas, frequentemente, durante problemas de otimização, quando é necessário não perturbar a função).

Observe que o burro de Buridan recebeu esse nome em homenagem ao filósofo do século XIV Jean Buridan. Ele teve uma morte interessante: foi jogado no rio Sena amarrado num saco e morreu afogado. Essa historieta foi considerada um exemplo de sofisma por seus contemporâneos, que não perceberam a importância da aleatorização — Buridan estava claramente à frente de seu tempo.

DESGRAÇA POUCA É BOBAGEM

No momento em que escrevo estas linhas, estou abrindo meu fundo a investidores e explorando como levantar dinheiro. De repente, percebo que a bipolaridade do mundo me atingiu em cheio. Ou tenho um sucesso estrondoso, atraindo uma montanha de dinheiro, ou fracasso em levantar até mesmo um único centavo. A mesma coisa acontece com os livros. Ou todo mundo vai querer publicá-lo ou ninguém retornará meus telefonemas (neste último caso, risco os nomes da agenda). Devido ao meu profundo e antiquado senso mediterrâneo de *metrion* (medida), isso faz com que eu me sinta desconfortável, até mesmo inquieto. Sucesso demais é o inimigo (pense em como os ricos e famosos são punidos), fracasso demais é desmoralizante. Eu gostaria de ter a opção de não conseguir nem um nem outro.

11. O acaso e nosso cérebro: somos cegos à probabilidade

PARIS OU BAHAMAS?

Você tem duas opções para suas férias em março. A primeira é voar para Paris, a segunda é ir para o Caribe. Você é indiferente quanto às duas opções; sua esposa acatará a decisão seja qual for. Duas imagens distintas ocorrem a você quando pensa nas possibilidades. Na primeira, você se vê no Musée d'Orsay, de pé diante de um quadro de Pissaro que mostra um céu enevoado — o céu cinzento do inverno parisiense. Você carrega um guarda-chuva. Na segunda imagem, está deitado numa toalha, com uma pilha de livros de seus autores favoritos perto de você (Tom Clancy e Ammianus Marcellinus), e um garçom solícito lhe serve um daiquiri de banana. Você sabe que as duas situações são mutuamente exclusivas (você só pode ir a um lugar de cada vez), mas exaustivas (há uma probabilidade de 100% de que você estará em uma das duas). São equiprováveis, com 50% de probabilidade cada uma, na sua opinião.

Você tem grande prazer em pensar nas férias; isso o motiva e torna a longa jornada casa/trabalho de todos os dias suportável. Contudo, o modo apropriado de se visualizar, de acordo com o comportamento racional sob uma situação de incerteza, é de 50% num dos lugares e 50% no outro — o que, matematicamente, se chama de *combinação linear* de duas situações. Será que seu cérebro pode lidar com isso? Até que ponto seria desejável poder ter os pés nas águas caribenhas e a cabeça exposta à chuva parisiense? Nosso cérebro só pode lidar adequadamente com uma situação de cada vez — a menos que você tenha problemas de personalidade de natureza profundamente patológica. Agora, tente imaginar uma combinação de 85% para 15%. Alguma sorte?

Consideremos uma aposta que você faz com um colega, no valor de mil dólares, que, na sua opinião, é bem justa. Amanhã à noite você terá zero ou 2 mil no seu bolso, com 50% de probabilidade para cada um. Em termos puramente matemáticos, o valor justo para uma aposta é a combinação linear das situações, aqui chamada de *expectativa matemática*, isto é, as probabilidades de cada resultado multiplicadas pelos valores em dólares que estão em jogo (50% multiplicados por 0 e 50% multiplicados por 2000 dólares = 1000 dólares). Você consegue imaginar (isto é, visualizar, não calcular matematicamente) o valor sendo mil dólares? Podemos conjurar um, *e apenas um*, estado em cada momento dado, ou seja, zero ou 2 mil. Deixados por contra própria, tendemos a apostar de maneira irracional, já que um dos estados domina a imagem — o medo de terminar sem nada ou a animação de ganhar mil dólares.

ALGUMAS CONSIDERAÇÕES ARQUITETÔNICAS

É hora de revelar o segredo de Nero: um cisne negro. Na época, ele tinha 35 anos. Embora os prédios de Nova York projetados antes da guerra possam ter uma fachada agradável, sua arquitetura, vista da parte de trás, oferece um agudo contraste, pelo fato de ser totalmente insípida. O consultório do médico tinha uma janela que dava para o pátio de uma dessas ruas transversais do Upper East Side, e Nero sempre se lembrará como aquela vista era insípida em comparação com a fachada mesmo se viver mais meio século. Ele sempre se recordará da vista do pátio feio, pintado de rosa, através das deprimentes vidraças, e do diploma de médico na parede, que ele leu uma dezena de vezes enquanto esperava o médico entrar na sala (uma eternidade, de modo que Nero suspeitava que havia algo errado). A notícia foi então dada (com a voz grave): "Tenho aqui... recebi o laudo patológico... não é tão grave quanto parece... é... câncer". A declaração fez com que o corpo de Nero fosse percorrido por uma descarga elétrica, do alto da medula até os joelhos. Ele tentou gritar "O quê?", mas nenhum som saiu de sua boca. O que o amedrontou mais não foi a notícia, mas a visão do médico. De certa forma, a notícia atingiu seu corpo antes de chegar à mente. Havia muito medo nos olhos do homem, e Nero suspeitou imediatamente que a notícia era pior do que ele dizia que era (e estava certo).

Na noite do diagnóstico, Nero ficou sentado em uma biblioteca médica, molhado até a alma depois de ter ficado andando durante horas na chuva sem perceber e formando uma poça d'água à sua volta (uma funcionária gritou com ele, mas Nero não conseguia se concentrar no que ela lhe dizia, de modo que a mulher deu de ombros e se afastou). Mais tarde, Nero leu: "taxa de sobrevivência de cinco anos de 72%, ajustada atuarialmente". Aquilo significava que 72 pessoas em cem conseguiam. São necessários de três a cinco anos sem o corpo apresentar manifestações clínicas da doença para que o paciente seja dado como curado (mais perto de três, na idade dele). Nero então sentiu bem lá no íntimo a certeza de que ia conseguir.

Bem, o leitor poderia estar pensando sobre a diferença matemática entre uma chance de 28% de morte e uma chance de 72% de sobrevivência nos próximos cinco anos. É claro que não há nenhuma, mas não somos feitos para a matemática. Na mente de Nero, uma chance de 28% de morte trazia a imagem dele morto e pensamentos dos penosos detalhes de seu funeral. Uma chance de 72% de sobrevivência o deixava alegre; sua mente já via um Nero curado esquiando nos Alpes. Em nenhum ponto de sua provação, Nero pensou em si mesmo como 72% vivo e 28% morto.

Assim como Nero não pode "pensar" em termos tão complicados, os consumidores consideram que um hambúrguer 75% livre de gorduras é diferente de um com 25% de gordura. O mesmo acontece na estatística. Mesmo especialistas tendem a fazer inferências rápido demais a partir de dados ao aceitar ou rejeitar as coisas. Pense no dentista cujo bem-estar emocional depende do desempenho recente em seu portfólio. Por quê? Porque, como veremos, o comportamento determinado por regras não exige nuances. Ou você mata seu vizinho ou não mata. Sentimentos intermediários (que levaria, vamos dizer, a matá-lo pela metade) são inúteis ou simplesmente perigosos quando se faz as coisas. O aparato emocional que nos coloca em ação não compreende tais nuances — não é eficiente para compreender as coisas. O restante deste capítulo vai ilustrar rapidamente algumas manifestações de tal cegueira, com uma exposição superficial da pesquisa na área (apenas no que se relaciona com os assuntos deste livro).

CUIDADO COM O FILÓSOFO BUROCRATA

Por um longo tempo, tínhamos especificações de produto erradas ao pensar em nós mesmos. Os humanos acreditavam que tinham sido dotados de uma bela máquina para pensar e compreender as coisas. No entanto, entre nossas especificações de fábrica estão a falta de conhecimento das verdadeiras especificações de fábrica (por que complicar as coisas?). O problema de pensar é que faz com que se desenvolvam ilusões. E pensar pode ser um desperdício de energia. Quem precisa disso?

Imagine que você está diante de um funcionário do governo em um país socialista onde pessoas respeitáveis ganham a vida como burocratas. Você está lá para que ele carimbe alguns documentos que permitam exportar chocolates deliciosos para a região de Nova Jersey, cuja população você acredita que vai adorá-los. Qual você acha que é a função dele? Você pensa por um minuto que se importa com a teoria econômica geral por trás da transação? O trabalho do funcionário é apenas verificar se você tem as doze assinaturas dos departamentos certos, então carimbar seus documentos e deixar que vá embora. Considerações gerais sobre crescimento econômico ou balança comercial não lhe interessam. Na verdade, você tem sorte que ele não passe seu tempo refletindo sobre tais assuntos. Considere o tempo que o procedimento demoraria se o funcionário tivesse que resolver as equações da balança comercial. Ele só tem um livro de regras e, em sua carreira de quarenta ou quarenta e cinco anos, só vai carimbar documentos, ser ligeiramente grosseiro e ir para casa beber cerveja não pasteurizada e ver futebol na TV. Se você lhe desse o livro de Paul Krugman sobre economia internacional, ele ia vendê-lo no mercado negro ou dá-lo para o sobrinho.

Regras têm seu valor, claro. Nós as seguimos não só porque são melhores, mas porque são úteis e nos economizam tempo e esforço. Aqueles que ao ver um tigre começam a teorizar quanto a que categoria taxonômica pertence podem acabar sendo comidos por ele. Os que apenas fogem à sua mera visão e não são detidos por nenhuma reflexão podem acabar deixando o animal para trás ou mesmo um primo, que acabará sendo comido por ele em seu lugar.

Satisficing

É fato que nosso cérebro não seria capaz de operar sem esses atalhos. O primeiro pensador a concluir isso foi Herbert Simon, uma pessoa interessante na história intelectual. Ele começou como cientista político (mas era um pensador formal, e não da variedade literária de cientistas políticos que escrevem sobre o Afeganistão na *Foreign Affairs*); foi um pioneiro da inteligência artificial, ensinou ciências da computação e psicologia, fez pesquisas na área da ciência cognitiva, da filosofia e da matemática aplicada, e recebeu o Prêmio de Ciências Econômicas em Memória de Alfred Nobel. Ele sugeriu que, se fôssemos otimizar cada passo da vida, isso nos custaria uma quantidade infinita de tempo e energia. Portanto, deve haver em nós um processo de aproximação que para em algum lugar. Fica claro que suas ideias vieram da ciência computacional — ele passou a carreira inteira na Universidade Carnegie-Mellon, em Pittsburgh, de grande reputação na área. Ele criou o termo em inglês "satisficing" (mistura de "satisfy", satisfazer, e "suffice", suficiente), com a ideia de que paramos quando chegamos a uma solução perto de satisfatória. De outra maneira, levaríamos uma eternidade para chegar a uma conclusão ou fazer qualquer coisa, por menor que fossem. Somos, portanto, racionais, mas de maneira limitada (o termo mais usado é "limitação da racionalidade"). Simon acreditava que nosso cérebro era uma grande máquina de otimização que tinha regras embutidas de modo a parar em algum ponto.

Talvez nem tanto. Pode não ser apenas uma aproximação grosseira. Para dois (a princípio) pesquisadores israelenses da natureza humana, como nos comportamos parecia ser um processo completamente diferente da máquina de otimização apresentada por Simon. Os dois ficaram investigando isso em Jerusalém, observando aspectos de seu próprio pensamento, compararam com modelos racionais e notaram diferenças *qualitativas*. Sempre que ambos pareciam cometer o mesmo erro de raciocínio, faziam testes empíricos com sujeitos, principalmente estudantes, e obtinham resultados muito surpreendentes sobre a relação entre pensamento e racionalidade. É a suas descobertas que nos voltamos a seguir.

FALHO, NÃO SÓ IMPERFEITO

Kahneman e Tversky

Quem exerceu a maior influência sobre o pensamento econômico nos últimos dois séculos? Não, não foi John Maynard Keynes, nem Alfred Marshall, nem Paul Samuelson e certamente não foi Milton Friedman. A resposta são dois não economistas: Daniel Kahneman e Amos Tversky, os israelenses introspectivos. Sua especialidade era descobrir áreas onde seres humanos não eram dotados de pensamento probabilístico e comportamento favorável na incerteza. Estranhamente, economistas estudaram a incerteza por um longo período sem descobrir muita coisa — no máximo, pensavam que sabiam de algo e foram iludidos. Além de algumas mentes penetrantes como Keynes, Knight e Shackle, os economistas nem chegaram à conclusão de que não sabiam nada sobre incerteza — e a discussão sobre risco de seus ídolos mostra que *eles não sabiam o quanto não sabiam*. Psicólogos, no entanto, olharam para o problema e obtiveram sólidos resultados. Note que, diferentemente dos economistas, eles conduziram experiências, experiências verdadeiramente controladas de natureza repetível, que poderiam ser feitas amanhã em Ulan Bator, na Mongólia, se necessário. Economistas convencionais não têm esse tipo de luxo ao observar o passado e fazer longos comentários de ordem matemática, então questionar uns aos outros a respeito.

Kahneman e Tversky tomaram uma direção completamente diferente daquela de Simon e começaram a descobrir regras nos humanos que não os tornavam racionais — mas as coisas foram além do atalho. Para eles, essas regras, que são chamadas de *heurísticas*, não são apenas a simplificação de modelos racionais, mas diferiam em metodologia e categoria. Eles as chamaram de heurísticas "rápidas e sujas". Há uma parte suja: os atalhos vêm com efeitos colaterais, as tendências cuja maior parte discuti previamente neste livro (como a inabilidade de aceitar qualquer coisa abstrata como risco). Isso deu início a uma tradição de pesquisa empírica chamada "heurísticas e vieses", que tentou catalogá-los — impressionante por causa de seu empiricismo e do aspecto experimental dos métodos usados.

Desde os resultados de Kahneman e Tversky, uma disciplina inteira chamada "finanças e economia comportamentais" floresceu. Está em aberto contradição com a economia ortodoxa considerada neoclássica ensinada nas escolas de administração e economia sob os nomes normativos de mercados eficientes, expectativas racionais e afins. Nesse ponto, vale a pena fazer uma pausa para discutir a distinção entre ciência normativa e positiva. Uma ciência normativa (claramente um conceito autocontraditório) oferece ensinamentos prescritivos; ela estuda como as coisas *deveriam* ser. Alguns economistas, como aqueles que seguem a religião do mercado eficiente, acreditam que nossos estudos deveriam ser baseados na hipótese de que os humanos são racionais e agem racionalmente porque é a melhor coisa para eles (porque isso é matematicamente "favorável"). O oposto disso é uma ciência positiva, baseada em como se espera que as pessoas se comportem de fato. Apesar da inveja que os economistas sentem dos físicos, a física é uma ciência inerentemente positiva, enquanto a economia, em particular a microeconomia e a economia financeira, é predominantemente normativa. A economia normativa é como uma religião sem a parte estética.

Note que o aspecto experimental da pesquisa implica que Daniel Kahneman e o economista experimental de rabo de cavalo Vernon Smith foram os primeiros cientistas de verdade a se curvar diante do rei sueco para receber o prêmio da área da economia, algo que deve dar credibilidade à academia do Nobel, particularmente se, como muitos fazem, considerarmos Daniel Kahneman muito mais sério que uma coleção de suecos de aparência séria (e muito humana, portanto falível). Há outra pista da firmeza científica dessa pesquisa: ela é facilmente lida por alguém de fora da psicologia, diferentemente dos trabalhos das áreas da economia e da finança convencionais, que mesmo as pessoas do campo têm dificuldade de compreender (uma vez que as discussões são dominadas por jargões e altamente matemáticas, para dar a ilusão de ciência). Um leitor motivado pode se concentrar nos quatro volumes que reúnem a maior parte dos trabalhos sobre heurísticas e vieses.

Naquela época, economistas não estavam interessados em ouvir essas histórias sobre irracionalidade: o *homo economicus* é um conceito normativo. Enquanto poderiam facilmente comprar o argumento "Simon" de que não somos perfeitamente racionais e de que a vida implica aproximações, em particular quando não há coisa o bastante em jogo, eles não estavam dispostos a aceitar que as pessoas eram falhas, mais que imperfeitas. Mas elas são. Kahneman e Tversky mostraram que os vieses não desaparecem quando há incentivos, o que significa que não são necessariamente econômicos. Eram uma forma diferente de raciocínio, em que o raciocínio probabilístico se mostrava fraco.

ONDE ESTÁ NAPOLEÃO QUANDO SE PRECISA DELE?

Se sua mente opera em séries de regras diferentes e desconectadas, elas podem não ser necessariamente consistentes umas com as outras, e se ainda puderem fazer o trabalho *localmente*, não necessariamente podem fazê-lo *globalmente*. Imagine que estão guardadas como uma espécie de livro de regras. Sua reação vai depender de em que página o livro abre em determinado momento. Ilustrarei isso com outro exemplo socialista.

Depois do colapso da União Soviética, executivos ocidentais envolvidos com o que se tornou a Rússia descobriram um fato irritante (ou interessante) sobre seu sistema legal, que tinha regras em conflito e contradição. Só dependia do capítulo em que se procurava. Não sei se os russos pretendiam que fosse uma pegadinha (afinal, eles tinham vivido longos e tristes anos de opressão), mas a confusão levou a situações em que era preciso violar uma lei para respeitar outra. Devo dizer que conversas com advogados são muito maçantes; falar com um advogado tedioso com um inglês ruim, sotaque forte e bafo de vodca pode exigir um belo esforço — de modo que você acaba desistindo. Esse estranho sistema legal veio do desenvolvimento de regras por meio de funções definidas em trechos: acrescenta-se uma lei aqui e ali sem que haja um sistema central que se consulte a cada vez para garantir a compatibilidade de todas as partes do todo. Napoleão enfrentou uma situação parecida na França e a resolveu criando um código de lei de cima para baixo que pretendia ter completa consistência lógica. O problema no caso dos humanos não é tanto que nenhum Napoleão apareceu até agora para dinamitar a antiga estrutura e remodelar nossa mente como um grande programa central, e sim que nossa mente é muito mais complicada que um sistema de leis, e a exigência de eficiência é muito maior.

Considere que nosso cérebro reage de maneira diferente à mesma situação dependendo do capítulo em que se abre. A falta de um sistema de processamento central faz com que tomemos decisões que podem ser conflitantes entre si. Você pode preferir maçã a laranja, laranja a pera, mas pera a maçã — depende de como as escolhas lhe são apresentadas. O fato de que sua mente não pode reter e usar tudo o que você sabe de uma vez só é a causa de tais vieses. Um aspecto central da heurística é que ela é cega ao raciocínio.

"Sou tão bom quanto minha última transação" e outras heurísticas

Há inúmeros catálogos diferentes dessas heurísticas na literatura (muitos deles sobrepostos); o objetivo desta discussão é, mais do que listá-las, apresentar a intuição por trás de sua formação. Por um longo tempo, os traders se mantiveram totalmente ignorantes da pesquisa comportamental, e observaram situações em que, com estranha regularidade, havia uma lacuna entre o raciocínio probabilístico simples e a percepção que as pessoas tinham das coisas. Demos a eles nomes como "Sou tão bom quanto minha última transação", "frase de efeito", heurística "quarterback um dia depois do jogo" e "era óbvio depois que aconteceu". Era ao mesmo tempo um restabelecimento do orgulho dos traders e uma decepção descobrir que essas definições já existiam na literatura heurística, como "ancoragem", "heurística afetiva" e "viés retrospectivo" (o que nos faz pensar que o trading é uma verdadeira pesquisa científica experimental). A correspondência entre os dois mundos é mostrada no Quadro 11.1.

Quadro 11.1

Nome trader	*Nome aprendido*	*Descrição*
"Sou tão bom quanto minha última transação"	Teoria do prospecto	Ver as diferenças, não o absoluto, e voltar a um específico ponto de referência
"Frase de efeito" ou "Extinção dos medos"	Heurística afetiva, teoria do risco como sensação	As pessoas reagem a riscos concretos e visíveis, não aos abstratos
"Era tão óbvio" ou "Quarterback um dia depois do jogo"	Viés retrospectivo	As coisas parecem ser previsíveis depois do fato
"Você estava errado"	Crença na lei dos pequenos números	Falácias indutivas; chegar a conclusões gerais rápido demais
Sabedoria do Brooklyn/ inteligência MIT	Dois sistemas de raciocínio	A parte do cérebro trabalhando não é exatamente o raciocínio
"Isso *nunca* vai acontecer"	Superconfiança	Assumir riscos por subestimar as probabilidades

Começo com a heurística "Sou tão bom quanto minha última transação (ou o viés da perda de perspectiva) — quando o cronômetro volta para o zero e você começa um novo dia ou mês, seja seu contador que faz isso ou sua mente. Essa é a distorção mais significativa e aquela que acarreta mais consequências. Para ser capaz de posicionar as coisas no contexto geral, você não tem tudo o que sabe na cabeça o tempo todo, então recupera o conhecimento necessário em determinado momento de modo fragmentado, colocando esses pedaços de conhecimento recuperados no contexto local. Isso significa que você tem um ponto de referência arbitrário e reage a diferenças em relação a tal ponto, esquecendo que está vendo apenas diferenças daquela perspectiva em particular do contexto local, não em absoluto.

Há uma máxima bem conhecida entre os traders que diz que a vida é incremental. Imagine que, como investidor, você examina seu desempenho tal qual o dentista do capítulo 3, em intervalos determinados. De quanto em quanto tempo você faz isso? A cada mês, dia, hora? É possível ter um bom mês e um dia ruim. Que período deveria prevalecer?

Quando você aposta, diz "Meu patrimônio líquido será de 99 mil ou 101500 dólares depois da aposta", ou "Vou perder mil ou ganhar 1500 dólares"? Sua atitude em relação aos riscos e às recompensas da aposta varia quer você olhe para seu patrimônio líquido ou para mudanças nele. Mas na vida real você será colocado em situações em que só vai olhar para as *mudanças*. O fato de que as perdas têm mais impacto que os ganhos, e um impacto diferente, torna seu desempenho acumulado, ou seja, a riqueza total, menos relevante que a última alteração nela.

Essa dependência do status local em detrimento do global (unida ao fato de que o efeito das perdas é mais forte que o dos ganhos) tem um impacto na sua percepção de bem-estar. Vamos dizer que você tenha um lucro inesperado de 1 milhão. No mês seguinte, você perde 300 mil. Você se ajustou a determinada riqueza (a menos que fosse muito pobre), então a perda seguinte o fere emocionalmente, algo que não teria acontecido se você recebesse 700 mil dólares de uma vez, ou melhor, duas vezes 350 mil dólares. Além disso, é mais fácil para o seu cérebro detectar diferenças que absolutos, de modo que as noções de riqueza ou pobreza (acima de um nível mínimo) são sempre comparativas (pense em Marc e Janet). Agora, quando algo é *em comparação* com outra coisa, essa outra coisa pode ser manipulada. Psicólogos chamam esse efeito de comparação com dada referência de *ancoragem*. Se levássemos isso ao limite lógico perceberíamos que, por causa dessa reprogramação, a riqueza em si não faz ninguém feliz (acima, é claro, de um nível de subsistência); mas mudanças positivas na riqueza podem fazer, principalmente se vierem de maneira "estável". Falaremos mais a respeito disso depois.

Outros aspectos da ancoragem. Como você pode usar duas âncoras diferentes na mesma situação, o modo como age depende de muito pouco. Quando se pede a uma pessoa que estime um número, ela o faz em relação a um número que tem mente ou acabou de ouvir, de modo que "grande" ou "pequeno" se tornam comparativos. Kahneman e Tversky pediram a sujeitos que estimassem a proporção de países africanos nas Nações Unidas depois de fazer com que escolhessem conscientemente um número entre zero e cem (eles sabiam que era um número aleatório). As pessoas deram chutes relacionados ao primeiro número, que usaram como âncora. Aqueles que escolheram um número alto chutaram um número alto, e aqueles que escolheram um baixo chutaram um baixo. Esta manhã, contribuindo para as anedotas empíricas, perguntei ao concierge do hotel quanto tempo eu levaria para chegar ao aeroporto. "Quarenta minutos?", perguntei. "Cerca de 35", ele respondeu. Então perguntei à recepcionista se a viagem levava vinte minutos. "Não, uns 25", ela respondeu. Cronometrei a viagem: levava 31 minutos.

Essa ancoragem em um número é a razão pela qual as pessoas não reagem à sua riqueza total acumulada, mas às diferenças em qualquer valor que estejam ancoradas no momento. Esse é o principal conflito com a teoria econômica, já que de acordo com os economistas alguém com 1 milhão no banco estaria mais satisfeito que alguém com meio milhão. Mas vimos John chegar a 1 milhão depois ter 10 milhões; ele estava mais feliz quando tinha apenas meio milhão (tendo começado do zero) do que quando o deixamos no capítulo 1. Lembre-se também do dentista cujas emoções dependem da frequência com que verifica seus investimentos.

Diploma de biscoito da sorte

Eu costumava frequentar uma academia no meio do dia e conversar com um homem interessante da Europa Oriental, que tinha dois ph.D., um em física (em estatística) e outro em finanças. Ele trabalhava para uma corretora e era obcecado pelo aspecto anedótico dos mercados. Uma vez, esse homem me perguntou obstinadamente o que eu achava que aconteceria no mercado de ações naquele dia. Dei a ele uma resposta social como "Não sei, talvez caia", provavelmente oposta à que eu daria se tivesse me perguntado uma hora antes. Na manhã seguinte, ele pareceu muito alarmado ao me ver. Começou a discutir minha credibilidade e a perguntar como eu podia ter errado tanto em minha "previsão", considerando que o mercado havia subido. O homem fora capaz de tirar conclusões sobre minha habilidade de fazer previsões e minha "credibilidade" a partir de uma única observação. Se eu ligasse para ele e dissesse, disfarçando a voz: "Alô, aqui é o dr. Talebski, da Academia de Lodz. Tenho um problema interessante", então apresentasse a questão como um quebra-cabeça estatístico, ele riria de mim. "Dr. Talebski, o senhor tirou seu diploma de um biscoito da sorte?" Por que isso?

Há dois problemas. Primeiro: ele não usou seu cérebro estatístico ao fazer a inferência, mas outra área do órgão. Segundo: cometeu o erro de exagerar a importância de amostras pequenas (nesse caso, uma única observação, o pior erro de inferência que uma pessoa pode cometer). Matemáticos tendem a cometer erros matemáticos notórios fora de seu hábitat teórico. Quando Tversky e Kahneman usaram psicólogos matemáticos como amostra, alguns deles autores de livros de referência de estatística, ficaram intrigados com seus erros. "Os sujeitos confiaram demais no resultado de amostras pequenas e seu julgamento estatístico mostrou pouca sensibilidade ao tamanho da amostra." O que surpreende é não só que deveriam saber melhor, mas que "*sabiam* melhor". No entanto...

Em seguida, listo mais algumas heurísticas. (1) A heurística da *disponibilidade*, que vimos no capítulo 3 com o terremoto na Califórnia sendo considerado mais provável que a mesma catástrofe em todo o país, ou morte em decorrência de terrorismo sendo considerada mais provável que a morte de qualquer tipo (incluindo terrorismo). Isso corresponde à prática de estimar a frequência de um evento de acordo com a facilidade com que instâncias do evento podem ser relembradas. (2) A heurística da *representatividade*: medir a probabilidade de que uma pessoa pertença a um grupo social em particular avaliando quão similares são as características dela com a de um membro "típico" do grupo. Considera-se mais provável que uma estudante de filosofia feminista seja uma caixa de banco feminista que apenas uma caixa de banco.

Isso é conhecido como "problema Linda" (porque o nome da feminista era Linda) e fez muita tinta acadêmica ser gasta (algumas pessoas envolvidas no "debate sobre a racionalidade" acreditam que Kahneman e Tversky impõem demandas altamente normativas em nós, humanos). (3) A heurística da *simulação*: a facilidade de desfazer um evento mentalmente — substituindo-o pelo cenário alternativo. Isso corresponde ao pensamento contrafactual. Imagine o que poderia acontecer se você não tivesse perdido o trem (ou quão rico estaria hoje se tivesse liquidado seu portfólio na alta da bolha da Nasdaq). (4) Discutimos no capítulo 4 a heurística *do afeto*: as emoções despertadas pelos eventos determinam a probabilidade deles em sua mente.

Dois sistemas de raciocínio

Pesquisas posteriores refinam o problema da seguinte maneira: há dois modos possíveis de raciocinar, e a heurística é parte de um deles, enquanto a razão é parte do outro. Recorde o colega do capítulo 2 que usava uma parte do cérebro diferente daquela que usava na vida real. Você nunca se perguntou por que uma pessoa que sabe muito de física não consegue aplicar as leis básicas dessa ciência para dirigir bem? Pesquisadores dividiram as atividades de nossa mente em duas partes polarizadas: sistema 1 e sistema 2.

O *sistema 1* não envolve esforço, é automático, associativo, veloz, um processo paralelo, opaco (ou seja, não temos consciência de usá-lo), emocional, concreto, específico, social e personalizado.

O *sistema 2* envolve esforço, é controlado, dedutivo, lento, seriado, autoconsciente, neutro, abstrato, determinado, insocial e despersonalizado.

Sempre acreditei que traders de opções e agentes de liquidez profissionais, ao praticar seu jogo probabilístico, construíam uma máquina probabilística inata muito mais desenvolvida que a do resto da população — inclusive que a dos probabilistas. Encontrei confirmação disso no fato de que pesquisadores da tradição das heurísticas e dos vieses acreditam que o sistema 1 pode ser impactado pela experiência e integrar elementos do sistema 2. Por exemplo, quando se aprende a jogar xadrez, o sistema 2 é usado. Depois de um tempo, a coisa se torna intuitiva e a pessoa é capaz de avaliar a força relativa do oponente só de olhar para o tabuleiro.

Em seguida, apresento o ponto de vista da psicologia evolutiva.

POR QUE NÃO NOS CASAMOS NO PRIMEIRO ENCONTRO

Outro ramo de pesquisa, chamado de psicologia evolutiva, desenvolve uma abordagem completamente diferente para o mesmo problema. Ela opera em paralelo, criando debates acadêmicos amargos, mas não muito preocupantes. Esses psicólogos evolutivos concordam com a escola Kahneman-Tversky em que as pessoas têm dificuldades com o raciocínio probabilístico padrão. No entanto, acreditam que a razão reside no modo como as coisas nos são apresentadas no ambiente atual. Para eles, somos otimizados para determinado raciocínio probabilístico, mas em um ambiente diferente daquele que predomina hoje. A afirmação "Nosso cérebro foi moldado para a aptidão, não para a verdade", feita pelo cientista e intelectual Steven Pinker, porta-voz daquela escola, resume tudo. Eles concordam que o cérebro não foi feito para compreender as coisas, mas para pensar que elas não têm viés, ou só têm porque não o usamos no hábitat certo.

Estranhamente, a escola de pesquisadores Kahneman-Tversky não sofreu nenhuma resistência digna de nota dos economistas da época (a credibilidade geral dos economistas convencionais sempre foi tão baixa que quase ninguém na ciência ou no mundo real presta atenção a eles). O desafio veio por parte dos sociobiólogos, e o centro da discórdia residiu em sua crença na teoria evolutiva como espinha dorsal da compreensão da natureza humana. Isso motivou uma disputa científica feroz, mas devo dizer que eles concordavam na parte mais significativa no que diz respeito a este livro: (1) Não *pensamos* ao fazer escolhas; usamos heurísticas; (2) Cometemos erros probabilísticos sérios no mundo atual — *independentemente da razão*. Note que a divisão chega até mesmo à nova economia: assim como temos um ramo científico da economia saindo da tradição de Kahneman e Tversky (economia comportamental), há outro ramo científico da economia saindo da psicologia evolutiva, com a abordagem da economia do homem das cavernas sendo seguida por pesquisadores como o economista e biólogo Terry Burnham, coautor do bastante legível *A culpa é da genética*.

Nosso hábitat natural

Não vou me envolver com muita profundidade em uma teoria evolutiva para provar suas razões (apesar de ter passado algum tempo em bibliotecas, eu me sinto um verdadeiro amador nesse assunto). É lógico que o meio ambiente para o qual nossa herança genética foi construída não é o que prevalece hoje. Eu não disse a colegas que a tomada de decisão deles contém alguns hábitos herdados dos homens das cavernas — mas quando os mercados experimentam um súbito movimento, sofro um surto de adrenalina como se estivesse vendo um leopardo caçando próximo à minha mesa. Alguns de meus colegas, que quebram o telefone quando perdem dinheiro, podem estar mais próximos de nossa origem comum no que diz respeito à estrutura psicológica.

Isso talvez seja um lugar-comum para quem lê os clássicos gregos e latinos, mas nunca deixamos de nos surpreender quando percebemos que as pessoas afastadas de nós por algumas dezenas de séculos podem exibir sensibilidade e emoções semelhantes. O que costumava me surpreender quando criança ao visitar museus era que as estátuas dos antigos gregos exibiam traços indistinguíveis dos nossos (apenas mais harmoniosos e aristocráticos). Eu estava totalmente errado em pensar que 2200 anos era um período longo. Proust escreveu várias vezes sobre a surpresa que as pessoas têm quando esbarram com as emoções dos heróis de Homero, tão semelhantes às que experimentamos hoje. No que diz respeito aos padrões genéticos, esses heróis homéricos de trinta séculos atrás têm, com toda a probabilidade, exatamente a mesma estrutura genética que o gorducho de meia-idade que você vê no estacionamento, carregando as compras do mercado. Mais do que isso: na verdade, somos verdadeiramente idênticos ao homem que, talvez oitenta séculos atrás, começou a ser chamado de "civilizado" naquela estreita faixa de terra que vai do sudeste da Síria até o sudoeste da Mesopotâmia.

Qual é nosso hábitat natural? Por hábitat natural quero dizer o meio ambiente no qual nos reproduzimos ao máximo, aquele em que passamos o maior número de gerações. O consenso entre os antropólogos é de que temos andado por aí como uma espécie separada há 130 mil anos, a maior parte dos quais passados na savana africana. Mas não é preciso recuar tanto assim na história para chegar ao que interessa. Imagine a vida num sítio urbano primitivo, no Crescente Fértil, há cerca de 3 mil anos — certamente uma época moderna, do ponto de vista genético. A informação era limitada pelos meios físicos de sua transmissão; não se podia viajar para longe com rapidez, portanto a informação vinha de lugares distantes em pacotes concisos. Viajar era um problema, assolado por todo tipo de perigo físico; você se estabelecia num raio limitado do lugar onde nascia, a menos que a fome ou alguma tribo invasora não civilizada expulsasse seus parentes e você daquele feliz povoado. O número de pessoas que você viria a conhecer durante toda a sua vida seria pequeno. Se fosse cometido um crime, seria fácil avaliar evidências de culpa dentro do pequeno número de suspeitos. Se você fosse injustamente acusado de um crime, argumentaria em termos básicos, apresentando uma prova tão simples quanto "eu não estava lá, pois estava rezando no templo de Baal, e fui visto ao anoitecer pelo sumo sacerdote", e acrescentaria que Obedshemesh, filho de Sahar, tinha mais probabilidade de ser o culpado, porque teria a lucrar com o crime. Sua vida seria simples, e seu espaço de *probabilidades* seria restrito.

O problema real é que, como já mencionei, um hábitat assim não inclui muita informação. Um cálculo eficiente das probabilidades não se tornou necessário até muito recentemente. Isso explica por que tivemos que esperar até o surgimento da literatura sobre o jogo para ver o crescimento da matemática das probabilidades. A crença popular afirma que o pano de fundo da religião do primeiro e do segundo milênios bloqueou o desenvolvimento de ferramentas que sugeriam a ausência do determinismo e ocasionaram demoras na pesquisa da probabilidade. A ideia é duvidosa ao extremo; simplesmente não calculávamos as probabilidades porque *não ousávamos* fazer isso? A razão deve ser porque *não precisávamos*. Grande parte do nosso problema vem do fato de que nos desenvolvemos fora de nosso hábitat muito mais rápido do que os nossos genes. E é até pior: nossos genes não mudaram em absoluto.

Velozes e frugais

Teóricos evolutivos concordam que o trabalho cerebral depende de como o sujeito é apresentado e a estrutura é oferecida — e podem ser contraditórios em seus resultados. Detectamos trapaceiros com uma parte diferente do cérebro daquela em que confiamos para resolver problemas lógicos. As pessoas podem fazer escolhas incoerentes porque o cérebro trabalha através de pequenos trabalhos parciais. As heurísticas que dissemos que eram "rápidas e sujas" para os psicólogos são "velozes e frugais" para os psicólogos evolutivos. E não só isso: alguns pensadores, como o cientista cognitivo Gerd Gigerenzer, parecem defender o lado oposto a Kahneman e Tversky de maneira obsessiva; seu trabalho, assim como o de seus associados no ABC Group (que estuda comportamento adaptativo e cognição), pretende mostrar que somos racionais e que a evolução produz uma forma de racionalidade que ele chama de "racionalidade ecológica". Eles acreditam que não apenas somos programados para otimizar o comportamento probabilístico em situações como a seleção do parceiro (quantas pessoas é preciso conhecer antes de se decidir?) ou escolher uma refeição, mas também somos programados para selecionar ações e que fazemos isso de maneira adequada se elas nos forem apresentadas da maneira correta.

Na verdade, Gigerenzer concorda que não compreendemos a probabilidade (abstrata demais), mas reagimos bastante bem a frequências (menos abstratas). De acordo com ele, alguns problemas que normalmente nos fariam cometer um erro desaparecem quando colocados em termos de porcentagem.

De acordo com esses pesquisadores, embora possamos gostar de pensar em nosso cérebro como um sistema de processamento central, com recursos que vão do geral ao particular, a analogia com um canivete-suíço (com pequenas ferramentas específicas) parece ser adequada. Como? A visão dos psicólogos é construída em torno da distinção entre adaptações de domínio específico e domínio geral. Uma adaptação de domínio específico é algo que deve resolver uma tarefa bastante precisa (em oposição às de domínio geral, que devem resolver tarefas globais). Embora isso seja fácil de compreender e aceitar para as adaptações fisiológicas (por exemplo, o pescoço de uma girafa, que a ajuda a alcançar alimentos, ou a cor de um animal que permite que se camufle), as pessoas têm dificuldade em entender por que isso se aplica à nossa mente da mesma maneira.

Nosso cérebro funciona por "módulos". Um aspecto interessante da modularidade é que podemos usar módulos diferentes em diferentes instâncias do *mesmo* problema, dependendo da estrutura em que nos é apresentado – como discutido nas notas desta seção. Um dos atributos de um módulo é seu "encapsulamento", ou seja, como não podemos interferir em seu funcionamento, já que não estamos cientes de seu uso. O módulo mais impressionante é usado quando tentamos descobrir um trapaceiro. Expressa de maneira puramente lógica (mas com extrema clareza), determinada questão só é resolvida por 15% das pessoas. Mas quando a mesma questão é expressa de modo que seu objetivo seja descobrir quem é o trapaceiro, quase todos a resolvem.

Neurobiólogos também

Neurobiólogos também têm seu lado nessa história. Eles acreditam (de maneira simplificada) que existem três cérebros: o muito antigo, o cérebro reptiliano que dita os batimentos cardíacos e que compartilhamos com todos os animais; o sistema límbico, centro cerebral de emoções que compartilhamos com os mamíferos; e o neocórtex, o cérebro cognitivo, que distingue primatas e humanos (note que mesmo investidores institucionais parecem ter neocórtex). Embora a teoria do cérebro trino envolva simplificação excessiva (particularmente quando abordada por jornalistas), parece fornecer uma estrutura para a análise das funções cerebrais.

Embora seja muito difícil descobrir que parte do cérebro faz o que exatamente, neurocientistas têm trabalhado em um mapeamento ambiental do cérebro, por exemplo ao pegar um paciente cujo cérebro está danificado em um único ponto (por um tumor ou uma lesão considerados locais) e deduzir por eliminação a função daquela parte da anatomia. Outros métodos incluem imagens cerebrais e simulações elétricas em áreas específicas. Muitos pesquisadores de fora do ramo da neurobiologia, como o filósofo e cientista cognitivo Jerry Fodor (pioneiro na noção de modularidade), permanecem céticos quanto à qualidade do conhecimento que podemos obter ao examinar as propriedades físicas do cérebro, ainda que apenas por causa das complicadas interações das partes individuais (com não linearidades correspondentes). O matemático e cientista cognitivo David Marr, pioneiro no campo do reconhecimento de objetos, observou de maneira muito adequada que não se aprende como os pássaros voam ao estudar suas penas, mas ao estudar sua aerodinâmica. Explicarei a ideia geral de dois trabalhos divisores de águas apresentados em livros bastante legíveis: *O erro de Descartes*, de Damásio, e *O cérebro emocional*, de LeDoux.

O erro de Descartes apresenta uma tese muito simples. Realiza-se uma ablação cirúrgica em uma parte do cérebro de alguém (como remover um tumor e costurar o tecido ao redor) e o único efeito resultante é uma inabilidade de demonstrar emoções (o Q.I. e todas as outras faculdades se mantêm). Tratou-se de um experimento controlado para separar a inteligência de alguém de suas emoções. O resultado é um ser humano puramente racional, livre de sentimentos e emoções. Agora vamos ver: Damásio relatou que o ser sem emoções era incapaz de tomar a mais simples decisão. Ele não conseguia nem sair da cama de manhã, e desperdiçava seus dias pesando suas decisões de maneira infrutífera. Chocante! Isso contraria tudo o que seria de esperar: é impossível tomar uma decisão sem emoção. A matemática dá a mesma resposta: se alguém realizasse uma operação de otimização considerando uma grande coleção de variáveis, mesmo como um cérebro tão grande como o nosso, levaria muito tempo para se decidir quanto à mais simples das tarefas. Portanto, precisamos de um atalho; as emoções existem para que não demoremos tanto. Isso lembra a você a ideia de Herbert Simon? Parece que são as emoções que fazem todo o trabalho. Os psicólogos as chamam de "lubrificantes da razão".

A teoria de Joseph LeDoux sobre o papel das emoções no comportamento é ainda mais poderosa, indicando que as emoções afetam o pensamento. Ele descobriu que muitas das conexões dos sistemas emocionais com os sistemas cognitivos são mais fortes que as conexões dos sistemas cognitivos com as dos sistemas emocionais. Isso significa que experimentamos emoções (cérebro límbico) e depois encontramos uma explicação (neocórtex). Como vimos com a descoberta de Claparède, muitas das nossas opiniões e avaliações em relação a riscos podem ser simples resultado de emoções.

Kafka no tribunal

O julgamento de O. J. Simpson nos fornece um exemplo de como a sociedade moderna é governada pela probabilidade (devido à explosão da informação), embora importantes decisões sejam tomadas sem a menor preocupação com as leis probabilísticas. Somos capazes de enviar uma espaçonave a Marte, mas incapazes de fazer com que julgamentos criminais sejam gerenciados pelas leis básicas da probabilidade — embora as provas sejam um conceito probabilístico. Lembro-me de ter comprado um livro sobre probabilidade na rede de livrarias Borders Books que ficava a apenas uma pequena distância do tribunal de Los Angeles onde acontecia o "julgamento do século" — outro livro que cristalizou o conhecimento quantitativo altamente sofisticado nesse campo. Como é que tamanha falha no conhecimento pôde iludir advogados e jurados a uns poucos quilômetros dali?

Pessoas que chegam tão perto de cometer crimes quanto podemos inferir a partir das leis da probabilidade (isto é, com um grau de certeza que excede *a sombra de uma dúvida*) estão à solta devido à má compreensão dos conceitos básicos das probabilidades. Você poderia ser condenado por um crime que nunca cometeu devido ao seu pouco conhecimento de probabilidade — pois ainda não temos um tribunal de justiça que calcule as probabilidades compostas de eventos (a probabilidade de dois eventos ocorrerem ao mesmo tempo). Eu estava numa sala de corretagem com a televisão ligada quando vi um dos advogados argumentando que havia pelo menos quatro pessoas em Los Angeles que poderiam ter as mesmas características de DNA que O. J. Simpson (ignorando, assim, o conjunto de eventos, o que veremos no próximo parágrafo). Desliguei a televisão, desgostoso, o que provocou uma ruidosa reclamação uníssona dos traders. Até então eu tinha a impressão de que os sofismas haviam sido eliminados dos casos legais graças aos altos padrões da Roma republicana. Pior: um advogado formado em Harvard usou o argumento capcioso de que apenas 10% dos homens que maltratam a esposa chegavam a matá-las, o que é uma probabilidade incondicional quanto ao assassinato (não vem ao caso se a declaração foi feita devido a uma noção distorcida do que é advocacia, por pura malícia ou ignorância). A lei não é devotada à verdade? O modo correto de encará-la é determinar a percentagem de casos em que a mulher foi morta pelo marido *e* foi espancada por ele anteriormente (isto é, 50%) — pois estamos lidando com o que se chama de probabilidades *condicionais*; a probabilidade de que O. J. Simpson tenha matado a esposa está *condicionada* à informação de que ela foi morta, e não à probabilidade *incondicional* de que O. J. Simpson a matou. Como podemos esperar que uma pessoa sem treinamento compreenda o acaso quando um professor de Harvard, que lida com o conceito de provas probabilísticas e dá aulas a respeito faz uma declaração tão absurda?

Mais particularmente, os jurados (e advogados) tendem a cometer erros (tendência geral, aliás) quanto à ideia de probabilidade composta. Eles não percebem que as provas se acumulam. A probabilidade de receber um diagnóstico de câncer no trato respiratório e de ser atropelado por um Cadillac cor-de-rosa no mesmo ano, supondo que cada uma delas é de 1/100 mil, transforma-se em 1/10 bilhões multiplicando-se os dois eventos (obviamente independentes). Supondo que O. J. Simpson tivesse 1/500 mil de chances de não ser o assassino do ponto de vista da amostra do sangue (os advogados usaram o sofisma de que havia quatro pessoas com o mesmo tipo de sangue naquela região de Los Angeles) e adicionando o fato de que ele era o marido da pessoa morta e de que havia outras provas, então (devido ao efeito de composição) as chances contra ele aumentavam em diversos trilhões de trilhões.

Pessoas "sofisticadas" cometem erros ainda piores. Posso causar surpresa ao dizer que a probabilidade de um evento composto é menor do que a probabilidade de cada um dos eventos tomado separadamente. Recorde a heurística da disponibilidade: com o problema Linda, pessoas racionais e educadas consideravam a probabilidade de um evento maior do que a de um evento mais amplo que o inclui. Fico feliz de ser um trader que tira vantagem das tendências das pessoas, mas tenho medo de viver nessa sociedade.

Um mundo absurdo

O processo, livro profético de Kafka sobre a odisseia de um homem, Joseph K., que é preso por um misterioso e inexplicado motivo, acertou na mosca, tendo sido escrito antes que ouvíssemos falar dos métodos "científicos" dos regimes totalitários. A obra prevê um futuro amedrontador para a humanidade, que se vê enredada em burocracias absurdas e autoalimentadas, com regras de geração espontânea sujeitas à sua lógica interna. O livro deu origem a toda uma literatura do absurdo, que segue a ideia de que o mundo pode ser incompatível com os humanos. Certos advogados me apavoram. Depois de ouvir as declarações durante o julgamento de O. J. Simpson (e seu efeito), fiquei verdadeiramente amedrontado com a possibilidade de ser preso por alguma razão que não faça sentido probabilístico e ter que lutar com um falastrão perante um júri que não sabe nada do acaso.

Afirmei que uma simples avaliação provavelmente bastaria numa sociedade primitiva. É fácil para uma sociedade viver sem matemática — como é fácil para traders negociar sem métodos quantitativos — quando o espaço de possíveis resultados é unidimensional. Isso significa que só temos que olhar para uma única variável, e não para um conjunto de eventos isolados. O preço de um título imobiliário é unidimensional, enquanto um conjunto de preços de diversos títulos é multidimensional e exige modelagem matemática — não podemos ver facilmente, a olho nu, o conjunto de possíveis resultados da carteira, nem mesmo podemos representá-los num gráfico, pois nosso mundo físico é limitado à representação de apenas três dimensões. Vamos discutir, mais adiante, por que corremos o risco de ter modelos ruins (e reconhecidamente temos) ou de cometer o erro de fechar os olhos à ignorância — indecisos entre o Caríbdis do advogado que não sabe matemática e a Cila do matemático, que faz mau uso da matemática porque não tem sensibilidade para escolher o modelo adequado. Em outras palavras, oscilamos entre o erro de ouvir tolices de um advogado falastrão, que recusa a ciência, e o erro de aplicar teorias falhas de algum economista, que leva sua ciência seriamente demais. A beleza da ciência é que ela permite os dois tipos de erro. Felizmente, há um caminho intermediário — mas, infelizmente, ele raras vezes é trilhado.

Exemplos de predisposição na compreensão da probabilidade

Na literatura sobre comportamento, encontrei pelo menos quarenta exemplos terríveis dessas fortes tendências. Abaixo é apresentada a descrição de um teste bem conhecido e bastante embaraçoso para a comunidade médica. Eu o tomei emprestado do excelente livro *Aleatoriedade*, de Deborah Bennett.

> Um teste de uma doença apresenta uma taxa de 5% de falsos positivos. A doença atinge 1/1000 da população. As pessoas são submetidas ao teste aleatoriamente, independente de haver ou não suspeita de ter a doença. O teste de um paciente dá positivo. Qual é a probabilidade de que ele tenha sido atingido pela doença?

A maioria dos médicos respondeu 95%, simplesmente levando em conta o fato de que o teste tem uma taxa de precisão de 95%. A resposta certa é a probabilidade condicional de que o paciente esteja doente, e o teste dá isso — perto de 2%. Menos de um em cinco profissionais conseguiu acertar.

Vou simplificar a resposta. Pressuponha que não haja negativas falsas. Considere que de mil pacientes a quem foi administrado o teste a expectativa é de que um tenha a doença. Dos remanescentes 999 pacientes sadios, o teste identificará cerca de cinquenta com a doença (ele tem precisão de 95%). A resposta correta deveria ser que — com uma seleção aleatória — a probabilidade de alguém que tivesse apresentado um teste positivo sofrer da doença é a relação seguinte:

$$\frac{\text{Número de pessoas afetadas}}{\text{Número de verdadeiros e falsos positivos}}$$

No caso, 1/51.

Pense no número de vezes que você tomou um remédio com efeitos colaterais indesejáveis para determinada doença que lhe disseram que tinha, quando talvez houvesse apenas 2% de probabilidade de tê-la de fato!

Somos cegos às opções

Como trader de opções, noto que as pessoas têm uma inclinação a subestimar suas opções, pois em geral são incapazes de avaliar mentalmente de maneira correta os instrumentos que produzem um resultado *incerto*, até mesmo quando têm plena consciência da matemática. Agentes reguladores reforçam essa ignorância explicando às pessoas que as opções são um ativo decadente ou debilitado. As opções *out-of-the-money* (OTM) tendem a *decair*, perdendo o ganho entre duas datas.

Em seguida, darei uma explicação sucinta (mas suficiente) do que significa uma opção. Digamos que uma ação é negociada por cem dólares e que alguém me dá o direito (mas não a obrigação) de comprá-la a 110 dólares daqui a um mês. Isso é chamado de uma opção *de compra*. Só faz sentido exercer esse direito (de comprá-la) pedindo ao vendedor da opção que me entregue a ação a 110 dólares se ela estiver sendo negociada a um preço mais alto do que 110 dentro de um mês. Se a ação estiver a 120 dólares, minha opção valerá dez dólares, pois poderei comprá-la a 110 e vendê-la ao mercado a 120, embolsando a diferença. Mas isso não tem uma probabilidade muito alta de acontecer. É uma opção OTM, em que não ganho nada se exercê-la de imediato.

Consideremos que eu compre uma opção por um dólar. Qual é minha expectativa quanto ao valor dela daqui a um mês? A maioria das pessoas pensaria que é zero, mas isso não é verdade. A opção tem uma alta probabilidade, digamos de 90%, de valer zero ao expirar o prazo, mas talvez 10% de probabilidade de valer uma média de dez dólares. Assim, vendendo-me a opção por um dólar o vendedor não garante lucro fácil. Se, em vez disso, os vendedores tivessem comprado a ação eles próprios a cem dólares e esperado um mês, poderiam tê-la vendido a mim por 120. Portanto, ganhar um dólar agora dificilmente pode ser considerado dinheiro sem custo. Da mesma forma, comprar a ação não é desperdiçar dinheiro. Até mesmo profissionais podem se enganar. Como? Eles confundem valor esperado com cenário mais provável (aqui o valor esperado é um dólar, e o cenário mais provável é que a opção esteja valendo zero). Mentalmente, superestimam a situação mais provável, isto é, que o mercado não suba nada. A opção é simplesmente a média ponderada das possíveis situações que o ativo pode tomar.

Há outro tipo de satisfação dada pelo vendedor de opções. É o retorno constante e o sentimento de recompensa constante que os psicólogos chamam de "fluxo". É muito prazeroso ir trabalhar de manhã com a expectativa de ganhar um pouquinho de dinheiro. Exige certa força de caráter aceitar a expectativa de perder centavos numa base constante, até mesmo se a estratégia tende a ser lucrativa no longo prazo. Observei que muito poucos traders de opções podem manter uma posição que chamo de "volatilidade longa", isto é, em que provavelmente perderá uma pequena quantia de dinheiro quando do vencimento, mas na qual se espera ganhar dinheiro no longo prazo, devido a saltos ocasionais do mercado. Descobri que há muito poucas pessoas que aceitam perder um dólar na maioria dos vencimentos e ganhar dez dólares de vez em quando, até mesmo se o jogo for equilibrado (isto é, se fizessem dez dólares mais do que 9,1% das vezes).

Divido a comunidade de traders de opções em duas categorias: compradores premium e vendedores premium. *Os primeiros (também chamados de vendedores de opções) vendem opções, e em geral ganham dinheiro constantemente, como John nos capítulos 1 e 5. Compradores de opções fazem o oposto. Dizem que comem como galinhas e vão ao banheiro como elefantes. Para minha tristeza, a maioria dos traders de opções que tenho encontrado na vida são vendedores premium — quando eles explodem, geralmente é com dinheiro dos outros.

Como é que profissionais aparentemente conhecedores da matemática (simples) podem se ver em tal situação? Como previamente discutido, nossas ações não são ditadas pelas partes do nosso cérebro que comandam a racionalidade. Pensamos com nossas emoções e não há meio de fugir disso. Pelo mesmo motivo, pessoas que são racionais em certos aspectos podem fumar ou se envolver em brigas que não lhes trazem benefícios imediatos, da mesma forma que pessoas vendem opções até mesmo quando sabem que não é uma coisa boa a fazer. Mas pode ficar ainda pior. Há uma categoria de gente, em geral acadêmicos, que, em vez de adaptar suas ações ao cérebro, adapta o cérebro a suas ações. Eles vão atrás da história e falsificam as estatísticas para justificar suas ações. No meu ramo de negócio, enganam a si mesmos com argumentos estatísticos que justifiquem a venda de opções.

O que é menos desagradável: perder cem vezes um dólar ou perder uma vez cem? Claramente o segundo, porque nossa sensibilidade à perda diminui. Então uma política de negócio que rende um dólar por dia por um longo tempo e depois perde tudo é na verdade mais agradável do ponto de vista hedônico, ainda que não faça sentido economicamente. Assim, há incentivo para inventar uma história sobre a probabilidade de eventos e seguir com tal estratégia.

Além disso, há o risco "fator ignorância". Cientistas fizeram testes com pessoas quanto ao que mencionei no prólogo como risco assumido não por coragem, mas por ter sido subestimado. Foi pedido aos sujeitos que previssem uma variedade de preços de títulos no futuro, com um limite superior e outro inferior, de modo que 98% dos títulos terminassem dentro de tal faixa. É claro que as violações aos limites foram bastante grandes, de até 30%.

Tais violações vêm de um problema muito mais sério: as pessoas superestimam seu conhecimento e subestimam a probabilidade de estarem erradas.

Um exemplo para ilustrar a cegueira diante das opções. O que tem mais valor: (a) um contrato que paga a você 1 milhão de dólares se o mercado cair 10% em qualquer dia no próximo ano ou (b) um contrato que paga 1 milhão se o mercado cair 10% em qualquer dia no próximo ano devido a um ato terrorista? A maior parte das pessoas escolherá (b).

PROBABILIDADES E MÍDIA (MAIS JORNALISTAS)

Um jornalista é treinado em métodos para se expressar, e não para investigar a fundo as coisas — o processo de seleção favorece os mais comunicativos, não necessariamente os que têm mais conhecimento. Meus amigos médicos reclamam que muitos jornalistas que cobrem sua área não compreendem nada de medicina e biologia, muitas vezes cometendo erros de natureza básica. Não posso confirmar essas alegações, sendo eu próprio mero amador (embora, ocasionalmente, um leitor voraz) no que diz respeito à pesquisa médica, mas tenho observado que jornalistas quase sempre compreendem mal as probabilidades usadas nas comunicações sobre pesquisa médica. O que mais confundem é a diferença entre *ausência de provas* e *prova de ausência*, problema semelhante ao que vimos no capítulo 9. Como? Testo determinada quimioterapia, digamos fluorouracil, para câncer do trato respiratório superior e descubro que a droga é melhor que um placebo, mas apenas marginalmente: (além de outras modalidades) ela melhora a sobrevida de 21/100 para 24/100. Dado o tamanho da amostra, talvez eu não fique confiante que os 3% pontos adicionais de sobrevida venham do remédio; pode ser algo atribuído inteiramente ao acaso. Eu escreveria um trabalho descrevendo meus resultados e dizendo que não há provas de melhora na sobrevida (até então) com o uso desse remédio, fazendo-se necessárias mais pesquisas. Um jornalista médico pega a notícia e declara que o professor N. N. Taleb encontrou provas de que o fluorouracil *não ajuda* em tal caso, o que é inteiramente oposto às minhas intenções. Um médico ingênuo, que fica mais inquieto com as probabilidades do que até o mais treinado dos jornalistas, pega isso e cria um bloqueio mental contra a medicação, até mesmo quando um pesquisador finalmente encontra provas de que a droga confere clara vantagem no que diz respeito à sobrevida.

CNBC na hora do almoço

O advento do canal de televisão CNBC, dedicado a assuntos financeiros, trouxe uma série de benefícios para a comunidade financeira, mas fez também com que um conjunto de profissionais extrovertidos e prolixos em teorias passassem a emiti-las nos poucos minutos que a televisão lhes dá. Vê-se com frequência pessoas respeitáveis fazendo declarações ridículas (mas que soam bem) sobre as propriedades do mercado de ações. Incluem-se declarações que flagrantemente violam as leis da probabilidade. Num verão em que frequentei com assiduidade a academia de ginástica, muitas vezes ouvi declarações do tipo "o mercado real está hoje 10% afastado do pico, enquanto a ação média está perto de 40% do pico", o que pretende ser um indicativo de problemas ou anomalias profundas — um arauto dos bear market.

Não há incompatibilidade entre o fato de que a ação média está 40% abaixo do pico, enquanto a média de todas as ações (isto é, o mercado) está 10% abaixo de seu próprio pico. Deve-se ter em mente que as ações não atingem o pico todas *ao mesmo tempo*. Dado ao fato de que não guardam uma correlação de 100%, a ação A poderia atingir sua máxima em janeiro, enquanto a ação B poderia ter atingido sua máxima em abril, mas a média das duas ações, A e B, poderia atingir seu máximo ao mesmo tempo em fevereiro. Além do mais, no caso de ações de correlação negativa, se a ação A está no máximo quando a ação B está no mínimo, então ambas poderiam estar 40% abaixo de seu máximo quando o mercado de ações estivesse atingindo o pico! Por uma lei da probabilidade chamada de "distribuição do máximo das variáveis aleatórias", o máximo de uma média é, necessariamente, menos volátil do que a média de um máximo.

Você deveria estar morto a essa hora

Isso nos traz à mente outra violação da probabilidade por especialistas financeiros televisivos do horário nobre, que podem ser selecionados por sua aparência, seu carisma e por seus dotes de apresentador, mas certamente não por sua mente incisiva. Por exemplo, uma falácia que tenho visto ser cometida comumente por uma proeminente guru financeira da TV é: "O americano médio tem expectativa de vida de 73 anos. Portanto, se você tem 68, a expectativa é de que viva mais cinco anos, e deve se programar de acordo com isso". Ela continua dando receitas precisas de como uma pessoa deve investir para um horizonte de cinco anos. E se você tem oitenta? Sua expectativa de vida é de *menos* sete anos? O que esses jornalistas confundem é expectativa de vida condicional e incondicional. Ao nascer, sua expectativa de vida incondicional pode ser de 73 anos. Mas, conforme você vai ficando mais velho e não morre, sua expectativa de vida cresce com você. Por quê? Porque as outras pessoas, ao morrer, tiraram seu lugar das estatísticas, pois expectativa significa "média". Portanto, se você tem 73 anos e goza de boa saúde, pode ainda ter uma *expectativa* de nove anos, digamos. Então a expectativa mudaria, e aos 82 você teria ainda mais cinco anos, desde que continuasse vivo, é claro. Até mesmo alguém com cem anos de idade tem uma expectativa de vida condicional. Essa declaração, quando se pensa nela, não é muito diferente de: "Nossa operação tem uma taxa de mortalidade de 1%. Até agora operamos 99 pacientes com grande sucesso; você é o centésimo, de forma que tem uma probabilidade de 100% de morrer na mesa de operação".

Os planejadores financeiros da TV podem confundir umas poucas pessoas. Isso não causa muito mal. O que é muito mais preocupante é o fornecimento de informação de não profissionais a profissionais; é para os jornalistas que nos voltamos em seguida.

As explicações da Bloomberg

Na minha mesa de trabalho tenho uma máquina chamada de Bloomberg (do lendário Michael Bloomberg). Ela opera como um serviço de e-mail seguro, uma ferramenta de recuperação de dados históricos, um sistema de gráficos, um auxílio analítico valioso e, não menos importante, uma tela em que vejo o preço dos títulos e moedas. Estou tão acostumado com isso que não consigo trabalhar sem ela, como se eu me sentisse isolado do restante do mundo se não fosse pela máquina. Eu a uso para entrar em contato com meus amigos, confirmar meus compromissos e resolver algumas das divertidas discussões que dão colorido à vida. De alguma forma, os traders que não têm um endereço Bloomberg não existem para nós (eles têm que recorrer à internet mais plebeia). Mas há um aspecto da Bloomberg que eu dispensaria: os comentários jornalísticos. Por quê? Porque eles se lançam a explicar coisas e a perpetuar a confusão coluna da direita/coluna da esquerda de maneira mais séria. A Bloomberg não é a única culpada; mas não tenho lido as seções de negócios dos jornais nesta última década, porque prefiro ler prosa de verdade no lugar.

Enquanto escrevo estas linhas, vejo as seguintes manchetes na máquina:

O índice Dow está 1,03 acima nas taxas de juros mais baixas
O dólar caiu 0,12 iene no superávit mais alto japonês

E por aí vai, na página inteira. Se traduzi a coisa direito, o jornalista alega estar fornecendo uma explicação de algo que vem a ser *ruído perfeito*. Um deslocamento de 1,03 do Dow, a 11 mil pontos, representa menos de 0,01% de deslocamento. Um movimento assim não merece explicação. Não há nada que uma pessoa possa tentar explicar; não há razão para citá-lo. Mas, assim como os professores aprendizes de literatura comparada, os jornalistas pagos para fornecer explicações vão, com presteza e alegria, fornecê-las. A única solução seria Michael Bloomberg parar de pagar seus jornalistas para fornecer comentários.

Significação: como eu decido se algo é ou não perfeito ruído? Tomemos uma analogia simples. Se você entra numa corrida de mountain bike pela Sibéria com um amigo e, um mês depois, o vence por um único segundo, é claro que não pode se gabar de ser mais rápido do que ele. Você foi ajudado por alguma coisa, ou pode ter sido apenas obra do acaso, nada mais. Aquele segundo não é, por si mesmo, significativo o bastante para alguém tirar conclusões. Eu não escreveria no meu diário, antes de dormir: *O ciclista A é melhor do que o ciclista B porque o primeiro come espinafre, enquanto o segundo tem uma dieta rica em pasta de soja. Estou tirando essa conclusão porque ele me venceu por 1,3 segundo em uma corrida de 4900 quilômetros.* Se a diferença fosse de uma semana, aí eu poderia começar a analisar se a pasta de soja é o motivo ou se há outros fatores.

Causalidade: há outro problema; até mesmo supondo que haja significação estatística, tem-se que aceitar uma causa e um efeito, ou seja, o evento no mercado pode ser relacionado à causa apresentada. *Post hoc ergo propter hoc* (esta é a razão por ter vindo depois). Digamos que no hospital A nascem 52% de meninos e no hospital B, no mesmo ano, nascem apenas 48%; você acreditaria que teve um menino *porque* fez o parto no hospital A?

A causalidade pode ser bastante complexa. É muito difícil isolar uma única causa quando há muitas adjacentes. Isso é chamado de análise multivariável. Por exemplo, se o mercado de ações pode reagir às taxas de juros domésticas dos Estados Unidos, ao valor do dólar em relação ao iene, ao dólar em relação às moedas europeias, aos mercados de ações europeus, à balança de pagamentos americana, à inflação nos Estados Unidos e a outra dezena de fatores importantes, então os jornalistas precisam olhar para todos esses fatores, olhar para seu efeito histórico tanto isolada quanto conjuntamente, olhar para a estabilidade dessa influência, e então, depois de consultar a estatística resultante do teste, isolar o fator, se for possível. Finalmente, é preciso dar um nível de confiança ao próprio fator; se ele for menos do que 90%, a história morre. Posso entender por que Hume era extremamente obcecado por causalidade e não podia aceitar uma inferência assim em lugar algum.

Tenho um truque para saber se está ocorrendo alguma coisa *real* no mundo. Ajustei meu monitor Bloomberg para que ele mostre as mudanças de valor absoluto e percentual de todos os preços do mundo: moedas, ações, taxas de juros e commodities. Com o costume de olhar para a mesma disposição de dados durante anos, pois mantenho as moedas no canto esquerdo superior e os diversos mercados de ações à direita, consegui estabelecer um modo intuitivo de saber se está acontecendo alguma coisa séria. O truque é olhar apenas para as grandes alterações de percentuais. A menos que algo se movimente mais que o percentual diário costumeiro, o evento é considerado ruído. Mudanças de percentual têm o tamanho das manchetes. Além disso, a interpretação não é linear; uma mudança de 2% não é um evento duas vezes mais significativo do que uma mudança de 1%, e sim algo cerca de quatro vezes maior. A manchete do Dow mudando 1,3 ponto na minha tela hoje tem uma significação um milhão de vezes menor do que teria a forte queda de 7%, em outubro de 1997. As pessoas me perguntam: por que tenho que aprender um pouco de estatística? A resposta é: gente demais lê as explicações. Não podemos, instintivamente, compreender o aspecto não linear da probabilidade.

Filtrando métodos

Os engenheiros têm métodos para excluir o ruído do sinal nos dados. Será que alguma vez já ocorreu a você, enquanto fala com seu primo na Austrália ou no Polo Sul, que a estática na linha telefônica poderia ser isolada da voz da pessoa com quem está falando? O método é considerar que, quando uma mudança de amplitude é pequena, é mais provável que seja ruído — com essa probabilidade sendo um sinal que cresce exponencialmente quando a magnitude cresce. Esse método é chamado de alisamento do núcleo, e aparece nas figuras 11.1 e 11.2. Contudo, nosso sistema auditivo é incapaz de realizar essa função sozinho. De maneira parecida, nosso cérebro não pode ver a diferença entre uma mudança significativa de preço e mero ruído, em particular quando a mudança vem acompanhada de ruído jornalístico não alisado.

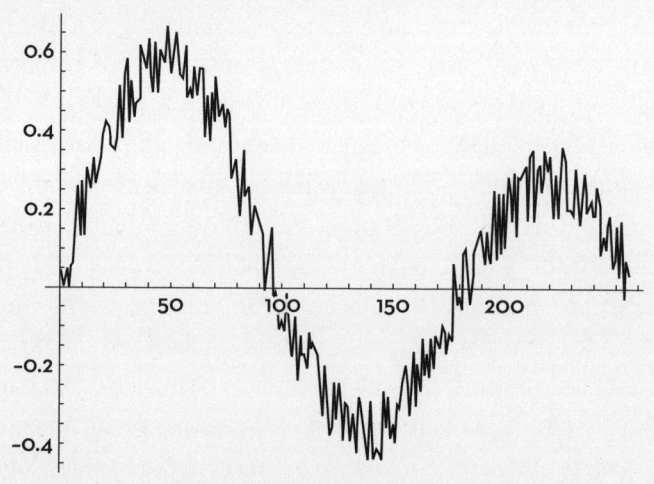

Figura 11.1   Dados não filtrados contendo sinal e ruído

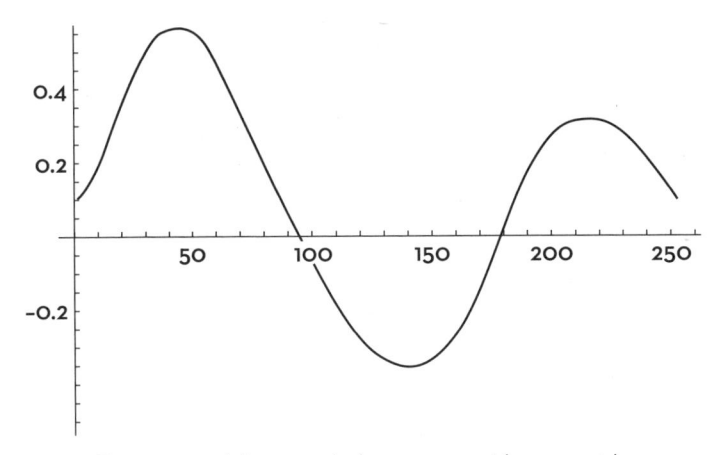

Figura 11.2   Mesmos dados com o ruído removido

Não compreendemos os níveis de confiança

Os profissionais esquecem a seguinte realidade: a estimativa ou a previsão não interessam tanto quanto o grau de confiança na opinião. Considere que você vai sair para uma viagem numa manhã de outono e precisa ter uma ideia das condições climáticas antes de fazer as malas. Se espera uma temperatura de 16°C, com variação de mais ou menos 6°C (digamos, no Arizona), não levaria roupas próprias para a neve nem um ventilador elétrico portátil. Agora, e se você está indo para Chicago, onde lhe dizem que a temperatura, embora seja de 16°C, variará em cerca de 16°C? Você teria que colocar na mala roupas de verão e de inverno. Aqui a expectativa da temperatura tem pouca importância no que diz respeito à escolha das roupas: é a variação que interessa. Sua mala vai ser bem diferente agora, quando lhe dizem que a variabilidade está em torno de 16°C. Mas vamos levar a discussão um pouco adiante: e se você estivesse indo para um planeta onde a expectativa também fica em torno de 16°C, mas a variação é de 240°C? Que tipo de roupa você levaria?

Dá para ver que a minha atividade no mercado depende muito menos de para onde acho que o mercado está indo do que do grau de erro que me permito cometer em torno de um nível de confiança assim.

Uma admissão

Vamos fechar este capítulo com a seguinte informação: eu me considero tão propenso a cometer tolices quanto qualquer outra pessoa que conheço, apesar da minha profissão e do tempo que gastei para me tornar um especialista no assunto. Contudo, aqui está a exceção: sei que sou muito, muito fraco a esse respeito. Minha humanidade tentará me derrotar, portanto tenho de manter a guarda. Nasci para ser iludido pelo acaso. Isso será explorado na Parte III.

Parte III

Cera nos ouvidos — Vivendo com acasonite

Odisseu, o herói homérico, tinha a reputação de usar a astúcia para vencer adversários mais fortes. Descobri que o mais espetacular uso dessa astúcia é contra um adversário específico: você mesmo.

No livro 12 da Odisseia, o herói encontra as sereias numa ilha não muito longe dos rochedos de Caríbdis e Cila. O canto das sereias é conhecido por fazer os marinheiros enlouquecerem, levando-os, irresistivelmente, para o mar ao largo do litoral onde elas habitavam e fazendo-os perecer. A indescritível beleza do canto das sereias contrasta com os cadáveres deformados dos marinheiros perdidos na área em volta delas. Odisseu, prevenido por Circe, bola o seguinte estratagema: ele enche os ouvidos de seus homens de cera, a ponto de ficarem totalmente surdos, e faz com que o amarrem ao mastro, com instruções estritas para não o soltar. Seu navio se aproxima da ilha das sereias, mas o mar continua calmo. Por cima das águas vem o som de uma música tão maravilhosa que Odisseu luta para se libertar, gastando uma quantidade de energia inominável tentando se soltar. Seus homens o amarram ainda mais, até que estejam a uma distância segura dos sons envenenados.

A primeira lição que tiro da história é para nem tentar imitar Odisseu. Ele é um personagem mitológico, o que eu não sou. Ele pode ser amarrado ao mastro; a única coisa que posso almejar é estar na situação de um marinheiro que precisa ter seus ouvidos preenchidos com cera.

Não sou tão inteligente

A epifania que tive na minha carreira em relação ao acaso veio quando compreendi que não era inteligente o bastante, nem forte o bastante, para tentar lutar contra as emoções. Além do mais, acredito que preciso delas para formular minhas ideias e conseguir energia para executá-las.

Sou inteligente o bastante apenas para compreender que tenho uma predisposição a ser enganado pelo acaso — e para aceitar o fato de que sou bastante emotivo. Sou dominado por minhas emoções — mas, como esteta, fico feliz com isso. Sou como qualquer um dos personagens que ridicularizei neste livro. E não apenas semelhante a eles, mas talvez pior, porque pode haver uma correlação negativa entre crença e comportamento (lembre-se de Popper). A diferença entre mim mesmo e aqueles a quem ridicularizo é que tento ter consciência do que faço. Não importa quanto tempo estude e tente compreender a probabilidade, minhas emoções reagirão a um conjunto diferente de cálculos que meus genes, desprovidos de inteligência, querem que eu controle. Se meu cérebro pode distinguir entre ruído e sinal, meu coração não pode.

Esse comportamento não inteligente não inclui a probabilidade e o acaso. Não acho que eu seja razoável o bastante para não ficar com raiva de um motorista mal-educado que buzina para mim por eu ter demorado um nanossegundo a mais para sair depois que o sinal ficou verde. Tenho plena consciência de que uma raiva assim é autodestrutiva e não traz benefício, e que se eu fosse me enfurecer com qualquer idiota à minha volta que fizesse algo do tipo estaria morto há muito. Essas pequenas emoções diárias não são racionais, mas precisamos delas para funcionar adequadamente. Somos projetados para reagir à hostilidade com hostilidade. Já tenho bastante inimigos para dar tempero à vida, mas às vezes queria ter mais (raras vezes vou ao cinema e preciso de diversão). A vida seria insuportavelmente insípida se não tivéssemos inimigos com quem gastar nossos esforços e energia.

A boa notícia é que há truques. Um deles é evitar contato visual (por meio do espelho retrovisor) com outras pessoas nesses encontros no meio do tráfego. Tento imaginar que a outra pessoa é um marciano, e não um ser humano. Às vezes funciona, mas é ainda melhor quando a pessoa parece pertencer a uma espécie diferente. Como? Sou um ciclista de estrada viciado. Há pouco tempo, quando pedalava com outros ciclistas, retardando o tráfego em uma zona rural, uma mulher pequena num utilitário gigantesco abriu a janela e praguejou contra nós. Aquilo não apenas não me perturbou como nem cheguei a interromper meus pensamentos para prestar atenção. Quando estou na minha bicicleta, as pessoas em caminhões grandes se tornam uma variedade de animais perigosos, capaz de me ameaçar, mas incapaz de me deixar com raiva.

Tenho, como qualquer pessoa com opiniões fortes, uma coleção de críticos entre os economistas e acadêmicos da área das finanças, que se aborrecem com meus ataques ao mau uso que fazem da probabilidade e ficam descontentes com o fato de que eu os chamo de pseudocientistas. Sou incapaz de controlar minhas emoções quando leio seus comentários. O melhor que faço é simplesmente não os ler. O mesmo com os jornalistas. Não ler suas discussões sobre mercado me poupa de muito desgaste emocional. Farei o mesmo com as resenhas deste livro. Cera nos ouvidos.

A RÉGUA DE WITTGENSTEIN

Qual é o mecanismo que deveria convencer autores a evitar ler críticas a seu trabalho, exceto aquelas que eles próprios solicitam de pessoas específicas por quem têm um respeito intelectual? O mecanismo é um método probabilístico chamado de informação condicional: a menos que a fonte da afirmação seja altamente qualificada, a afirmação será mais reveladora do autor do que a informação pretendida por ele. Isso se aplica, claro, a questões de julgamento. Uma resenha de livro, boa ou ruim, pode ser muito mais descritiva do resenhista do que informativa do próprio livro. Também chamo esse mecanismo de régua de Wittgenstein: a menos que tenha certeza de sua confiança na régua, daria no mesmo usar uma régua para medir uma mesa ou usar uma mesa para medir uma régua. Quanto menos certeza se tem da confiança na régua, mais informações se tem sobre a régua e menos sobre a mesa. Esse ponto se estende para muito além da informação e da probabilidade. Essa condicionalidade da informação é central na epistemologia, na probabilidade e mesmo nos estudos da consciência. Veremos outros desdobramentos disso nos problemas "dez sigma".

Esse ponto tem implicações práticas. O comentário de um leitor anônimo na Amazon está relacionado a ele mesmo, enquanto o comentário de uma pessoa qualificada trata do livro. O mesmo vale no tribunal, e vamos usar o caso O. J. Simpson como exemplo de novo. Um dos membros do júri disse: "Não havia sangue o bastante" (para avaliar a evidência estatística do que havia sido oferecido). Essa afirmação revela muito pouco sobre a evidência estatística em relação ao que mostra sobre a habilidade de quem veio de fazer uma inferência válida. Se o membro do júri fosse um especialista forense, a proporção de informações tenderia ao lado oposto.

O problema é que, embora tal raciocínio seja central ao pensamento e o cérebro saiba disso, o coração não sabe. O sistema emocional não compreende a régua de Wittgenstein. Posso oferecer a seguinte evidência: um elogio é sempre agradável, não importa de quem venha — algo que os manipuladores sabem muito bem. O mesmo ocorre com críticas de livros ou comentários sobre uma estratégia de gerenciamento de riscos.

O COMANDO MUDO DA ODISSEIA

Lembre-se de que o feito de que mais me orgulho é minha alienação em relação à televisão e aos noticiários. Atualmente me consome mais energia ver televisão do que realizar qualquer outra atividade, como, digamos, escrever este livro. Mas isso não se consegue sem truques. Eu não escaparia à toxicidade da era da informação sem eles. Na sala de corretagem da minha empresa, há uma televisão ligada o dia todo no canal de notícias financeiras CNBC, em que comentarista após comentarista, diretor-executivo após diretor-executivo assassinam o rigor o dia inteiro. Qual é o truque? Deixo o aparelho completamente sem som. Por quê? Porque assim a pessoa que fala parece ridícula, num efeito oposto a de quando o som está ligado. Vê-se uma pessoa movendo os lábios e contorcendo os músculos do rosto, emprestando seriedade à própria figura sem que saia qualquer som. Ficamos visualmente, mas não auditivamente, intimidados, o que causa a dissonância. O rosto de quem fala expressa entusiasmo, mas, como não sai som algum, a impressão é exatamente oposta. Esse é o tipo de contraste que o filósofo Henri Bergson tinha em mente em *O riso: Ensaio sobre a significação da comicidade*, com sua famosa descrição da brecha existente entre a seriedade de um cavalheiro prestes a pisar numa casca de banana e o aspecto cômico da situação. Os figurões da televisão perdem seu efeito intimidador, chegando a parecer ridículos. Parece que ficam entusiasmados acerca de algo terrivelmente desimportante. De repente, transformam-se em palhaços, razão pela qual Graham Greene recusava-se a aparecer na televisão.

Tive essa ideia de tirar o som quando, durante uma viagem, ouvi (embora sofrendo com os efeitos brutais da diferença de fuso horário) um discurso em cantonês, língua que não compreendo, sem o benefício da tradução. Como eu não tinha nenhuma pista sobre o assunto, o animado orador perdeu uma boa parte de sua dignidade. Veio-me a ideia de que talvez eu pudesse usar uma inclinação genética, no caso, meu preconceito, para anular outra inclinação genética: nossa predisposição a levar a sério informações. Parece que funciona.

Esta parte, a conclusão do livro, apresenta o aspecto humano de lidar com a incerteza. Pessoalmente, tenho fracassado em conseguir um isolamento geral do acaso, mas inventei alguns truques.

12. Tiques de jogador e pombos numa caixa

INGLÊS DE MOTORISTA DE TÁXI E CAUSALIDADE

Primeiro, uma retrospectiva rápida dos meus primeiros dias como trader em Nova York. No início da carreira, trabalhei no Crédit Suisse First Boston, então estabelecido no meio do quarteirão entre as ruas 52 e 53, entre a Madison e a Park Avenue. O banco era considerado uma firma de Wall Street, apesar de sua localização no meio da ilha de Manhattan — eu costumava me vangloriar de trabalhar "em Wall Street", embora tivesse a sorte de só pisar duas vezes na rua física, uma das áreas mais repulsivas que já visitei a leste de Newark, Nova Jersey.

Então, já na casa dos vinte anos, eu morava num apartamento atulhado de livros (e quase mais nada), na costa leste da ilha de Manhattan, mais para o norte. A pobreza de móveis não era ideológica, era simplesmente porque nunca consegui entrar numa loja de móveis, pois acabava parando numa livraria no caminho e saía com sacolas cheias de livros, em vez de móveis. Como pode-se esperar, a cozinha era desprovida de qualquer forma de comida e utensílios, salvo por uma máquina de café com defeito. Só aprendi a cozinhar muito recentemente, e mesmo assim...

Eu ia trabalhar toda manhã num táxi que me deixava na esquina da Park Avenue com a rua 53. Os motoristas de táxi da cidade de Nova York são conhecidos por sua falta de educação e de conhecimento da geografia do lugar, mas, de vez em quando, pode-se encontrar um que também seja cético em relação à universalidade das leis da aritmética. Um dia tive a infelicidade (ou a sorte, como veremos) de pegar um motorista que não parecia dominar qualquer língua conhecida por mim, que inclui o inglês falado nos táxis. Tentei ajudá-lo a se situar entre a rua 74 e a 53, mas ele teimosamente continuou a jornada por mais um quarteirão ao sul, me forçando a usar uma entrada da rua 52. Naquele dia, minha carteira de trader me trouxe lucros consideráveis, devido a um grande tumulto nas moedas; foi, até então, o melhor dia da minha jovem carreira.

No dia seguinte, como de costume, chamei um táxi na esquina da rua 74 com a Terceira Avenida. O motorista anterior não estava à vista em nenhum lugar, talvez porque tivesse sido mandado de volta a seu país. Foi uma pena, pois eu estava tomado pelo inexplicável desejo de recompensá-lo pelo favor que me havia feito e pretendia surpreendê-lo com uma gigantesca gorjeta. Peguei-me instruindo o novo motorista a levar-me para a esquina nordeste da rua 52 com a Park Avenue, exatamente onde eu saltara na véspera. Fiquei chocado com minhas próprias palavras... mas já era tarde.

Quando olhei para meu reflexo no espelho do elevador, percebi que usava a mesma gravata que na véspera — com as manchas de café da confusão da véspera (meu único vício é café). Havia alguém em mim que acreditava num forte elo causal entre meu uso da entrada, minha escolha da gravata e o comportamento do mercado na véspera. Fiquei perturbado por ter agido como uma falsificação de mim mesmo, como um ator que assume um papel que não é dele. Senti que era um impostor. Por um lado, falava como alguém com profundos padrões científicos, um probabilista imbuído de sua profissão. Por outro lado, nutria superstições íntimas, exatamente como um dos traders tipo operário do pregão. Será que meu próximo passo seria ler o horóscopo?

Forçar um pouco a memória revelou que minha vida até então tinha sido governada por suaves superstições. Eu, o especialista em opções, frio calculador de probabilidades, trader racional! Não era a primeira vez que eu agia baseado em leves superstições, de natureza inofensiva, que, acredito, foram-me inculcadas pelas raízes mediterrâneas orientais: não se tira o saleiro da mão de outra pessoa, ou ele cai; deve-se bater na madeira ao se receber um elogio. Eu tinha adotado essas convicções com uma mistura flutuante de solenidade e desconfiança, como muitas outras crenças do Levante, transmitidas por dezenas de séculos. Consideramos essas coisas mais rituais do que ações realmente importantes, destinadas a afastar os golpes indesejáveis da deusa Fortuna (superstições podem instilar um pouco de poesia na vida diária).

O preocupante foi que aquela era a primeira vez que percebi superstições se intrometendo na minha vida profissional. Minha profissão era agir como uma companhia de seguros, calculando com exatidão as probabilidades com base em métodos bem definidos e obtendo lucros porque outras pessoas são menos rigorosas, ficando cegas por causa de alguma "análise" ou agindo com a crença de que foram escolhidas pelo destino. Havia acaso demais inundando meu trabalho.

Detectei a rápida acumulação do que é chamado "tiques de jogador" se desenvolvendo sub-repticiamente em mim — embora diminutos e dificilmente detectáveis. Até então os pequenos tiques tinham me passado despercebidos. Minha mente parecia estar constantemente tentando detectar uma conexão estatística entre certas expressões do meu rosto e o resultado dos acontecimentos. Por exemplo, minha renda começou a crescer depois que descobri uma ligeira miopia e comecei a usar óculos. Embora eles não fossem muito necessários exceto para dirigir à noite, eu os mantinha no nariz enquanto realizava ações inconscientes, como se acreditasse na associação entre desempenho e óculos. Para meu cérebro, essa associação estatística era tão espúria quanto podia ser, devido ao reduzido tamanho da amostra; contudo, esse instinto estatístico nato não parecia tirar proveito dos meus conhecimentos especializados no teste de hipóteses.

Sabe-se que os jogadores desenvolvem certas distorções comportamentais por uma associação patológica entre o resultado de uma aposta e um movimento físico. "Jogador" é um termo quase depreciativo na minha profissão de trader de derivativos. Como um aparte, o jogo para mim é mais bem definido como uma atividade em que o agente tem uma forte emoção quando se defronta com um resultado aleatório, independentemente de as probabilidades estarem contra ou a favor dele. Até mesmo quando as chances estão claramente contra o jogador, ele às vezes as transcende, acreditando que o destino de certa forma o selecionou. Isso é perceptível no fato de encontrarmos pessoas muito sofisticadas nos cassinos, onde normalmente não deveriam ser encontradas. Cheguei a encontrar especialistas em probabilidade, de gabarito mundial, que têm o hábito de jogar e atiram ao vento todo o seu conhecimento. Por exemplo, um ex-colega, uma das pessoas mais inteligentes que já conheci, ia frequentemente a Las Vegas, e parecia ser tão importante ali que o cassino lhe providenciava, como cortesia, suítes luxuosas e transporte. Ele chegava a consultar um adivinho antes de se envolver em fortes negociações, e pedia reembolso à firma.

O EXPERIMENTO DO POMBO DE SKINNER

Aos 25 anos, eu era totalmente ignorante no que toca às ciências do comportamento. Fora levado, por educação e cultura, a acreditar que *minhas superstições eram culturais* e que, consequentemente, seriam descartadas por meio do exercício da razão. Levadas ao nível geral da sociedade, a vida moderna ia eliminá-las, e a ciência e a lógica iam se impor. Mas, enquanto me esforçava ao máximo para me tornar mais sofisticado do ponto de vista intelectual, as comportas do acaso se abriam, e eu ficava cada vez mais supersticioso.

As superstições deviam ser biológicas, mas eu fui criado numa época em que o dogma era culpar a educação pelas superstições, raramente a natureza. É claro que não havia nada cultural na ligação que estabeleci entre o fato de usar óculos e o resultado aleatório do mercado. Não havia nada cultural no elo que estabeleci entre o uso da entrada lateral e meu desempenho como trader. Não havia nada cultural em usar a mesma gravata da véspera. Alguma coisa não se desenvolveu adequadamente durante os últimos milhares de anos, e eu lidava com o remanescente de nosso velho cérebro.

Para ir mais a fundo nesse ponto, precisamos olhar para formações tais como as associações causais nas formas inferiores da vida. O famoso psicólogo de Harvard B. F. Skinner construiu uma caixa para ratos e pombos, equipada com uma chave, que o pombo podia acionar batendo com o bico. Isso fazia com que um mecanismo elétrico colocasse alimento na caixa. Skinner projetou a caixa a fim de estudar as propriedades mais gerais do comportamento de diversos não humanos, mas em 1948 que ele teve a brilhante ideia de ignorar a alavanca e focar sua atenção na entrega da comida, programando o mecanismo para entregar alimento aleatoriamente para os pássaros famintos.

Skinner viu que os pássaros apresentavam um comportamento surpreendente: eles desenvolveram um comportamento do tipo "dança da chuva" extremamente sofisticado em resposta ao mecanismo estatístico gravado em seu cérebro. Um pássaro balançava a cabeça de forma rítmica contra determinado canto da caixa, outros giravam a cabeça no sentido anti-horário; literalmente, todos os pássaros desenvolveram um ritual específico, que foi progressivamente gravado em suas mentes, ligado ao programa da alimentação.

Esse problema tem uma extensão mais preocupante: não fomos feitos para ver as coisas como independentes umas das outras. Ao ver dois eventos, A e B, é difícil não presumir que A causa B, B causa A ou ambos se causam. Nossa tendência é estabelecer, imediatamente, um elo causal. Embora para um trader ainda de fraldas signifique prejuízos pouco maiores do que uns poucos centavos na tarifa do táxi, isso pode levar cientistas a conclusões estapafúrdias. É mais difícil agir como se fôssemos ignorantes do que como se fôssemos espertos; cientistas sabem que é emocionalmente mais difícil rejeitar uma hipótese do que aceitá-la (o que é chamado de erro tipo I e erro tipo II) — assunto bastante espinhoso quando temos provérbios do tipo *felix qui potuit cognoscere causas* (feliz é aquele que compreende o que está por trás das coisas). É muito difícil simplesmente nos calarmos. Não fomos talhados para isso. Popper ou não, levamos as coisas a sério demais.

FILÓSTRATO REVISITADO

Não tenho nenhuma solução para o problema da inferência estatística de baixa resolução. Discuti no capítulo 3 a diferença técnica entre ruído e significado — mas já é hora de discutir a execução. O filósofo grego Pirro, que advogava uma vida de equanimidade e indiferença, foi criticado por não ter mantido sua compostura numa circunstância crítica (quando perseguido por um boi). Sua resposta foi que, às vezes, ele achava difícil se livrar de sua humanidade. Se Pirro não pode deixar de ser humano, não vejo por que o restante de nós deveria parecer um homem racional, que age perfeitamente, em face da incerteza, como propõe a teoria econômica. Descobri que grande parte dos resultados obtidos racionalmente pelo uso do cálculo das diversas probabilidades não ficaram gravados profundamente a ponto de ter impacto na minha conduta. Em outras palavras, agi como o médico do capítulo 11, que conhecia a probabilidade de 2% da doença, mas, de alguma forma, involuntariamente, tratou o paciente como se o mal tivesse uma probabilidade de 95% de estar presente. Meu cérebro e meu instinto não agiram em harmonia.

Os detalhes são os seguintes. Como trader racional (o que todos os traders se vangloriam que são), acredito ter discutido anteriormente que há uma diferença entre ruído e sinal, e que o ruído deve ser ignorado, enquanto o sinal precisa ser levado a sério. Uso métodos elementares (mas robustos) que me permitem calcular o ruído esperado e a composição do sinal em qualquer flutuação do meu desempenho como trader. Por exemplo, depois de registrar um lucro de 100 mil em determinada estratégia, posso calcular uma probabilidade de 2% de que a hipótese dessa estratégia seja lucrativa e de 98% de que a hipótese do desempenho daí resultante seja simplesmente ruído. Um ganho de 1 milhão de dólares, no entanto, certifica que a estratégia é lucrativa, com 99% de probabilidade. Uma pessoa racional agiria de acordo com a seleção de estratégias e colocaria suas emoções em concordância com seus resultados. Contudo, tenho experimentado saltos de alegria com resultados que eu sabia que eram meros ruídos, e mergulhos de infelicidade com resultados que não possuíam o menor grau de significância estatística. Não posso evitar isso, mas sou um ser emocional e tiro grande parte de minha energia das emoções. Portanto, a solução não está em domar o coração.

Como meu coração parece não concordar com meu cérebro, preciso agir com seriedade a fim de evitar tomar decisões irracionais na área de trading, isto é, nego a mim mesmo acesso à minha ficha de desempenho, a menos que ela alcance determinado limiar. Isso não é diferente do divórcio entre meu cérebro e meu apetite quando se trata do consumo de chocolate. Geralmente lido com isto certificando-me de que não haja uma caixa de bombons na minha gaveta.

Uma das mais irritantes conversas em que me envolvo ultimamente é com gente que me doutrina sobre *como eu deveria proceder*. A maioria de nós sabe muito bem *como* deveria proceder. O problema é a execução, não a falta de conhecimento. Estou cansado de receber lições de moral de gente de raciocínio lento, que fica me bombardeando com lugares-comuns, dizendo que eu deveria passar fio dental todo dia, comer mais maçã e ir à academia. Nos mercados, a recomendação seria ignorar o componente ruído no desempenho. Precisamos de truques para isso, mas antes precisamos aceitar o fato de que somos meros animais necessitando de formas mais simples deles, e não de sermões.

Finalmente, eu me considero um cara sortudo por não ser viciado em cigarro. Isso porque o melhor meio de compreender como podemos ser racionais na percepção dos riscos e probabilidades, e ao mesmo tempo ser tolos no momento de agir a respeito deles, é ter uma conversa com um fumante. Poucos deles desconhecem que o câncer de pulmão atinge um em cada três dessa população. Se você ainda não está convencido, dê uma olhada na multidão de fumantes que se comprime fora da entrada de serviço do Memorial-Sloan Kettering Cancer Center, na cidade de Nova York. Você verá dezenas de enfermeiras que tratam pacientes de câncer (e talvez médicos) de pé, do lado de fora, com um cigarro na mão, enquanto pacientes desenganados entram em cadeiras de rodas para seu tratamento.

13. Carnéades chega a Roma: sobre probabilidade e ceticismo

Peça a um matemático para definir probabilidade; provavelmente ele vai lhe mostrar como calculá-la. Como vimos no capítulo 3, probabilidade não é uma questão de chances, mas da crença na existência de um resultado, uma causa ou um motivo alternativo. Lembre-se de que a matemática é uma ferramenta de reflexão, não de cálculo. Aqui, de novo, vamos voltar aos antigos à procura de orientação, pois as probabilidades nunca foram consideradas nada além de uma subjetiva e fluida medida de crenças por eles.

CARNÉADES CHEGA A ROMA

Por volta de 155 a.C., chegou a Roma o filósofo grego pós-clássico Carnéades de Cirene, como um dos três embaixadores atenienses que pretendiam implorar um favor político ao Senado romano. Havia sido aplicada uma multa contra os cidadãos de sua cidade, e eles queriam convencer Roma de que a punição era injusta. Carnéades representava a Academia, a mesma instituição de discussões ao ar livre onde, três séculos antes, Sócrates levara seus interlocutores a assassiná-lo somente para se livrar de seus argumentos. A instituição chamava-se agora Nova Academia. Não era menos argumentativa e tinha a reputação de ser o ninho de ceticismo do mundo antigo.

No dia previsto para o discurso, que era aguardado com ansiedade, Carnéades se levantou e fez uma arenga, com brilhante argumentação, elogiando a justiça e defendendo que ela deveria ser uma de nossas principais motivações. O público romano ficou fascinado, e não apenas pelo carisma do orador; a força dos argumentos, a eloquência do pensamento, a pureza da linguagem e a energia do grego haviam tocado a todos. Mas não era aquilo que ele queria enfatizar.

No dia seguinte, Carnéades voltou, levantou-se e estabeleceu a doutrina da incerteza do conhecimento do modo mais convincente possível. Como? Lançando-se à contradição e à refutação com argumentos não menos fortes do que os que havia usado de maneira tão convincente na véspera. Ele conseguiu persuadir aquele mesmo público, e no mesmo lugar, que o papel da justiça, na lista das motivações dos empreendimentos humanos, não deveria ser tão grande.

Agora, a má notícia. Catão, o Velho, estava no público, e não tinha se tornado mais tolerante do que havia sido quando ocupara o cargo de censor. Enraivecido, ele persuadiu o Senado a mandar os três embaixadores fazerem as malas, sob o risco de seu espírito argumentativo conspurcar o espírito da juventude da República e enfraquecer a cultura militar. (No seu tempo como censor, Catão tinha banido todos os teóricos gregos, proibindo-os de fixar residência em Roma. Ele era uma pessoa prática demais para aceitar as expansões introspectivas daqueles filósofos.)

Carnéades não foi o primeiro cético dos tempos clássicos nem foi o primeiro a nos ensinar o verdadeiro conceito da probabilidade. Mas esse incidente continua sendo o mais espetacular em termos do impacto que exerceu sobre gerações de teóricos e pensadores. Carnéades não era simplesmente um cético; era um dialético, alguém que nunca se comprometia com qualquer premissa em que se baseavam seus argumentos ou qualquer conclusão que extraía deles. Lutou toda a vida contra o dogma arrogante e a crença em uma só verdade. Poucos pensadores de crédito rivalizam com ele no seu rigoroso ceticismo (uma classe que incluiria o filósofo medieval árabe Al-Ghazali, Hume e Kant, embora somente Popper tenha elevado o ceticismo à altura de uma metodologia científica de abrangência total). Como o principal ensinamento dos céticos era que nada podia ser afirmado com certeza, era possível tirar conclusões com diversos graus de probabilidade, que forneceriam uma orientação para a conduta.

Recuando ainda mais no tempo à procura dos primeiros usos do pensamento probabilístico na história, vemos que eles remontam à Sicília grega do século

VI a.C. Lá, o conceito de probabilidade foi empregado em um arcabouço legal pelos primeiros teóricos, que, quando defendiam uma causa, precisavam mostrar a existência de uma dúvida no que tocava à certeza da acusação. O primeiro retórico conhecido foi um siracusano chamado Korax, que ensinava as pessoas a argumentar a partir de probabilidades. No cerne de seu método estava a ideia do mais *provável*. Por exemplo, a propriedade de um terreno, na ausência de mais informações e de provas físicas, deveria ser da pessoa cujo nome fosse mais reconhecido como tendo ligação com ele. Um de seus alunos indiretos, Górgias, levou seus métodos de argumentação para Atenas, onde eles floresceram. É o estabelecimento de noções como o mais *provável* que nos ensina a ver as possíveis contingências como eventos distintos e separáveis, com probabilidades ligadas a cada um deles.

Probabilidade, a filha do ceticismo

Até que a bacia do Mediterrâneo se visse dominada pelo monoteísmo, que levou à crença da singularidade da verdade (mais tarde sobrepujada por episódios de comunismo), o ceticismo tinha prevalecido entre os principais pensadores — e certamente permeava o mundo. Os romanos não possuíam uma religião *per se*; eram extremamente tolerantes em aceitar uma verdade dada e tinham uma coleção de diversas superstições flexíveis e sincréticas. Recorri ao campo da teologia apenas para dizer que tivemos que esperar uns doze séculos para que o mundo ocidental se visse de novo exposto ao pensamento crítico. Na verdade, por alguma estranha razão, durante a Idade Média os árabes eram pensadores críticos (no viés de sua tradição filosófica pós-clássica) quando o pensamento cristão era dogmático; depois da Renascença, os papéis se inverteram, misteriosamente.

Um dos autores da Antiguidade que nos fornece provas desse pensamento é o alegre Cícero. Ele preferia ser guiado pela probabilidade a asseverar com certeza — grande esperteza, dizem alguns, porque isso lhe permitia contradizer a si próprio. Talvez tenha sido essa a razão pela qual nós, que aprendemos com Popper a fazer uma autocrítica, respeitamos Cícero mais do que seus contemporâneos, pois ele não se apegava teimosamente a uma opinião pelo simples fato de tê-la abraçado no passado. Na verdade, o professor de literatura médio criticaria o pensador por suas contradições e mudanças de opinião.

Foi apenas nos tempos modernos que emergiu o desejo de ficar livre de nossas declarações passadas. Em lugar nenhum isso ficou mais eloquente do que nas pichações de estudantes em Paris. O movimento de estudantes que ocorreu na França em 1968, com a juventude sufocada, sem dúvida, pelo peso de anos tendo que parecer inteligente e coerente, produziu, entre outras joias, o seguinte clamor: "Exigimos o direito de nos contradizer!".

AS OPINIÕES DE MONSIEUR DE NORPOIS

A época moderna nos dá um testemunho deprimente. A autocontradição é considerada algo culturalmente vergonhoso, que pode se provar desastroso para a ciência. O romance de Marcel Proust, *Em busca do tempo perdido*, descreve um diplomata semiaposentado, o marquês de Norpois, que, como todos os diplomatas antes do advento do fax, era um socialite que gastava um tempo considerável nos salões. O narrador do romance vê Monsieur de Norpois contradizendo-se abertamente em certo assunto (alguma escaramuça pré-guerra entre França e Alemanha). Quando cobrado quanto à sua posição anterior, Monsieur de Norpois parece não se lembrar dela. Proust o critica acerbamente:

> Monsieur de Norpois não estava mentindo. Ele apenas não se lembrava. Nos esquecemos com bastante rapidez daquilo em que não pensamos anteriormente com profundidade, do que nos foi ditado por imitação, pelas paixões que nos cercam. Essas coisas mudam, e com elas também mudam nossas lembranças. Até mesmo mais do que diplomatas, os políticos não se lembram de opiniões que defenderam em certo ponto de sua vida, e suas pequenas mentiras são mais atribuíveis a um excesso de ambição do que à falta de memória.

Monsieur de Norpois é levado a se envergonhar do fato de que havia expressado uma opinião diferente. Proust não levou em consideração que o diplomata poderia ter mudado de opinião. Espera-se que sejamos fiéis às nossas opiniões. De outra forma, tornamo-nos traidores.

Bem, eu acho que Monsieur de Norpois deveria ser trader. Um dos melhores que encontrei na minha vida, Nigel Babbage, tem a notável qualidade de ser completamente livre de qualquer dependência do caminho trilhado no que se refere a suas convicções. Ele não mostra qualquer embaraço em comprar determinada moeda por puro impulso, quando apenas horas antes poderia ter emitido uma forte opinião quanto à fraqueza futura dela. O que o fez mudar de opinião? Ele não se sente obrigado a explicá-lo.

A pessoa pública mais visivelmente dotada desse atributo é George Soros. Uma de suas forças é que ele revê sua opinião com muita rapidez, sem o menor embaraço. A historieta a seguir ilustra a capacidade de Soros de reverter sua opinião num relâmpago. O corretor playboy francês Jean-Manuel Rozan discute o seguinte episódio em sua "autobiografia" (disfarçada de romance, a fim de evitar ações judiciais). O protagonista (Rozan) costumava jogar tênis nos Hamptons, Long Island, com Georgi Saulos, "um velho com sotaque engraçado", e às vezes entrava em discussões sobre o mercado, não sabendo, inicialmente, como Saulos era importante e influente. Um fim de semana, Saulos mostrou, na discussão, uma grande inclinação a achar que o mercado estava para venda, com uma série de complicados argumentos que o narrador não pôde acompanhar, pois estava, obviamente, desligado do mercado. Poucos dias depois, o mercado reagiu violentamente, atingindo altas recordes. O protagonista, preocupado com Saulos, perguntou-lhe, no encontro de tênis subsequente, se ele tinha se dado mal. "Arrebentamos", disse Saulos. "Mudei de ideia. Compramos e fomos em frente toda vida."

Foi essa mesma característica que, alguns anos mais tarde, atingiu Rozan negativamente e quase lhe custou a carreira. Soros deu a ele, no final da década de 1980, 20 milhões de dólares (soma considerável, na época) para que especulasse, o que lhe permitiu começar uma empresa de trading (eu mesmo quase fui atraído para o empreendimento). Poucos dias depois, quando Soros estava em Paris, eles discutiram os mercados na hora do almoço. Rozan viu que Soros parecia mais distante. Sem dar explicações, Soros retirou seu dinheiro integralmente. O que diferencia verdadeiros especuladores, como Soros, do restante é que suas atividades estão despidas da dependência do caminho. São totalmente independentes de suas ações passadas. Cada dia começa com o quadro todo branco.

Dependência das crenças em relação ao caminho percorrido

Há um teste simples para se definir dependência das crenças em relação ao caminho percorrido. Digamos que você possui um quadro que comprou por 20 mil dólares e, devido às condições róseas do mercado de arte, a pintura agora vale 40 mil. Se não possuísse esse quadro, optaria por adquiri-lo pelo preço atual? Se a resposta for não, então se pode dizer que você é casado com sua posição. Não há razão para manter um quadro que não compraria pelo preço atual do mercado — seria apenas um investimento emocional. Muita gente fica casado com suas ideias até a sepultura. Diz-se que as crenças são dependentes do caminho se a sequência de ideias é tal que a história passada prevalece.

Há motivos para se acreditar que, devido a objetivos evolutivos, podemos ser programados para estabelecer uma lealdade a ideias nas quais investimos tempo. Pense nas consequências de ser um bom trader em outras áreas, tendo de decidir, toda manhã às oito, se você vai manter sua esposa ou se não é melhor separar-se dela e procurar um investimento emocional melhor em outro lugar. Ou pense num político que é tão racional que, durante a campanha, muda de opinião sobre determinado assunto por causa de novas evidências e troca de partido abruptamente. Isso tornaria investidores racionais, que avaliam as negociações de maneira adequada, um fenômeno genético — talvez uma mutação rara. Pesquisadores médicos descobriram que o comportamento puramente racional por parte de humanos é um sinal de um defeito na amígdala, e que o sujeito é, literalmente, um psicopata. Será que Soros tem um defeito genético que o torna racional quando se trata de tomar decisões?

Essa característica de ausência de casamento com ideias é, na realidade, uma coisa rara entre os humanos. Exatamente como fazemos com as crianças, apoiando-as até que sejam capazes de propagar nossos genes, porque fizemos nelas um forte investimento em alimento e tempo, o mesmo acontece em relação às ideias. Um acadêmico que ficou famoso por esposar uma opinião não vai, com toda a certeza, emitir qualquer declaração que possa tirar o valor de seu trabalho anterior, matando assim anos de investimento. Pessoas que mudam de partido tornam-se traidoras, renegadas, ou pior, apóstatas (aqueles que abandonavam sua religião eram punidos com a morte).

CALCULAR EM VEZ DE PENSAR

Tenho outra história de probabilidade a contar além daquela envolvendo Carnéades e Cícero. A probabilidade entrou na matemática com a teoria dos jogos e ficou lá como mero artifício computacional. Recentemente, apareceu toda uma indústria de "medidores de riscos", especializados na aplicação dos métodos probabilísticos a fim de calcular os riscos nas ciências sociais. É claro que as chances nos jogos, onde as regras são definidas clara e explicitamente, podem ser calculadas, de modo que os riscos também podem ser medidos. Contudo, isso não acontece no mundo real, uma vez que não fomos brindados com regras claras. O jogo não é um baralho (nem mesmo sabemos quantos naipes há). Mas, de alguma forma, as pessoas "medem" os riscos, particularmente se são pagas para fazer isso. Já discuti o problema da indução de Hume e a ocorrência dos cisnes negros. Agora vou apresentar os criminosos científicos.

Lembre-se de que há muito venho combatendo o charlatanismo de proeminentes economistas financeiros. As teses são as seguintes. Certo Harry Markowitz recebeu algo chamado Prêmio de Ciências Econômicas em Memória de Alfred Nobel (o qual não é nem mesmo o Prêmio Nobel, só é concedido pelo Banco Central da Suécia em homenagem a Alfred Nobel, embora não tivesse figurado em seu testamento). Por qual feito? Ter criado um complicado método de calcular o risco futuro a partir da incerteza futura; em outras palavras, se os mercados tivessem regras claramente definidas, do tipo que se encontra no manual do jogo de Banco Imobiliário. Bem, eu expliquei a tese a um motorista de táxi, que riu do fato de alguém ter pensado que havia um meio científico de compreender os mercados e prever suas características. De alguma forma, quando nos envolvemos com a economia financeira, devido à cultura da área, temos a tendência a esquecer esses fatos básicos (devido à pressão para publicar e manter sua posição entre os outros acadêmicos).

Um resultado imediato da teoria do dr. Markowitz foi o quase colapso do sistema financeiro no verão de 1998 (como vimos nos capítulos 1 e 5) pelo Long Term Capital Management (LTCM), um fundo baseado em Greenwich, Connecticut, que tinha como diretores dois colegas do dr. Markowitz, também "Nobels": os drs. Robert Merton (aquele que no capítulo 3 estraçalhou Shiller) e Myron Scholes. De alguma forma, eles pensaram que poderiam medir os riscos "cientificamente". Não fizeram qualquer previsão, no caso do LTCM, da possibilidade de não compreenderem os mercados e de seus métodos estarem errados. Essa hipótese não foi levada em consideração. Acontece que eu me especializei em lucrar com os cisnes negros e as rupturas do sistema, e a apostar contra economistas financeiros. De repente, comecei a ser irritantemente respeitado pelos bajuladores, com cheques vindos dos lucros no mercado. Os drs. Merton e Scholes ajudaram a colocar este humilde autor no mapa, e despertaram o interesse por suas ideias. O fato de que esses "cientistas" pronunciaram as perdas catastróficas como eventos "dez sigma" revela um problema da régua de Wittgenstein: alguém que diz que isso é um dez sigma ou (a) sabe quase à perfeição do que está falando (a primeira suposição é de que tem uma possibilidade em vários trilhões de não ser qualificado). Conhece suas probabilidades, e se trata de um evento que acontece uma vez a cada inúmeras vezes a história do universo ou (b) apenas não sabe do que está falando quando discute probabilidade (com alto grau de certeza), e se trata de um evento que tem uma probabilidade mais alta que uma a cada inúmeras vezes a história do universo. Vou deixar que o leitor escolha entre essas duas interpretações mutuamente exclusivas qual é mais plausível.

Note que as conclusões também refletem no comitê do Nobel, que santificou as ideias dos cavalheiros envolvidos. Eles cometeram um erro ou esses eventos foram incomuns? O comitê do Nobel é composto de juízes infalíveis? Onde está Charles Sanders Peirce para falar conosco sobre infalibilidade papal? Onde está Karl Popper para nos alertar contra levar a ciência — e as instituições científicas — a sério demais? Em algumas décadas, olharemos para o comitê do Nobel com o mesmo sorriso desdenhoso de quando olhávamos para as respeitadas instituições "científicas" da Idade Média que promoviam (contra todas as evidências observadas) a ideia de que o coração era a fonte de calor do corpo? Erramos algumas coisas no passado e rimos das instituições que nos antecederam; é hora de perceber que devemos parar de consagrar as atuais.

Pode-se pensar que, quando cientistas cometem um engano, eles desenvolvem uma nova ciência que incorpora o que foi aprendido com o fato. Quando os acadêmicos explodiram no trading, poderia se esperar que eles incorporassem essa informação em suas teorias e fizessem alguma declaração heroica, dizendo que estavam errados, mas que aprenderam algo sobre o mundo real. Nada disso. Em vez disso, eles se queixaram do comportamento de seus colegas no mercado, que tinham caído em cima deles como urubus, exacerbando a queda. Aceitar o que havia acontecido, como deveria ter sido feito, invalidaria as ideias que haviam construído durante toda uma carreira acadêmica. Todos os diretores que se envolveram numa discussão sobre o ocorrido participaram de uma farsa científica, apresentando explicações ad hoc e pondo a culpa num evento raro (problema da indução: como eles sabiam que era um evento raro?). Gastaram energia se defendendo, em vez de tentar ganhar uns trocados com o aprendido. De novo, eu os comparo a Soros, que sai por aí dizendo a quem tem paciência de ouvir que ele é falível. A lição que aprendi com Soros foi de iniciar toda reunião convencendo a todos de que eu e minha equipe somos um bando de idiotas que não sabem nada e têm tendência a errar, mas com o raro privilégio de sabê-lo.

O comportamento dos cientistas enquanto encaram a refutação de suas ideias foi estudado em profundidade como parte do assim chamado viés da atribuição. Você atribui seus sucessos a suas habilidades e seus fracassos ao acaso. Isso explica por que cientistas atribuem seus fracassos ao evento raro "dez sigma", indicativo da ideia de que estavam certos, mas tiveram a sorte trabalhando contra eles. Por quê? É uma heurística humana que nos faz acreditar de verdade nisso de modo a não matar nossa autoestima e fazer com que sigamos em frente apesar das adversidades.

Sabemos dessa diferença entre desempenho e autoavaliação desde 1954, quando o estudo de Meehl com especialistas comparando suas supostas habilidades e suas estatísticas saiu. Ele mostrou uma discrepância substancial entre o registro objetivo de sucesso de um indivíduo em tarefas de previsão e a crença sincera dele na qualidade de seu desempenho. O viés da atribuição tem outro efeito: dá às pessoas a ilusão de serem melhores no que fazem, o que explica a descoberta de que de 80% a 90% das pessoas acredita que estão acima da média (e da mediana) em muitas coisas.

DE FUNERAL A FUNERAL

Vou concluir com uma triste observação sobre pesquisadores das ciências humanas. As pessoas confundem ciência com cientistas. A ciência é grande, mas os cientistas, individualmente, são perigosos. Eles são humanos, e são prejudicados pelas predisposições que os humanos têm. Talvez até mais, porque a maioria dos cientistas é cabeça-dura, de outra forma não teria a paciência e a energia de realizar as tarefas hercúleas que lhe são exigidas, como passar dezoito horas por dia aperfeiçoando sua tese de doutorado.

Um cientista pode ser forçado a agir como um advogado de terceira classe em vez de como um pesquisador da verdade. Uma tese de doutorado é "defendida" por quem aspira ao título de doutor; seria uma situação rara ver o estudante mudar de ideia depois de receber razões convincentes. Mas a ciência é melhor que os cientistas. Diz-se que ela progride de funeral a funeral. Depois do colapso do LTCM, surgirá um novo economista financeiro que integrará aquele conhecimento à sua ciência. Ele sofrerá a resistência dos mais antigos, mas, de novo, eles estarão muito mais perto da data de seu próprio funeral do que ele.

14. Baco abandona Antônio

Quando o escritor francês Henry de Montherlant, um classicista aristocrático, foi informado de que estava prestes a perder a visão devido a uma doença degenerativa, ele achou que era melhor se suicidar. É um fim que convém a um classicista. Por quê? Porque o conselho dos estoicos era escolher o que podemos realmente fazer para controlar nosso destino quando deparamos com um resultado que dependa do acaso. No final, pode-se escolher entre nenhuma vida e o que o destino nos reserva; sempre temos uma opção em face da incerteza. Contudo, uma atitude assim não se limita aos estoicos; as duas seitas que competiam entre si no mundo antigo, o estoicismo e o epicurismo, recomendavam um controle desse tipo (a diferença entre as duas residindo em aspectos técnicos de menor importância — nenhuma das duas filosofias afirmava, naquela época, o que é atualmente aceito pela cultura não sofisticada).

Ser um herói não significa necessariamente realizar um ato radical, como acabar morto em batalha ou tirar a própria vida — esta última alternativa é apenas recomendada num conjunto restrito de circunstâncias, e, a não ser isso, é considerada um ato de covardia. O controle sobre o acaso pode ser expresso na maneira como se age no âmbito menor e maior. Lembre-se de que os heróis épicos eram julgados por suas ações, não por seus resultados. Não importa quão sofisticadas sejam nossas escolhas ou que controle temos sobre as probabilidades: o acaso sempre terá a última palavra. A nós resta apenas a dignidade como solução — dignidade definida como a execução de um protocolo de comportamento que não depende da circunstância imediata. Pode ser que o caminho escolhido não seja a melhor alternativa, mas certamente é a que nos faz sentir melhor. *Educação sob pressão*, por exemplo. Ou decidir não bajular alguém, seja qual for a recompensa. Ou duelar para salvar as aparências. Ou sinalizar para um parceiro em perspectiva, durante o flerte: "Olhe aqui, sou louco por você, estou obcecado por você, mas não farei nada que comprometa minha dignidade, de modo que, ao menor sinal de que me esnoba, nunca mais me verá".

Este último capítulo discutirá o acaso sob um ângulo totalmente novo: filosófico, mas não a filosofia *dura* da ciência e da epistemologia que vimos na Parte I, com o problema do cisne negro. Trata-se de um tipo de filosofia mais arcaico, mais *suave*, envolvendo as diversas linhas mestras que os antigos tinham relativas à maneira como um homem de virtude e dignidade lida com o acaso — não havia uma *religião* verdadeira na época (no sentido moderno). Vale a pena notar que, antes da propagação do que seria mais apropriado denominar monoteísmo mediterrâneo, os antigos não acreditavam o bastante em suas preces a ponto de achar que influenciavam o destino. Seu mundo era perigoso, repleto de invasões e reviravoltas da fortuna. Eles precisavam de receitas poderosas para lidar com o acaso. São essas crenças que vamos esboçar a seguir.

NOTAS SOBRE O FUNERAL DE JACKIE O.

Se um estoico nos visitasse, ia se sentir representado pelo poema abaixo. Para muitos amantes (sofisticados) da poesia, um dos maiores poetas que já viveu é K. Kaváfis. Ele foi um funcionário público grego com sobrenome turco ou árabe que escreveu há quase um século, numa combinação de grego clássico e moderno. Sua poesia enxuta parece ter tergiversado com os quinze últimos séculos da literatura ocidental. Os gregos o veneram como um monumento nacional. A maioria de seus poemas tem lugar na Síria (foram seus poemas grego-sírios que primeiro me atraíram), na Ásia Menor e em Alexandria. Muita gente acha que vale a pena aprender o grego formal, semiclássico, apenas para saborear seus poemas. De alguma forma, seu apurado esteticismo, desprovido de sentimentalismo, representa um consolo para séculos de insipidez na poesia e no drama, um consolo clássico para aqueles de nós que fomos submetidos ao melodrama valorizado pela classe média, tal como é representado pelos livros de Dickens, a poesia romântica e as óperas de Verdi.

Fiquei surpreso ao saber que Maurice Tempelsman, o último marido de Jackie Kennedy Onassis, leu *"Apoleipein o Theos Antonion"* [O deus abandona Antônio], oração fúnebre de Kaváfis, no funeral dela. O poema faz referência a Marco Antônio, que tinha acabado de perder a batalha contra Otaviano e fora abandonado por Baco, o deus que até então o tinha protegido. É um dos mais nobres poemas que já li, lindo, epítome de um esteticismo muito digno, e de um tom suave e edificante, com a voz do narrador aconselhando o homem que acabou de receber um esmagador golpe com a reviravolta de sua fortuna.

O poema se dirige a Antônio, agora derrotado e traído (de acordo com a lenda, até mesmo seu cavalo o abandonou por seu inimigo Otaviano). Pede apenas que deseje boa sorte a Alexandria, a cidade que o está abandonando. Diz-lhe para não lamentar da sorte e não passar a negar tudo, acreditando que seus ouvidos e olhos o estão traindo. Diz: Antônio, não se rebaixe com esperanças vãs. Antônio, apenas ouça, embora abalado pela emoção, mas não com o ar de quem implora e as queixas dos covardes. Ainda que abalado pela emoção. Nada de orgulho. Não há nada de errado ou indigno em se ter emoções — fomos feitos para isso. O que é errado é não seguir o caminho heroico, ou pelo menos digno. É isso que o estoicismo realmente significa. É uma tentativa do homem de acertar as contas com a probabilidade. Não quero quebrar o encanto do poema e de sua mensagem, mas não posso resistir a certo cinismo. Umas poucas décadas depois, Kaváfis, que morria de câncer na garganta, não seguiu bem seu próprio conselho. Privado da voz por seus cirurgiões, ele costumava ter surtos de choro; agarrava-se aos visitantes e não deixava que saíssem do quarto.

Que história! Eu disse que o estoicismo tinha muito pouco a ver com a ideia de nariz empinado que a crença comum lhe atribuía. Iniciada como um movimento intelectual na Antiguidade por um cipriota fenício, Zenão de Cítio, a doutrina se desenvolveu na época do domínio romano em uma vida baseada num sistema de virtudes — no sentido antigo, quando virtude significava *virtu*, o tipo de crença na qual a virtude é a própria recompensa. Surgiu então um modelo social para uma pessoa estoica, como o cavalheiro da Inglaterra vitoriana. Seus princípios podem ser resumidos da seguinte forma: o estoico é uma pessoa que combina as qualidades de sabedoria, procedimento correto e coragem. Estará, assim, imune às reviravoltas da vida, pois será superior aos ferimentos causados pelos truques sujos da vida. Mas as coisas podem ser levadas ao extremo; o severo Catão descobriu que, dentro dele, havia sentimentos humanos. Uma versão mais humana pode ser lida em *Cartas de um Estoico*, de Sêneca, um livro calmante e surpreendentemente fácil de ler, que distribuo a meus amigos traders (Sêneca também se suicidou quando acossado pelo destino).

ACASO E ELEGÂNCIA PESSOAL

O leitor já sabe minha opinião quanto a conselhos não pedidos e sermões de como proceder na vida. Lembre-se de que ideias não calam verdadeiramente a fundo quando a emoção entra em jogo; não usamos nosso cérebro racional fora das salas de aula. Livros de autoajuda (até mesmo quando não são escritos por charlatães) são, em grande parte, ineficazes. Conselho bom e esclarecido (e "amigável") e sermões eloquentes não são retidos na mente por mais do que uns poucos momentos, quando vão contra o que temos gravado ali. O interessante sobre o estoicismo é que ele se refere à dignidade e à estética pessoal que fazem parte dos nossos genes. No próximo revés que tiver, comece a enfatizar a elegância pessoal. Exiba *sapere vivere* ("saber viver") em todas as circunstâncias.

Vista seu melhor traje no dia da sua execução (barbeie-se com esmero) e tente deixar uma boa impressão junto ao pelotão de fuzilamento, permanecendo empertigado e orgulhoso. Não tente bancar a vítima quando for diagnosticado com câncer (esconda isso dos outros e só compartilhe informações com seu médico — isso evitará os chavões e que tratem você como uma vítima, digna de pena. Sua atitude digna também fará com que tanto a derrota quanto a vitória sejam igualmente heroicas). Seja extremamente cortês com seu assistente quando você perder dinheiro (em vez de culpá-lo, como fazem rotineiramente muitos traders que desprezo). Não culpe os outros por sua própria sorte, mesmo que eles mereçam isso. Nunca demonstre autocomiseração, mesmo que seu par se entusiasme com uma instrutora de esqui bonita ou um aspirante a modelo. Não se queixe. Se você sofre de uma versão benigna do "problema de atitude", como meu amigo de infância Camille Abousleiman, não comece a bancar o bonzinho caso seu negócio naufrague (ele enviou um heroico e-mail a seus colegas dizendo "menos negócios, a mesma atitude"). O único artigo que a deusa Fortuna não controla é nosso comportamento. Boa sorte.

Epílogo
Sólon avisou

Cuidado com os engarrafamentos de Londres

Poucos anos depois de termos deixado Nero olhando para John fumando um cigarro, com um pouquinho de *Schadenfreude*, seu ceticismo terminou recompensando-o. Simultaneamente ao fato de ter vencido os 28% de probabilidade e obtido uma cura completa, ele conseguiu uma série de vitórias animadoras, pessoais e profissionais. Não apenas se restabeleceu em termos de saúde como ganhou muito dinheiro quando outros figurões de Wall Street ficaram pobres, o que lhe permitiria comprar os bens que possuíam com grandes descontos, se quisesse. Mas ele comprou muito pouco, e certamente nada que gente de Wall Street em geral compra. Mas Nero de vez em quando comete seus excessos.

Nas tardes de sexta-feira, o tráfego em Londres pode ser mortal. Nero começou a passar muito tempo ali. Desenvolveu uma obsessão por engarrafamentos. Um dia ele gastou cinco horas entre seu escritório da City e um bangalô em Cotswolds, onde passava a maior parte dos fins de semana. A frustração fez com que tirasse um brevê de piloto de helicóptero em um curso relâmpago em Cambridgeshire. Nero percebera que o trem provavelmente era a solução mais fácil para sair da cidade nos fins de semana, mas teve vontade de cometer uma pequena extravagância. Outro resultado de sua frustração foi passar a ir de bicicleta todos os dias de seu apartamento em Kensington para o escritório na City.

A excessiva preocupação profissional de Nero com a probabilidade tem paralelo, de certa forma, com o tratamento que dá ao risco físico. Isso porque o helicóptero dele caiu quando aterrissava perto de Battersea Park num dia de vento. Nero estava sozinho. No final, o cisne negro o pegou.

Pós-escrito
Três adendos no chuveiro

Devido ao tema tentacular e à natureza meditativa do autor, este livro continua crescendo, como um objeto vivo. Nesta seção, acrescentarei algumas poucas reflexões que me ocorreram durante o banho e as poucas e enfadonhas palestras filosóficas a que assisti (sem querer ofender meus novos colegas no negócio do pensamento, descobri que ouvir um palestrante recitando *textualmente* suas anotações sempre me fazem sonhar acordado).

PRIMEIRO PENSAMENTO: O PROBLEMA DAS HABILIDADES INVERSAS

Quanto mais alta a escada corporativa, maior a compensação para o indivíduo. Isso pode ser justificado, já que faz sentido pagar indivíduos de acordo com suas contribuições. Contudo, e em geral (contanto que excluamos empreendedores expostos a riscos), quanto mais alta a escada corporativa, *menor* a evidência dessa contribuição. É o que eu chamo de *regra inversa*.

Chegarei a essa conclusão por mera argumentação lógica. O capítulo 2 distinguiu as habilidades que são visíveis (de um dentista, por exemplo) e aquelas que apresentam mais dificuldade em fazer sucesso, especialmente quando o sujeito exerce uma profissão carregada de aleatoriedade (uma que inclua a ocasional prática da roleta-russa, por exemplo). O grau de aleatoriedade em tal atividade e nossa capacidade de isolar a contribuição do indivíduo determinam a visibilidade do conteúdo das habilidades. Dessa forma, o cozinheiro na sede da empresa e o operário de fábrica exibirão suas habilidades diretas com incerteza mínima. Essas contribuições podem até ser modestas, mas são claramente defíniveis. Um cozinheiro profissional de gritante incompetência, que é incapaz de distinguir sal de açúcar ou tende a cozinhar a carne além do ponto, seria facilmente detectado, desde que os clientes tenham papilas gustativas funcionando. Ainda que ele acerte uma vez por pura sorte, terá dificuldade para fazê-lo uma segunda, uma terceira e uma milésima vez.

A repetitividade é fundamental para a revelação de habilidades por causa do que chamei, no capítulo 8, de *ergodicidade* — a detecção de propriedades no longo prazo, quando elas existem. Se, na sua próxima visita a Las Vegas, você torrar de uma vez só 1 milhão de dólares na roleta em uma única rodada, não será capaz de determinar a partir desse resultado isolado se a casa levou vantagem ou se você não gozava da simpatia dos deuses. Se dividir sua aposta em uma série de 1 milhão de apostas de um dólar cada, a quantia recuperada mostrará de forma sistemática a vantagem do cassino. Essa é a essência da teoria da amostragem, tradicionalmente chamada de *lei dos grandes números*.

Para avaliar a questão de outro ponto de vista, pense na diferença entre julgar *com base em processos* e julgar *com base em resultados*. Pessoas de baixo escalão na empresa são julgadas tanto por processos quanto por resultados — devido ao aspecto repetitivo dos esforços delas, seu processo converge rapidamente para resultados. Todavia, os que ocupam as diretorias executivas e os cargos administrativos mais altos são pagos apenas pelos resultados — não importa o processo. Parece não existir decisão tola se resultar em lucros. "O dinheiro fala mais alto", muitas vezes ouvimos dizer. O resto é, supostamente, filosofia.

Agora, dê uma espiada dentro da suíte executiva. Claramente, as decisões tomadas lá não são repetíveis. Presidentes e altos executivos de empresas tomam um pequeno número de grandes decisões, de forma mais parecida com a pessoa que entra no cassino com uma aposta única de 1 milhão de dólares. Fatores externos, como o meio ambiente, desempenham um papel consideravelmente maior do que no caso do cozinheiro. A ligação entre a habilidade de um CEO e os resultados da empresa é tênue. De acordo com alguns argumentos, ele pode ser um trabalhador não qualificado e não especializado, que apresenta os atributos necessários de carisma e um pacote que renda uma boa aula de MBA. Em outras palavras, ele pode ser submetido ao teorema dos macacos nas máquinas de escrever. Existem tantas empresas fazendo todo tipo de coisa que algumas delas estão fadadas a tomar "a decisão certa".

Trata-se de um problema muito antigo. Com a aceleração em nosso ambiente dos efeitos poderosos da lei "o vencedor leva tudo", essas diferenças nos resultados são mais acentuadas, mais visíveis e mais ofensivas ao senso de justiça das pessoas. Antigamente, o CEO ganhava de dez a vinte vezes o que o zelador ganhava. Hoje, seus rendimentos podem chegar a milhares de vezes esse valor.

Por motivos óbvios, excluo desta discussão os empresários: são pessoas que arriscaram o próprio pescoço por alguma ideia, correndo o risco de fazer parte do vasto cemitério daqueles que não obtiveram sucesso. Mas presidentes e CEOs de empresa não são empreendedores. Para falar a verdade, geralmente são zeros à esquerda metidos a besta. No mundo *quant*, a designação "zero à esquerda metido a besta" aplica-se à categoria de pessoas que são boas em fazer parecer que estão à altura do papel, mas nada mais. De maneira mais apropriada, o que elas têm é a habilidade de ser promovidas dentro de uma empresa em vez da pura habilidade de tomar decisões ideais — chamamos isso de "habilidade de política corporativa". São pessoas treinadas principalmente no uso de apresentações de PowerPoint.

Há uma assimetria, pois esses executivos não têm quase nada a perder. Suponha que dois gêmeos igualmente carismáticos, estilo zero à esquerda metido a besta, consigam galgar a escada corporativa e obter emprego em duas corporações diferentes. Suponha que ambos usem ternos bem cortados e vistosos, tenham MBA e sejam altos (o único fator previsor verdadeiramente visível do sucesso corporativo é ser mais alto que a média). Às escondidas, eles tiram cara ou coroa e, de modo aleatório, tomam decisões completamente opostas, que levam um ao retumbante fracasso e o outro a um extraordinário sucesso. No fim, temos um executivo moderadamente rico, mas que acaba sendo demitido, e seu irmão gêmeo podre de rico que ainda atua no mercado. O acionista correu o risco; os executivos receberam a recompensa.

O problema é tão antigo quanto a liderança. Nossa atribuição de heroísmo a aqueles que tomaram decisões tresloucadas mas tiveram a sorte de ganhar mostra essa aberração — continuamos a idolatrar aqueles que venceram batalhas e a desprezar aqueles que perderam, não importa a razão. Eu me pergunto quantos historiadores usam a sorte em sua interpretação do sucesso — ou quantos têm consciência da diferença entre processo e resultado.

Insisto que não se trata de um problema da sociedade, mas dos investidores. Se os acionistas forem suficientemente tolos para pagar 200 milhões de dólares apenas para alguém vestir um terno bonito e tocar um sino, como fizeram em 2003 com Richard Grasso, então presidente da Bolsa de Valores de Nova York, é para o dinheiro deles que estão dando adeus, não o seu nem o meu. É uma questão de governança corporativa.

A situação não é muito melhor em uma economia burocrática. Fora do sistema capitalista, o talento presumido flui para posições governamentais, em que prestígio, poder e posição social são a moeda corrente — também distribuída desproporcionalmente. As contribuições dos funcionários públicos podem ser ainda mais difíceis de julgar do que as dos executivos de uma corporação — e o escrutínio é menor. O banqueiro central reduz as taxas de juros e segue-se uma recuperação, mas não sabemos se ele a causou ou se diminuiu sua velocidade. Não podemos nem sequer saber se não desestabilizou a economia ao aumentar o risco de inflação futura. Ele sempre pode arranjar uma explicação teórica conveniente, mas a economia é uma disciplina narrativa, e explicações são fáceis de ajustar em retrospectiva.

O problema talvez tenha solução. Só precisamos enfiar na cabeça daqueles que medem a contribuição dos executivos que o que eles veem não é necessariamente o que está lá. São os acionistas, no fim das contas, que se deixam enganar pela aleatoriedade.

SEGUNDO PENSAMENTO: SOBRE ALGUNS BENEFÍCIOS ADICIONAIS DA ALEATORIEDADE

Incerteza e felicidade

Você já marcou um jantar em um dia útil em Nova York, com uma pessoa que tem que viajar de casa para o trabalho diariamente usando o transporte público? É muito provável que a sombra dos horários dos trens esteja impressa na consciência desse sujeito. Ele prestará uma atenção obsessiva ao relógio, medindo e marcando o ritmo da refeição de maneira a não perder o trem das 19h08, porque depois não há mais trens expressos e ele terá que tomar o 19h42 local, o que parece ser muito indesejável. O sujeito interromperá abruptamente o bate-papo por volta das 18h58, oferecerá um rápido aperto de mãos, depois sairá correndo do restaurante para pegar o trem. E ainda tem a questão da conta. Como ainda não terminou de comer e a conta ainda não chegou, as boas maneiras obrigarão você a dizer que vai pagar. Também será preciso tomar sozinho sua xícara de cappuccino descafeinado com leite desnatado, enquanto encara a cadeira vazia e fica imaginando por que as pessoas caem por vontade própria na armadilha que é esse tipo de vida.

Agora, prive o sujeito da programação dele — ou randomize o tempo de partidas dos trens de modo que não obedeçam mais a uma tabela de horários fixa e conhecida. Uma vez que o que é aleatório e o que uma pessoa não conhece são, em termos funcionais, a mesma coisa, ela não precisa pedir à Autoridade de Trânsito da Área Metropolitana de Nova York para randomizar os trens em nome do propósito do experimento: apenas suponha que o sujeito é privado de conhecimento acerca dos vários horários de partida. Tudo o que sabe é que os trens saem, digamos, a cada 35 minutos. O que ele faria nessa situação? Embora você ainda possa terminar pagando a conta, ele deixaria a refeição seguir seu curso natural, depois caminharia calmamente até a estação mais próxima, onde teria que esperar até que o próximo trem desse as caras. A diferença de tempo entre as duas situações é de pouco mais de quinze minutos. Outra maneira de ver o contraste entre um cronograma conhecido e um desconhecido é comparar a condição desse sujeito com a de outro companheiro de jantar que precisa pegar o metrô a fim de ir para casa, percorrendo uma distância equivalente, mas sem uma tabela de horários fixa e conhecida. Usuários do metrô são mais livres em termos de agenda, e não apenas por causa da maior frequência de trens. A incerteza os protege de si mesmos.

O capítulo 10 mostrou, com o exemplo do burro de Buridan, que a aleatoriedade nem sempre é indesejável. Essa discussão visa a mostrar como algum grau de imprevisibilidade (ou falta de conhecimento) pode ser benéfico para nossa espécie defeituosa. Uma programação ligeiramente aleatória nos livra da otimização e impede que sejamos eficientes demais, em particular nas coisas erradas. Essa pequena dose de incerteza pode fazer com que a pessoa relaxe durante o jantar e esqueça as pressões do tempo. Ela seria forçado a agir como *satisfazível* em vez de *maximizadora* (o capítulo 11 apresentou a ideia de *satisficing* de Simon, que é uma mistura de satisfazível e maximizador) — pesquisas sobre a felicidade mostram que pessoas que vivem sob uma pressão autoimposta para ser ideais em sua fruição das coisas padecem de alguma angústia.

A diferença entre satisfatório e maximizador suscita algumas questões. Sabemos que as pessoas com predisposição à alegria tendem a ser do tipo satisfazível, com uma ideia fixa com relação ao que querem na vida e uma capacidade de parar tão logo o consigam. Seus objetivos e desejos não se deslocam junto com suas experiências. Essas pessoas tendem a não sentir na pele os efeitos da esteira rolante interna, de constantemente tentar melhorar à base do consumo de bens, buscando níveis de sofisticação cada vez mais elevados. Em outras palavras, não são nem avarentas nem insaciáveis. Um maximizador, por comparação, é o tipo de pessoa que se desenraiza e muda de residência oficial apenas para reduzir em alguns pontos percentuais seu imposto devido (seria de pensar que todo o fundamento de ter uma renda mais alta é ser livre para escolher onde morar; na verdade, parece que, para essas pessoas, a riqueza faz com que sua dependência aumente). O resultado de ficar rico é passar a ver defeitos nos bens e serviços que se compra. O café não está quente o suficiente. O chef do restaurante não merece mais as três estrelas a ele conferidas pelo guia Michelin (o ricaço mandará uma carta aos editores). A mesa está longe demais da janela. Pessoas que são promovidas a cargos importantes geralmente sofrem de agenda apertada: o tempo é curto e fragmentado. Quando viajam, tudo é "organizado" com a intenção de otimizar, incluindo almoço às 12h45 com o presidente da empresa (a uma mesa não muito longe da janela), exercícios no simulador de escada às 16h40 e ópera às 20h.

A causalidade não é clara: ainda resta saber se maximizadores são infelizes porque vivem em uma busca incessante pelo melhor negócio ou se as pessoas infelizes tendem a otimizar em função de seu sofrimento. De qualquer modo, a aleatoriedade parece operar como cura ou como novocaína!

Estou convencido de que não somos feitos para horários rigorosos e bem definidos. Somos feitos para viver feito bombeiros, com tempo de inatividade dedicado ao relaxamento e à meditação entre uma chamada e outra, sob a proteção da incerteza protetiva. Lamentavelmente, algumas pessoas podem de maneira involuntária ser transformadas em maximizadoras, a exemplo de uma criança cujos minutos são espremidos entre aulas de caratê, violão e educação religiosa. Enquanto escrevo estas linhas, estou em um trem que percorre devagar os Alpes, confortavelmente protegido dos homens de negócios em viagem. As pessoas ao meu redor são estudantes, aposentados ou pessoas que não têm "compromissos importantes", por isso não têm medo do que chamam de tempo perdido. Para ir de Munique a Milão, escolhi o trem, em um trajeto de sete horas e meia, em vez do avião, o que nenhum empresário com respeito por si próprio faria em um dia útil, e estou desfrutando do ar não poluído por pessoas espremidas pela vida.

Cheguei a essa conclusão quando, há cerca de uma década, parei de usar despertador. Ainda assim continuei acordando na mesma hora, mas seguia meu relógio pessoal. Uma dúzia de minutos de imprecisão e variabilidade na minha agenda fez uma diferença considerável. É verdade que existem algumas atividades que exigem tamanho grau de confiabilidade que tornam um despertador necessário, mas sou livre para escolher uma profissão que não me transforme em um escravo da pressão externa. Vivendo assim, a pessoa também pode ir para a cama cedo e não otimizar seu cronograma espremendo cada minuto da noite. No limite, você pode decidir ser (relativamente) pobre, mas livre com relação a seu tempo, ou rico mas tão dependente quanto um escravo.

Levei um bocado de tempo para descobrir que não somos projetados para horários. Essa constatação se deu quando reconheci a diferença entre escrever um artigo e escrever um livro. Escrever livros é algo divertido, escrever artigos é doloroso. Tenho a tendência de achar a atividade da escrita muito agradável, já que faço isso sem qualquer restrição externa. Você escreve e pode interromper sua atividade no exato segundo em que ela deixa de ser atraente, mesmo no meio de uma frase. Depois do sucesso deste livro, editores de diversos periódicos profissionais e científicos convidavam-me para escrever artigos. Em seguida, perguntavam qual seria a extensão do texto. Como? A extensão? Pela primeira vez na vida perdi o prazer na escrita! Foi então que formulei uma regra pessoal: para que essa seja uma atividade agradável para mim, *a extensão do texto precisa permanecer algo imprevisível*. Se vejo o fim da coisa, se sou submetido à sombra de um sumário, desisto. Repito que nossos antepassados não estavam sujeitos a resumos, esquemas, cronogramas ou prazos administrativos.

Outra maneira de ver o aspecto abominável de horários e projeções rígidos é pensar em situações-limite. Você gostaria de saber com grande precisão a data da sua morte? Gostaria de saber, antes do início do filme, quem cometeu o crime? Na verdade, não seria melhor se a duração dos filmes fosse mantida em segredo?

O embaralhamento de mensagens

Além do efeito no bem-estar, a incerteza proporciona benefícios informacionais tangíveis, em especial com o embaralhamento de mensagens potencialmente prejudiciais e autorrealizáveis. Considere uma moeda atrelada por um banco central a uma taxa fixa. A política oficial do banco é usar suas reservas para respaldá-la comprando e vendendo sua moeda no mercado aberto, um procedimento chamado de *intervenção*. Mas, caso a taxa de câmbio caia um pouquinho, as pessoas receberão imediatamente a mensagem de que a intervenção não foi capaz de amparar a moeda e a desvalorização está a caminho. Supostamente, uma moeda atrelada não deve flutuar; a menor flutuação para baixo está fadada a ser um prenúncio de más notícias! A pressa de vender causaria um frenesi que se autoalimentaria, levando a certa desvalorização.

Agora leve em consideração um ambiente em que um banco central permite algum ruído em torno da banda oficial. Ele não promete uma taxa fixa, e sim uma que pode flutuar um pouco antes que comece a intervir. Ninguém julgaria que uma pequena baixa contém muita informação. Em função da existência de ruído, evitamos dar interpretações exageradas a variações. *Flutuat nec mergitur* (flutua, mas não afunda).

Isso tem aplicações na biologia evolutiva, na teoria evolutiva dos jogos e em situações de conflito. Um grau moderado de imprevisibilidade no comportamento do indivíduo pode ajudá-lo a se proteger em situações de conflito. Digamos que você tenha sempre o mesmo limite de reações. Você tolera determinado nível de ofensas, digamos dezessete insultos por semana, antes de ter um ataque de fúria e esmurrar o nariz do décimo oitavo agressor. Essa previsibilidade permitirá que as pessoas tirem proveito de você até o conhecido ponto-gatilho e parem por aí. Mas se você randomizar seu ponto-gatilho, às vezes reagindo de forma exagerada à menor piada, as pessoas não saberão de antemão até onde podem provocá-lo. O mesmo se aplica aos governos em conflitos: eles precisam convencer seus adversários de que são suficientemente loucos para, vez por outra, reagir de forma descomedida ao menor dos pecadilhos. Até mesmo a magnitude da reação deve ser difícil de prever. A imprevisibilidade é um forte elemento de dissuasão.

TERCEIRO PENSAMENTO: EQUILIBRAR-SE EM UMA PERNA SÓ

Periodicamente, sou desafiado a comprimir todo esse negócio de aleatoriedade em um punhado de frases, de modo que até mesmo uma pessoa com MBA seja capaz de entender (de modo surpreendente, pessoas com MBA, apesar dos insultos, representam uma porção significativa dos meus leitores, porque acham que minhas ideias aplicam-se a outras pessoas com MBA, e não a elas).

Isso traz à mente a história do rabino Hillel. Um estudante especialmente preguiçoso perguntou se, enquanto ele próprio se equilibrava em uma perna só, o rabino poderia ensinar-lhe a Torá. A genialidade de Hillel foi não só *resumir*, mas fornecer o gerador essencial da ideia, o arcabouço axiomático, que parafraseio aqui da seguinte forma: *Não faça aos outros o que não quer que façam a você; o resto é apenas comentário.*

Levei uma vida inteira para descobrir qual é meu gerador. É o seguinte: *favorecemos o visível, o incorporado, o pessoal, o narrado e o tangível; desprezamos o abstrato.* Tudo de bom (estética, ética) e de errado (ser iludido pelo acaso) conosco parece fluir disso.

Uma viagem à biblioteca
Notas e recomendações de leitura

Confesso que, como praticante da aleatoriedade, concentrei-me principalmente nos defeitos de *meu próprio* pensamento (e no de algumas poucas pessoas que observei ou monitorei ao longo do tempo). Também era minha intenção que o livro fosse divertido, o que não é muito compatível com ligar cada uma das ideias a um artigo científico de modo a conferir-lhe algum grau de respeitabilidade. Tomo a liberdade nesta seção de refinar alguns pontos e fornecer referências selecionadas (do tipo "leituras complementares recomendadas") — mas vinculadas a assuntos que vivenciei diretamente. Repito que isto é um ensaio pessoal, não um tratado.

Ao concluir esta compilação, descobri que predominavam questões relativas à natureza humana (principalmente a psicologia empírica) sobre assuntos matemáticos. Sinal dos tempos: estou convencido de que a próxima edição, com sorte daqui a dois anos, terá um bocado de referências e notas acerca de neurobiologia e neuroeconomia.

PREFÁCIO

Viés retrospectivo: Também conhecido como "quarterback um dia depois do jogo". Ver Fischhoff (1982).

Conhecimento clínico: O problema dos médicos clínicos não saberem o que não sabem e não perceberem isso. Ver Meehl (1954) para a introdução seminal. "É claro que a asserção dogmática e complacente às vezes ouvida da boca de clínicos de que a previsão 'naturalmente' clínica, sendo baseada em uma 'compreensão real', é superior simplesmente não foi comprovada até hoje." Nos testes dele, em todos os casos à exceção de um, previsões feitas por meios atuariais foram iguais ou melhores que os métodos clínicos. Ainda pior: em um artigo posterior, ele mudou de ideia sobre a única exceção. Desde o trabalho de Meehl tem havido uma longa tradição de exame de opiniões de especialistas, confirmando os resultados. Esse problema se aplica a quase todas as profissões — especialmente jornalistas e economistas. Discutiremos em outras notas o problema correlato do autoconhecimento.

Montaigne x Descartes: Agradeço ao pesquisador de inteligência artificial e leitor onívoro Peter McBurney por trazer à minha atenção a discussão em Toulmin (1990). A respeito disso, tenho que fazer a triste observação de que Descartes era originalmente um cético (conforme atesta seu experimento mental do gênio maligno), mas a assim chamada mente cartesiana corresponde a alguém com apetite por certezas. A ideia de Descartes em sua forma original é que há pouquíssimas certezas além de declarações dedutivas estreitamente definidas, não que tudo em que pensamos precisa ser dedutivo.

Afirmar o consequente: A falácia lógica é em geral apresentada da seguinte forma:
 Se p, então q

q

Portanto, p

(Todas as pessoas da família Smith são altas; ele é alto, portanto, pertence à família Smith).
 O histórico da população em geral em fazer corretamente essa inferência é extremamente parco. Embora não seja costumeiro citar livros didáticos, indico ao leitor o excelente Eysenck e Keane (2000) para uma lista de

trabalhos sobre as diferentes dificuldades — até 70% da população pode cometer esse erro!

A mente milionária: Stanley (2000). Ele também entendeu (corretamente) que os ricos eram "afeitos ao risco" e inferiu (incorretamente) a exposição a riscos a que se submetem. Tivesse examinado a população de empreendedores falidos, teria inferido também (corretamente) que empreendedores falidos também eram "afeitos ao risco".

Jornalistas são "práticos": Ouvi pelo menos quatro vezes a palavra *prático* por parte de jornalistas tentando justificar sua simplificação. O programa de televisão que queria que eu apresentasse três recomendações de ações queria algo "prático", não teorias.

PRÓLOGO

A matemática em conflito com a probabilidade: Uma trata de certezas; a outra, do exato oposto. Isso explica o desrespeito que por muito tempo os matemáticos demonstraram pelo tema da probabilidade — e a dificuldade em integrar as duas coisas. Apenas recentemente a teoria probabilística foi denominada "a lógica da ciência" — título do livro póstumo de Jaynes (2003). Curiosamente, talvez esse livro seja a descrição mais completa da matemática da disciplina — Jaynes consegue usar a probabilidade como uma expansão da lógica convencional.

O destacado matemático David Mumford, ganhador da Medalha Fields, se arrepende de seu antigo desprezo pela probabilidade. Em *The Dawning of the Age of Stochasticity* (Mumford, 1999), ele escreve: "Por mais de dois milênios, a lógica de Aristóteles regeu o pensamento dos intelectuais ocidentais. Todas as teorias precisas, todos os modelos científicos, até mesmo os modelos do processo de pensamento em si, em princípio sujeitaram-se à camisa de força da lógica. Mas a partir de sua origem questionável, concebendo estratégias de jogatina e contando cadáveres na Londres medieval, a teoria da probabilidade e a inferência estatística agora emergem como os melhores alicerces para modelos científicos, especialmente aqueles do processo de pensamento, e como ingredientes essenciais da matemática teórica, inclusive os fundamentos da própria matemática. Sugerimos que essa mudança em nossa perspectiva afetará praticamente toda a matemática no próximo século".

Coragem ou tolice: Para um exame dessa noção de "coragem" e "ousadia", ver Kahneman e Lovallo (1993). Ver também uma discussão em Hilton (2003). Tirei a ideia da apresentação de Daniel Kahneman em Roma em abril de 2003 (Kahneman, 2003).

Erros cognitivos na previsão: Tversky e Kahneman (1971 e 1982), Lichtenstein, Fischhoff e Phillips (1977).

Utópico e trágico: O ensaísta e destacado cientista e intelectual Steven Pinker popularizou a distinção (originalmente atribuível ao filósofo político Thomas Sowell). Ver Sowell (1987), Pinker (2002). Na realidade, a distinção não é tão clara. Algumas pessoas realmente acreditam, por exemplo, que Milton Friedman é um utopista no sentido de que acredita que todos os males são causados pelos governos e de que se livrar do governo seria uma tremenda panaceia.

Falibilidade e infalibilismo: Peirce (em um prospecto para um livro que nunca foi escrito) escreve: "Nada pode ser mais completamente contrário a uma filosofia, o fruto de uma vida científica, do que o infalibilismo, seja disposto nas antigas armadilhas eclesiásticas ou sob seu recente disfarce 'científico'" (Brent, 1993). Para familiarizar-se com as obras de Peirce, ver Menand (2001), um livro curto e agradável de ler. Baseia-se em sua única biografia, Brent (1993).

CAPÍTULO 1

A posição relativa comparada à posição absoluta: Ver Kahneman, Knetsch e Thaler (1986). Robert Frank é um pesquisador interessante, que passou parte de sua carreira refletindo sobre o problema de status, posição social e renda relativa. Ver Frank (1985 e 1999), o último uma leitura prazerosa que inclui discussões sobre o interessante problema proponente/respondedor, em que pessoas abrem mão de lucros extraordinários para privar outras de uma fatia maior da bolada. Uma pessoa propõe a outra uma parte de, digamos, cem dólares. Ela pode aceitar ou recusar. Se recusar, ambas saem de mãos vazias.

Resultados ainda mais perversos foram demonstrados por pesquisadores que estudaram o quanto as pessoas *pagariam* para reduzir a renda de outras: ver Zizzo e Oswald (2001). Sobre o mesmo tema, ver Burnham (2003), que em um experimento mediu os níveis de testosterona nas transações econômicas.

Serotonina e hierarquia: Frank (1999) inclui uma discussão disso.

Sobre o papel social do psicopata: Ver Horrobin (2002). Embora possa ter pontos de vista extremados sobre a questão, o livro analisa discussões das teorias em torno do sucesso alcançado pelos psicopatas. Ver também Carter (1999) para uma apresentação da vantagem que algumas pessoas têm por se afastar do sentimento de empatia e compaixão.

Emoções sociais: Damásio (2003): "Uma das muitas razões por que algumas pessoas tornam-se líderes e outras seguidoras, por que algumas impõem respeito e outras se acovardam, tem pouco a ver com os conhecimentos ou aptidões dessas pessoas, e muitíssimo a ver com qualidades físicas que promovem certas respostas emocionais nos outros".

Literatura sobre emoções: Para uma revisão das ideias científicas atuais, ver o excelente e compacto Evans (2002). O autor pertence à nova estirpe do filósofo/ensaísta que contempla temas amplos com uma mente científica. Elster (1998) entra nas vastas implicações sociais das emoções. O best-seller Goleman (1995) oferece uma explicação surpreendentemente completa (o fato de ser um best-seller é surpreendente: estamos cientes de nossa irracionalidade, mas isso aparentemente não ajuda).

CAPÍTULO 2

Mundos possíveis: Kripke (1980).

Muitos mundos: Ver o excelentemente escrito livro de Deutsch (1997). Sugiro também uma visita ao esplêndido site do autor. A versão preliminar anterior pode ser encontrada em DeWitt e Graham (1973), que contém o artigo original de Hugh Everett.

Economia da incerteza e possíveis estados da natureza: Ver Debreu (1959). Para uma apresentação de métodos de entrelaçamento estado-espaço em finanças matemáticas, ver Ingersoll (1987), que é um livro bem estruturado, embora seco e muitíssimo entediante, como a personalidade de seu autor, e Huang e Litzenberger (1988), mais carregados de jargão. Para uma apresentação voltada para a economia, ver Hirshleifer e Riley (1992).

Para as obras de Shiller: Ver Shiller (2000). O trabalho mais técnico está no (originalmente) polêmico Shiller (1981). Ver também Shiller (1990). Para uma compilação: Shiller (1989). Ver Kurz (1997) para uma discussão sobre incerteza endógena.

Risco e emoções: Dado o crescente interesse recente no papel emocional no comportamento, tem havido uma produção cada vez maior da literatura sobre o papel das emoções, tanto em termos de exposição a riscos quanto de prevenção de riscos: a teoria do "risco como sentimento". Ver Loewenstein, Weber, Hsee e Welch (2001), e Slovic, Finucane, Peters e MacGregor (2003a). Para uma pesquisa, ver Slovic, Finucane, Peters e MacGregor (2003b). Ver também Slovic (1987).

Para uma discussão sobre a heurística do afeto: Ver Finucane, Alhakami, Slovic e Johnson (2000).

Emoções e cognição: Ver LeDoux (2002).

Disponibilidade heurística (com que facilidade as coisas vêm à mente): Tversky e Kahneman (1973).

Incidência real de catástrofes: Para uma discussão perspicaz, ver Albouy (2002).

Sobre provérbios e ditos populares: Há muito os psicólogos examinam a credulidade de pessoas em ambientes sociais diante de provérbios cuja formulação parece estar correta. Por exemplo, desde a década de 1960 são realizados experimentos em que os entrevistados respondem se consideram determinado provérbio certo, enquanto a outro grupo apresenta-se o significado oposto. Para uma apresentação dos hilários resultados, ver Myers (2002).

Epifenômenos: Ver o belo texto de Wegner (2002).

CAPÍTULO 3

Keynes: Na opinião de muitas pessoas, o *Tratado sobre a probabilidade* continua a figurar como o mais importante trabalho individual sobre o tema — especialmente levando-se em consideração como Keynes era jovem quando o escreveu (o trabalho foi publicado anos depois de ter sido concluído). No tratado, Keynes desenvolve a noção decisiva de probabilidade subjetiva.

Les gommes: Robbe-Grillet (1985).

Historicismo pseudocientífico: Para um exemplo, sugiro Fukuyama (1992).

Os medos estão embutidos em nossos genes: Em sentido estrito, isso não é verdadeiro — os traços genéticos precisam ser culturalmente ativados. Temos uma ligação intrínseca com alguns medos, a exemplo do medo de cobras, mas macacos que nunca viram uma não se sentem assim. Eles precisam ver o medo nas feições de outro macaco para começar a experimenar a mesma sensação (LeDoux, 1998).

Amnésia e prevenção de riscos: Damásio (2000) apresenta o caso de David, paciente amnésico que sabia evitar aqueles que o maltratavam. Ver também Lewis, Amini e Lannon (2000), cujo livro apresenta uma discussão pedagógica sobre "aprendizagem camuflada", sob a forma de memória implícita, em oposição à memória explícita (neocortical). O livro retrata a memória como uma correlação na conectividade neuronal, em vez de uma gravação ao estilo de um CD — o que explica as revisões de lembranças que as pessoas fazem após eventos.

Por que não aprendemos com nossa história pregressa?: Duas tendências de literatura: (1) a recente linha de pesquisa em psicologia "desconhecidos de nós mesmos" (Wilson, 2002); (2) a literatura sobre "negligência imunológica" (Wilson, Meyers e Gilbert, 2001; Wilson, Gilbert e Centerbar, 2003). Literalmente, as pessoas não aprendem com suas reações pregressas a coisas boas e ruins.

Literatura sobre bolhas: Há uma longa tradição. Ver Kindleberger (2001), MacKay (2002), Galbraith (1991), Chancellor (1999) e, claro, Shiller (2000). Com um pouco de trabalho, pode-se convencer Shiller a fazer uma segunda edição.

Long-Term Capital Management: Ver Lowenstein (2000).

Estresse e aleatoriedade: Sapolsky (1998) é um livro popular, às vezes hilário. O autor é especialista, entre outras coisas, no efeito de glicocorticoides liberados em momentos de estresse na atrofia do hipocampo, obstruindo a formação de novas memórias e a plasticidade cerebral. Mais técnico, Sapolsky (2003).

Assimetrias cerebrais com ganhos e perdas: Ver Gehring e Willoughby (2002). Ver os trabalhos de Davidson sobre a assimetria cerebral anterior (Goleman, 2003, tem um sumário claro e uma apresentação popular). Ver também Shizgal (1999).

O dentista e a teoria do prospecto: Kahneman e Tversky (1979). Nessa discussão seminal, os autores apresentam os agentes como interessados em diferenças e na redefinição de seu nível de dor/prazer com zero como "âncora". O fundamento disso é que "riqueza" não importa, apenas diferenças nela, uma vez que a redefinição cancela o efeito da acumulação. Pense em John alcançando 1 milhão de dólares, de baixo ou de cima, e o impacto em seu bem-estar. A diferença entre a utilidade de riqueza e a utilidade de mudanças na riqueza não é trivial: ela leva à dependência do período de observação. De fato, a noção, levada ao limite, resulta na completa revisão da teoria econômica: a economia neoclássica deixará de ser útil para além dos exercícios matemáticos. Houve vigorosos debates também na literatura hedonista: ver Kahneman, Diener e Schwarz (1999).

CAPÍTULO 4

Intelectual público e científico: Brockman (1995) oferece apresentações feitas pela "nata" da nova tradição intelectual científica. Ver também seu site: www.edge.org. Para a posição de um físico sobre as guerras culturais, Weinberg (2001). Para a apresentação de um intelectual público, ver Posner (2002). Note que a Florida Atlantic University oferece um programa de doutorado para quem quer se tornar um intelectual público — literário, já que os cientistas não precisam desse tipo de artifício.

A fraude: Sokal (1996).

O gene egoísta: Dawkins (1989, 1976). Hegel: em Popper (1994).

Cadáveres delicados: Nadeau (1970).

O gerador: www.monash.edu.au.

Linguagem e probabilidade: Existe uma conexão muito grande entre linguagem e probabilidade; esse vínculo tem sido estudado por pensadores e cientistas via os métodos afins de entropia e teoria da informação — pode-se reduzir a dimensionalidade de uma mensagem eliminando a redundância, por exemplo; o que resta é medido como conteúdo de informação (pense na compactação de um arquivo) e está ligado à noção de "entropia", que é o grau de desordem, o imprevisível que resta. A entropia é uma noção bastante invasiva, uma vez que se relaciona à estética e à termodinâmica. Ver Campbell (1982) para uma apresentação literária, e Cover e Thomas (1991) para uma apresentação científica, particularmente a discussão acerca da "entropia do inglês". Para uma discussão clássica sobre entropia e arte, Arnheim (1971), embora a conexão entre entropia e probabilidade ainda não estivesse clara na época. Ver Georgescu-Roegen (1971) para uma argumentação (talvez) pioneira de entropia em economia.

CAPÍTULO 5

O efeito Corpo de Bombeiros e a convergência de opiniões: Há na literatura psicológica um bocado de discussões acerca da convergência de opiniões, particularmente na área de seleção de parceiros, ou o que Keynes chama de "concurso de beleza", já que as pessoas tendem a escolher o que as outras escolhem, causando ciclos incessantes de feedback positivo.

Uma manifestação interessante é o efeito autocinético. Quando pessoas fitam uma luz estacionária em uma sala, depois de algum tempo elas a veem se movendo e são capazes de calcular a quantidade de movimento, sem saber que se trata de uma ilusão, pois a luz não se move. Quando observam a luz em isolamento, os sujeitos do experimento mencionam velocidades de movimento extremamente variadas; quando testadas em grupo, as pessoas convergem para uma velocidade de movimento comum. Ver Plotkin (1998). Sornette (2003) apresenta um interessante relato sobre os circuitos de feedback resultantes do agrupamento, escrito com leveza e com uma matemática extremamente intuitiva.

Biologia da imitação: Ver Dugatkin (2001).

Evolução e pequenas probabilidades: A evolução é principalmente um conceito probabilístico. Ela pode ser enganada pela aleatoriedade? Os menos aptos conseguem sobreviver? Há uma tendência reinante do darwinismo, chamada de darwinismo ingênuo, que acredita que qualquer espécie ou membro de uma espécie dominante em determinado momento foi selecionado pela evolução porque leva uma vantagem sobre os outros. Isso resulta de um mal-entendido comum de condições ideais locais e globais, mesclado com uma incapacidade de se livrar da crença na lei dos pequenos números (superinferência a partir de pequenos conjuntos de dados). Basta colocar duas pessoas em um ambiente aleatório, digamos um cassino, durante um fim de semana. Uma delas vai se sair melhor que a outra. Para um observador ingênuo, aquela com melhor desempenho terá uma vantagem de sobrevivência com relação à outra. Se essa pessoa é mais alta ou tem algum traço que a distingue da outra, tal característica será identificada pelo observador ingênuo como a explicação da diferença na aptidão. Algumas pessoas fazem isso com traders — colocando-os em disputa numa competição formal. Leve em consideração também o pensamento evolutivo ingênuo que postula o nível ótimo de seleção — o fundador da sociobiologia não concorda com isso quando se trata de eventos raros. E. O. Wilson (2002) escreve: "É evidente que o cérebro humano evoluiu para se envolver emocionalmente apenas com um pequeno naco de geografia, um limitado grupo de parentes e duas ou três gerações no futuro. Não olhar muito à frente nem muito longe é elementar em um sentido darwiniano. *Temos uma tendência inata a ignorar qualquer possibilidade distante que ainda não requeira avaliação. É apenas o bom e velho senso comum, costumam dizer as pessoas.* Por que pensam dessa maneira míope? O motivo é simples: trata-se de algo intrínseco à nossa herança paleolítica. Ao longo de centenas de milênios, aqueles que trabalhavam para obter o ganho de curto prazo dentro de um pequeno círculo de parentes e amigos viviam mais tempo e deixavam uma prole mais numerosa — mesmo quando seu esforço coletivo fazia com que seus territórios e impérios desmoronassem ao redor deles. A análise de longo prazo que poderia ter salvado seus descendentes distantes exigia uma visão e um altruísmo prolongados, instintivamente difíceis de organizar".

Ver também Miller (2000): "A evolução não tem previsão. Falta-lhe a visão de longo prazo da gestão de empresas farmacêuticas. Uma espécie não é capaz de arrecadar capital de risco para pagar suas contas enquanto sua equipe de pesquisa [...] Cada espécie tem que se manter biologicamente rentável a cada geração, caso contrário será extinta. As espécies sempre têm problemas de fluxo de caixa que proíbem investimentos especulativos em seu futuro. Indo mais diretamente ao ponto, cada gene subjacente a todas as inovações potenciais tem que render maiores compensações evolutivas do que os genes concorrentes, ou desaparecerá antes que a inovação evolua ainda mais. Isso torna difícil explicar as inovações".

CAPÍTULO 6

Iludidos pela assimetria negativa: O primeiro indício de explicação para a popularidade de compensações negativamente enviesadas vem da literatura inicial sobre comportamento sob incerteza, com o problema dos pequenos números. Tversky e Kahneman (1971) escrevem: "Submetemos à visão dessa pessoa uma amostra tirada aleatoriamente de uma população e bastante representativa, ou seja, similar a uma população em todas as características essenciais". A consequência é a falácia indutiva: excesso de confiança na capacidade de inferir propriedades gerais a partir dos fatos observados, "confiança indevida nas tendências iniciais", estabilidade de padrões observados a inferência de conclusões com mais confiança atrelada a elas do que os dados autorizam. Pior, o agente encontra explicações causais ou atributos distributivos que confirmam sua generalização inapropriada. É fácil ver que os "pequenos números" ficam exacerbados com a assimetria, uma vez que na maioria das vezes a média observada será diferente da média real e quase sempre a variância observada será menor que a verdadeira. Agora considere que seja um fato que, na vida, ao contrário de um laboratório ou um casino, não observamos a distribuição da probabilidade a partir da qual as variáveis aleatórias são extraídas, vendo somente as materializações desses processos aleatórios. Seria ótimo se conseguíssemos, mas não medimos probabilidades como medimos a temperatura ou a altura de uma pessoa. Isso significa que, quando computamos probabilidades a partir de dados passados, estamos fazendo suposições sobre a assimetria do gerador da série aleatória — todos os dados são dependentes de um gerador. Em suma, com pacotes enviesados, a camuflagem das propriedades entra em cena e tendemos a acreditar naquilo que vemos. Ver Taleb (2004).

Filósofo que às vezes banca o cientista: Nozik (1993).

Economia de Hollywood: De Vany (2003).

As pessoas são sensíveis ao signo e não à magnitude: Hsee e Rottenstreich (2004).

Comentários críticos de Lucas: Lucas (1978).

CAPÍTULO 7

O livro de Niederhoffer: Niederhoffer (1997).

O enigma da indução de Goodman: Pode-se levar a questão da indução a um território mais difícil com o seguinte enigma: digamos que o mercado registre alta todos os dias durante um mês. Para muitas pessoas de gosto indutivo, isso poderia confirmar a teoria de que o mercado está subindo todos os dias. Mas pense: pode ser que confirme a teoria de que o mercado sobe todos os dias e depois cai — o que estamos testemunhando não é um mercado em ascensão, mas um que *ascende e em seguida despenca*. Quando alguém observa um objeto azul, é possível dizer que está observando algo azul até o tempo t, além do qual ele é verde — ou seja, que tal objeto não é azul, mas "verzul". Consequentemente, por essa lógica, o fato de que o mercado subiu durante todo esse tempo pode confirmar que desabará amanhã. Isso confirma que estamos observando um mercado em ascensão/declínio. Ver Goodman (1954).

Escritos de Soros: Soros (1988).

Hayek: Ver Hayek (1945) e o profético Hayek (1994, publicado pela primeira vez em 1945).

Personalidade de Popper: Magee (1997) e Hacohen (2001). Também há um divertido relato em Edmonds e Eidinow (2001).

CAPÍTULO 8

O milionário mora ao lado: Stanley (1996).

Enigma do prêmio de risco: Há uma discussão acadêmica ativa sobre "o prêmio de risco", assumindo o "prêmio" aqui como o desempenho excepcional de ações em relação a títulos e procurando-se possíveis explicações. Houve pouquíssima reflexão quanto à possibilidade de que o prêmio ou ágio talvez tenha sido uma ilusão de ótica devido ao viés do sobrevivente — ou que o processo possa incluir a ocorrência de cisnes negros. A discussão parece ter se abrandado um pouco depois das quedas nos mercados acionários após os eventos de 2000-2.

CAPÍTULO 9

Os analistas do mercado de ações enganaram a si mesmos: Para uma comparação entre analistas e meteorologistas, ver Taszka e Zielonka (2002).

Diferenças entre os retornos: Ver Ambarish e Siegel (1996). O tedioso palestrante estava na verdade comparando "índice de Sharpe", ou seja, retornos escalonados por desvios-padrão (ambos anualizados), assim nomeados em homenagem ao economista William Sharpe, mas o conceito tem sido comumente usado em estatística e chamado de "coeficiente de variação" (Sharpe o introduziu no contexto da teoria normativa de precificação de ativos para computar os retornos esperados da carteira de investimentos levando-se em conta algum perfil de risco, não como um dispositivo estatístico). Desconsiderando o viés do sobrevivente ao longo de um período de doze meses e presumindo (muito generosamente) uma distribuição gaussiana, as diferenças de "índice de Sharpe" para dois gestores não correlacionados excederia 1,8, com quase 50% de probabilidade. O palestrante estava discutindo diferenças de índices de Sharpe de cerca de .15! Mesmo assumindo uma janela de observação de cinco anos, algo raríssimo com gestores de hedge fund, as coisas não ficam muito melhores que isso.

Valor do assento: Mesmo assim, por algum viés de atribuição, os traders tendem a acreditar que sua renda se deve a suas habilidades, não ao "assento", ou à "franquia" (isto é, o valor do fluxo de pedidos). O assento tem valor, visto que o "livro" do especialista da Bolsa de Valores de Nova York vale somas imensas. Ver Hilton (2003). Ver também Taleb (1997) para uma discussão sobre a vantagem de tempo e lugar.

Mineração de dados: Sullivan, Timmermann e White (1999).

Cachorros que não latem: Agradeço a meu correspondente Francesco Corielli, da Universidade Bocconi, por sua observação sobre meta-análise.

CAPÍTULO 10

Redes: Arthur (1994). Ver Barabasi (2002), Watts (2003).

Dinâmica não linear: Para uma introdução à dinâmica não linear em finanças, ver Brock e De Lima (1995) e Brock, Hsieh e LeBaron (1991). Ver também o recente, e certamente mais completo, Sornette (2003). Ele vai além de simplesmente caracterizar o processo como sendo de cauda grossa e diz que a distribuição de probabilidade é diferente daquela que se aprende na primeira aula de um curso básico sobre finanças. Sornette estuda os pontos de transição. Digamos que as vendas de um livro se aproximam de um ponto crítico a partir do qual realmente decolam. A dinâmica das vendas, a depender do crescimento passado, torna-se previsível.

O ponto da virada: Gladwell (2000). No artigo que precedeu o livro (Gladwell, 1996), o autor escreve: "A razão pela qual isso parece surpreendente é que os seres humanos preferem pensar em termos lineares [...] Lembro que, quando criança, me debati com essas mesmas questões teóricas quando tentei ketchup na comida. Como todas as crianças que enfrentam esse problema pela primeira vez, supus que a solução fosse linear: que aumentar em ritmo constante a frequência e a força de batidas na base do frasco produziria quantidades cada vez maiores de ketchup saindo pela outra extremidade. Não é assim, disse-me meu pai, e recitou um verso que, para mim, permanece como a mais concisa afirmação da não linearidade fundamental da vida cotidiana: 'Primeiro você bate e nada sai, por mais que sacuda. Depois vem tudo de uma vez, Deus nos acuda'.

Pareto: Antes do uso generalizado da curva do sino, levávamos mais a sério as ideias de Pareto e sua distribuição — cuja marca é a contribuição de grandes desvios para as propriedades globais. Elaborações posteriores levaram às chamadas distribuições de Pareto-Levy ou de Levy-Stable, com algumas propriedades bastante perversas (à exceção dos casos especiais e sem taxa de erro conhecida). A razão pela qual os economistas nunca gostaram de usá-la é que não oferece propriedades manejáveis — economistas gostam de escrever artigos nos quais ofereçam a ilusão de soluções, particularmente na forma de respostas matemáticas. Uma distribuição de Pareto-Levy não lhes proporciona esse luxo. Para discussões econômicas sobre as ideias de Pareto, ver Zajdenweber (2000), Bouvier (1999). Para uma apresentação da matemática das distribuições de Pareto-Levy, ver Voit (2001) e Mandelbrot (1997). Houve uma redescoberta recente da dinâmica da lei de potência. Intuitivamente, uma distribuição da lei de potência tem a seguinte propriedade: se o expoente de potência fosse 2, então haveria 4 vezes mais pessoas com uma renda superior a 1 milhão de dólares do que as pessoas com 2 milhões de dólares. O efeito é que existe uma probabilidade muito pequena de haver um evento com um desvio extremamente grande. De maneira mais geral, para dado desvio x, a incidência de um desvio de um múltiplo de x será aquele múltiplo para determinado expoente de potência. Quanto maior o expoente, menor a probabilidade de um desvio grande.

Comentário de Spitznagel: Gladwell (2002).

Não leve a sério a palavra "correlação" e as pessoas que a usam: "Você não parece ter correlação com coisa alguma" era o modo mais comum de me acusarem enquanto levava adiante minha estratégia de procurar eventos raros. O exemplo a seguir talvez possa ilustrar meu argumento. Um instrumento de trading não linear — por exemplo, uma opção de venda — será positivamente correlacionado com a segurança subjacente em muitos caminhos de amostragem (digamos que a opção expire sem valor em um mercado de baixa que não tenha caído o suficiente), exceto, é claro, ao se tornar dinheiro e obter lucro, caso em que a correlação se inverte violentamente. O leitor deve fazer um favor a si mesmo não levando a sério a noção de correlação, exceto em assuntos muito restritos, em que a linearidade é justificada.

CAPÍTULO 11

"Cegueira" à probabilidade: Tomo emprestada a expressão de Piattelli-
-Palmarini (1994).

Discussão sobre "racionalidade": Não é tão fácil lidar com esse conceito. Embora a noção tenha sido investigada em muitos campos, foi esquadrinhada mais a fundo pelos economistas como uma teoria normativa da escolha. Por que eles desenvolveram tamanho interesse pela racionalidade? A base da análise econômica é um conceito de natureza e racionalidade humanas materializado na noção de *homo economicus*. As características e os comportamentos desse *homo economicus* estão incorporados nos postulados da escolha do consumidor e incluem insaciabilidade (mais é *sempre* preferível a menos) e transitividade (consistência global na escolha). Por exemplo, Arrow (1987) escreve: "É digno de nota que o uso cotidiano do termo 'racionalidade' não corresponda à definição economista de transitividade e completude, ou seja, de maximização de algo. O entendimento comum é a completa exploração da informação, do raciocínio sólido, e assim por diante".
Talvez, para um economista, a melhor maneira de ver isso seja a maximização levando a uma solução singular.
Mesmo assim, não é fácil. Quem está maximizando o quê? Para começo de conversa, há um conflito entre a racionalidade coletiva e a individual (a "tragédia dos comuns" vista por Keynes em sua parábola do estádio, em que a estratégia ideal é se levantar, mas a estratégia ideal coletiva é que todos permaneçam sentados). Outro problema aparece no teorema da impossibilidade do eleitor de Arrow. Considere também o seguinte problema: as pessoas votam, mas os ganhos ajustados de probabilidade do ato de votar podem ser menores do que o esforço empreendido para ir até o local de votação. Ver Luce e Raiffa (1957) para uma discussão desses paradoxos.
Vale notar que a literatura relacionada a escolhas racionais sob incerteza é muito extensa, espalhando-se por diferentes campos, da teoria evolutiva dos jogos à ciência política. Mas como John Harsanyi afirmou sem rodeios: *é normativa, e destina-se a ser assim*. Trata-se de uma declaração heroica: dizer que a economia abandonou suas pretensões científicas e aceitou o fato de que não descreve como as pessoas efetivamente agem, mas como *deveriam* agir.

Significa que ela entrou em outro domínio: da filosofia (embora não exatamente ética). Como tal, um indivíduo pode aceitá-lo plenamente e deveria ter como meta agir como o homem neoclássico. Se puder.

Imediato/último como solução para alguns problemas de racionalidade: Os teóricos da evolução fazem uma distinção entre causa imediata e causa última.

Causa imediata: Como *porque* estou com fome.
Causa última: Se eu não tivesse um incentivo para comer, teria graciosamente me despedido do fundo genético.

Ora, se alguém invoca as causas últimas, um bocado de comportamentos tidos como localmente irracionais (como o problema do eleitor mencionado antes) pode ser interpretado como racional. Isso explica o altruísmo: por que você correria um pequeno risco para ajudar uma pessoa desconhecida e evitar que ela se afogue? Visivelmente esse ímpeto de ajudar nos colocou onde estamos hoje.
Ver Dawkins (1989 e 1976) e Pinker (2002) para informações adicionais acerca da diferença.

Racionalidade e cientificismo: Por sugestão do meu correspondente Peter McBurney, descobri o romance *Nós*, de Ievguêni Zamiátin, uma sátira sobre a Rússia leninista escrita na década de 1920 e ambientada em um futuro distante, numa época em que as ideias tayloristas e racionalistas tiveram êxito, aparentemente, no sentido de conseguir eliminar da vida toda incerteza e irracionalidade.

Racionalidade limitada: Simon (1956, 1957, 1987a e 1987b).

Nascimento da neurobiologia da racionalidade: Berridge (2003) introduz um dimensão neurobiológica à racionalidade, usando duas das quatro utilidades de Kahneman (as utilidades experimentadas, lembradas, previstas e de decisão) e estabelecendo a irracionalidade se a utilidade de decisão exceder a prevista. Existe uma dimensão neural para essa irracionalidade: a atividade da dopamina no cérebro mesolímbico.

Compilação de artigos sobre as heurísticas e vieses em quatro volumes: Kahneman, Slovic e Tversky (1982), Kahneman e Tversky (2000), Gilovich, Griffin e Kahneman (2002), Kahneman, Diener e Schwarz (1999).

Dois sistemas de raciocínio: Ver Sloman (1996 e 2002). Ver o resumo em Kahneman e Frederick (2002). Para o efeito heurístico, ver Zajonc (1980 e 1984).

Psicologia evolutiva/sociobiologia: A leitura mais agradavel é Burnham e Phelan (2000). Ver Kreps e Davies (1993) para o quadro geral da ecologia como otimização. Ver também Wilson (2000), Winston (2002), os cartuns de Evans e Zarate (1999), Pinker (1997) e Burnham (1997).

Modularidade: Para obras seminais, ver Fodor (1983) em filosofia e ciência cognitiva, Cosmides e Tooby (1992) em psicologia evolutiva.

A tarefa de seleção de Wason (sobre a qual se escreve em quase todos os livros sobre psicologia evolutiva) é a seguinte. Considere dois problemas:

Problema 1: suponha que tenha um baralho e em cada uma das cartas haja uma letra de um lado e um número do outro. Suponha que, além disso, eu afirme que a seguinte regra é verdadeira: *se a carta tem uma vogal em um dos lados, do outro lado há um número par.* Imagine que eu agora lhe mostre quatro cartas do baralho: E 6 K 9. Qual carta ou cartas você deve virar a fim de concluir se a regra é verdadeira ou falsa?

Problema 2: Você trabalha como atendente de bar em uma cidadezinha onde a idade legal para consumir bebida alcoólica é de 21 anos e pretende evitar violações de regras. Para fazê-lo, vê-se na situação de ter que perguntar ao cliente qual é a idade dele ou o que está bebendo. Com qual desses quatro clientes você falaria: (1) o que está bebendo cerveja; (2) o que tem mais de 21 anos; (3) o que está bebendo Coca-Cola; (4) o que tem menos de 21 anos?

Embora os dois problemas sejam idênticos (está claro que você precisa verificar apenas o primeiro e o último dos quatro casos), a maior parte da população erra o primeiro e acerta o segundo. Os psicólogos evolutivos acreditam que as dificuldades em resolver o primeiro problema e a facilidade no segundo mostram evidências de um módulo de detecção de trapaceiros — basta considerar que nos adaptamos à execução de tarefas cooperativas e somos rápidos em identificar aproveitadores e parasitas.

Critérios de modularidade: Tomo emprestada a apresentação que a linguista Elisabeth Bates (Bates, 1994) faz dos nove critérios de modularidade de Fodor (ironicamente, Bates é cética quanto ao tema). Os critérios de processamento de informações são: encapsulamento (não podemos interferir com o funcionamento de um módulo), inconsciência, velocidade (esse é o x da questão do módulo), saídas superficiais (não temos ideia dos passos intermediários) e disparo obrigatório (um módulo gera saídas predeterminadas para entradas predeterminadas). Os critérios biológicos que os distinguem dos hábitos aprendidos são: universais ontogenéticos (desenvolvem-se em uma sequência característica), localização (usam sistemas neurais dedicados) e universais patológicos (têm patologias características entre diferentes populações). Por fim, a propriedade mais importante da modularidade é sua especificidade de domínio.

Livros sobre o cérebro físico: Para a hierarquia reptiliano/límbico/neocórtex, ver descrições causais em Ratey (2001), Ramachandran e Blakeslee (1998), Carter (1999 e 2002), Conlan (1999), Lewis, Amini e Lannon (2000) e Goleman (1995).

Cérebro emocional: Damásio (1994) e LeDoux (1998). Bechara, Damásio, Damásio e Anderson (1994) mostram a degradação do risco de comportamento de prevenção de riscos de pacientes com lesão no córtex pré-frontal ventromedial, uma parte do cérebro que nos liga às emoções. Essas emoções parecem desempenhar um papel crítico nos dois sentidos. Para o novo campo da neuroeconomia, ver discussões em Glimcher (2002) e Camerer, Loewenstein e Prelec (2003).

Sensibilidade às perdas: Note que as perdas são mais importantes que os ganhos, mas você se torna rapidamente insensível a elas (uma perda de 10 mil dólares é melhor do que dez perdas de mil dólares). Os ganhos importam menos que perdas, e grandes ganhos importam até menos (dez ganhos de mil dólares são melhores que um ganho de 10 mil).

Esteira hedônica: Meu falecido amigo Jimmy Powers costumava fazer um esforço excepcional para me mostrar banqueiros de investimento ricaços sofrendo, desconsolados, depois de um dia ruim. Essa riqueza toda é mesmo boa para eles se acabam ajustando-se a ela de tal modo que um único dia ruim é capaz de aniquilar o efeito de todos os êxitos anteriores? E, se as coisas não se acumulam bem, então se conclui que os seres humanos devem seguir um conjunto de estratégias diferente. Essa "redefinição" mostra a ligação com a teoria do prospecto.

Debate: Gigerenzer (1996), Kahneman e Tversky (1996), e Stanovich e West (2000). Considera-se que os teóricos evolutivos têm uma visão panglossiana: a evolução resolve tudo. Estranhamente, o debate é ferrenho não por causa de grandes divergências de opiniões, mas de pequenas discordâncias. *Heurísticas simples que nos tornam inteligentes* é o título de uma compilação de artigos de Gigerenzer e seus pares (Gigerenzer, 2000). Ver também Gigerenzer, Czerlinski e Martignon (2002).

Exemplo médico: Bennett (1998). Também discutido em Gigerenzer, Czerlinski e Martignon (2002). As heurísticas e vieses o catalogam como a falácia da taxa básica. Os teóricos evolutivos o dividem em domínio geral (probabilidade incondicional) em oposição ao que é de domínio específico (condicional).

Finanças comportamentais: Ver Schleifer (2000) e Shefrin (2000) para uma revisão. Ver também Thaler (1994b) e o original Thaler (1994a).

Adaptações específicas de domínio: Nossos pulmões são uma adaptação específica de domínio, cuja finalidade é extrair oxigênio do ar e depositá-lo em nosso sangue; não é papel dos pulmões fazer o sangue circular. Para os psicólogos evolutivos, o mesmo aplica-se a adaptações psicológicas.

Processo opaco: Para os psicólogos na tradição heurística e de vieses, o sistema 1 é opaco, ou seja, não é autoconsciente. Isso se assemelha ao encapsulamento e à inconsciência dos módulos discutidos anteriormente.

Fluxo: Ver Csikszentmihalyi (1993 e 1998). Cito ambos por precaução, mas não sei se existem diferenças entre os livros: o autor parece reescrever de diferentes maneiras a mesma ideia geral.

Subestimação de resultados possíveis: Hilton (2003).

A neurobiologia do contato visual: Ramachandran e Blakeslee (1998) sobre os centros visuais que se projetam para a amígdala: "Cientistas registrando respostas celulares na amígdala descobriram que, além de responder a expressões e emoções faciais, as células respondem também à direção do olhar fixo. Por exemplo, uma célula pode disparar se outra pessoa estiver olhando diretamente para alguém, ao passo que uma célula vizinha disparará somente se o olhar fixo dessa pessoa for evitado por uma fração de polegada. No entanto, outras células disparam quando o olhar se desvia muito para a esquerda ou para a direita. Esse fenômeno não é surpreendente, dado o importante papel que a direção do olhar desempenha nas comunicações sociais dos primatas — desviar o olhar por culpa, vergonha ou constrangimento, o olhar intenso e direto da pessoa amada, o olhar ameaçador de um inimigo".

CAPÍTULO 12

Pombos numa caixa: Skinner (1948).

Ilusão de conhecimento: Barber e Odean (2001) apresentam uma discussão sobre a literatura acerca da tendência a fazer uma inferência mais forte do que autorizam os dados, o que chamam de "ilusão de conhecimento".

CAPÍTULO 13

Céticos árabes: Al-Ghazali (1989).

O livro de Rozan: Rozan (1999).

Contabilidade mental: Thaler (1980), Kahneman, Knetsch e Thaler (1991).

Teoria do portfólio (infelizmente): Markowitz (1959).

O paradigma de probabilidade convencional: A maioria das discussões convencionais sobre o pensamento probabilístico, especialmente na literatura filosófica, apresenta variantes menores do mesmo paradigma com a sucessão das seguintes contribuições históricas: Chevalier de Méré, Pascal, Cardano, De Moivre, Gauss, Bernouilli, Laplace, Bayes, Von Mises, Carnap, Kolmogorov, Borel, De Finetti, Ramsey etc. No entanto, as últimas dizem respeito aos problemas de *cálculo* de probabilidade, talvez carregados de problemas técnicos, mas que são discussões sobre minúcias e, sendo depreciativo, *acadêmicas*. Elas não têm muita relevância neste livro — porque, apesar da minha especialidade, não parecem fornecer qualquer utilidade remota para questões práticas. Para uma revisão dessas, recomendo ao leitor os textos de Gillies (2000), Von Plato (1994), Hacking (1990) ou o mais popular e agradabilíssimo *Desafio aos deuses* (Bernstein, 1996), livro fortemente calcado em Florence Nightingale David (David, 1962). Recomendo *Desafio aos deuses* como uma apresentação fácil de ler da história do pensamento probabilístico em engenharia e das ciências exatas aplicadas, mas discordo completamente de sua mensagem acerca da mensurabilidade de riscos nas ciências sociais.

Repito o ponto: para filósofos operando com a probabilidade em si, o problema parece ser de cálculo. Neste livro, o problema da probabilidade é em grande medida uma questão de conhecimento, não de cômputo. Considero esses cálculos mera nota de rodapé para o tema. O verdadeiro problema é: de onde obtemos a probabilidade? Como podemos mudar nossas convicções? Venho trabalhando no problema de "apostas com dados errados": é muito mais importante entender quais são os dados que estamos usando ao jogar do que desenvolver sofisticados cálculos de resultados e correr o risco de ter, digamos, dados com nada mais além de seis. Em economia, por exemplo, temos modelos muito grandes de cálculos de risco baseados em suposições bastante fracas (na verdade, fracas, não, mas claramente equivocadas). Elas nos sufocam com matemática, mas tudo o mais está errado. Obter as suposições corretas pode ser mais importante do que ter um modelo sofisticado.

Um problema interessante é a questão do "value at risk", em que as pessoas imaginam que sabem lidar com o risco usando "matemática complexa" e fazendo previsões sobre eventos raros — por julgar que são capazes, com base em dados passados, de observar as distribuições de probabilidade. O aspecto comportamental mais interessante é que as pessoas que o defendem não parecem ter testado seu histórico de previsão anterior, outro tipo de problema de Meehl.

Pensadores e filósofos da probabilidade: Talvez o livro mais perspicaz já escrito sobre o assunto continue a ser o grande *Tratado sobre a probabilidade*, de John Maynard Keynes, que surpreendentemente não juntou poeira — de alguma forma, tudo o que descobrimos parece ter sido dito nele (embora, como é característico de Keynes, de maneira tortuosa). Nas habituais listas de pensadores da probabilidade, Shackle, que refinou a probabilidade subjetiva, muitas vezes está imerecidamente ausente (Shackle, 1973). A maioria dos autores também omite as contribuições relevantes de Isaac Levi sobre a probabilidade subjetiva e suas ligações com a crença (Levi, 1970), o que deveria ser leitura obrigatória nessa área (é um livro impenetrável, mas vale o exercício). É uma pena, porque Isaac Levi é um pensador da probabilidade (em oposição a um calculador de probabilidades). O epistemologista da probabilidade Henry Kyburg (muito difícil de ler) também está ausente.

Uma observação sobre os filósofos em comparação com os cientistas é que eles parecem funcionar de uma maneira muito heterogênea e compartimentada: em filosofia, lida-se com a probabilidade em diferentes ramos como lógica, epistemologia, escolha racional, filosofia da matemática e filosofia da ciência. É surpreendente ver Nicholas Rescher proferindo seu perspicaz discurso na Associação Filosófica Norte-Americana sobre o tópico da sorte, mais tarde publicado como um livro intitulado *Luck* sem discutir boa parte dos problemas na literatura filosófica e cognitiva sobre probabilidade.

Problemas com a mensagem: Vale notar que muitos leitores nas profissões técnicas, digamos, na engenharia, demonstraram certa dificuldade em ver a conexão entre probabilidade e crença e a importância do ceticismo na gestão de risco.

CAPÍTULO 14

Estoicismo: Discussões modernas em Becker (1998) e Banateanu (2001).

PÓS-ESCRITO

Incerteza e prazer: Ver Wilson et al. (2005) para o efeito da aleatoriedade no prolongamento de estados hedônicos positivos.

Aparência e sucesso: Ver Shahami et al. (1993) Hosoda et al. e (1999). Meu amigo Peter Bevelin me escreveu: "Quando penso em erro de julgamento de personalidades, sempre me lembro de Sherlock Holmes em O *signo dos quatro*, de Arthur Conan Doyle: 'É de suma importância não permitir que nosso juízo seja distorcido por qualidades pessoais. Asseguro-lhe que a mulher mais encantadora que já vi foi condenada ao enforcamento por envenenar três criancinhas para ficar com o dinheiro do seguro, e que o homem mais repulsivo que conheço é um filantropo que já gastou quase um quarto de milhão com os pobres de Londres'".

Maximização: A literatura psicológica tem enfocado a maximização em termos de escolha, não tanto em termos de otimização efetiva. Vou além, examinando a atividade de otimização na vida diária. Para síntese e revisão do impacto hedônico da maximização e de por que "menos é mais", ver Schwartz (2003). Ver também Schwartz et al. (2002). Para o nexo de causalidade entre a infelicidade e a busca de benefícios materiais, ver Kasser (2002).

Data da sua morte: Devo este último ponto a Gerd Gigerenzer.

Comportamento imprevisível: Ver Miller (2000) para a discussão da questão em biologia. Ver também as aplicações de Lucas (1978) em uma política monetária aleatória que frustra as expectativas.

Agradecimentos

Em primeiro lugar, eu gostaria de agradecer aos amigos que podem ser considerados legítimos coautores. Sou grato a Stan Jonas, intelectual e especialista em aleatoriedade nova-iorquino (não conheço nenhuma outra designação que faria justiça a ele), por metade de uma vida de conversas, com a animação e o desvelo de neófitos, sobre todos os temas que resvalam a probabilidade. Agradeço a meu amigo probabilista Don Geman (marido de Helyette Geman, orientadora da minha tese) por seu apoio entusiasmado a meu livro; ele me fez perceber que os probabilistas são nascidos, não criados (muitos matemáticos são capazes de calcular, mas não entender, a probabilidade; eles não são nem um pouco melhores que a população geral em empregar julgamentos probabilísticos). O livro de verdade começou com uma conversa que durou a noite inteira com meu amigo erudito Jamil Baz durante o verão de 1987, quando ele discutiu a formação de dinheiro "novo" e "velho" nas famílias. Eu era então um trader promissor, e ele desprezava os traders arrogantes da Salomon Brothers que o rodeavam (e foi provado certo). Baz incutiu em mim uma voraz introspecção com relação ao meu desempenho na vida e me deu a ideia para este livro. Mais tarde, nós dois acabamos fazendo doutorado, com tema quase idêntico. Também arrastei comigo muitas pessoas em caminhadas (bastante longas) em Nova York, Londres ou Paris para discutir algumas partes deste livro — por exemplo, o falecido Jimmy Powers, que logo no início ajudou a estimular minha atuação como trader e que vivia repetindo que "qualquer um pode comprar e vender", ou meu amigo enciclopédico David Pastel, que transita com igual desenvoltura entre a literatura, a matemática e as línguas semíticas. Ainda mobilizei meu lúcido colega popperiano Jonathan Waxman em numerosas conversas sobre a integração das ideias de Karl Popper em nossa vida como traders.

Em segundo lugar, tive a sorte de conhecer Myles Thompson e David Wilson, quando ambos estavam na J. Wiley & Sons. Myles entendeu que os livros não precisam ser escritos para satisfazer a um público rotulado e predefinido: ele encontrará seu próprio conjunto de leitores, dando, assim, mais crédito ao leitor do que ao editor pré-fabricado. Quanto a David, ele acreditou o suficiente no livro para me dar o empurrão que levou a obra a seu curso natural, livre de todos os rótulos e taxonomias. David me viu do jeito que me vejo: alguém apaixonado por probabilidade e aleatoriedade e obcecado por literatura, mas que por acaso é um trader, em vez de um "especialista" genérico. Ele também salvou meu estilo idiossincrático do emburrecimento do processo de edição (apesar de todas as falhas, o estilo é meu). Por fim, Mina Samuels provou ser a mais extraordinária editora que se pode imaginar: imensamente intuitiva, culta, interessada em questões estéticas e nada intrometida.

Muitos amigos durante conversas me alimentaram com ideias, que acabaram entrando no texto. Posso mencionar os suspeitos habituais, todos eles conversadores de primeira de linha: Cynthia Shelton Taleb, Helyette Geman, Marie-Christine Riachi, Paul Wilmott, Shaiy Pilpel, David DeRosa, Eric Briys, Sid Kahn, Jim Gatheral, Bernard Oppitit, Cyrus Pirasteh, Martin Mayer, Bruno Dupire, Raphael Douady, Marco Avellaneda, Didier Javice, Neil Chriss e Philippe Asseily.

Alguns dos capítulos deste livro foram compostos e discutidos como parte do Círculo do Odeon, reuniões que eu e meus amigos realizamos com variável grau de regularidade (às 22h das quartas-feiras, depois da minha aula no Instituto Courant) no bar do restaurante Odeon, em Tribeca. Tarek Khelifi, *genius loci* (o espírito do lugar) e destacado membro da equipe do Odeon, certificava-se de que fôssemos bem atendidos e reforçava nossa assiduidade fazendo com que eu me sentisse culpado pelas ausências, o que ajudou enormemente na elaboração do livro. Devemos muito a ele.

Devo expressar também minha gratidão às pessoas que leram o manuscrito e que diligentemente ajudaram a corrigir os erros ou contribuíram com comentários úteis para sua elaboração: Inge Ivchenko, Danny Tosto, Manos Vourkoutiotis, Stan Metelits, Jack Rabinowitz, Silverio Foresi, Aquiles Venetoulias e Nicholas Stephanou. Erik Stettler foi inestimável como revisor. Todos os erros são meus.

Por fim, muitas versões deste livro caíram na internet, produzindo explosões esporádicas (e aleatórias) de cartas de apoio, correções e perguntas preciosas, que me fizeram entretecer respostas no texto. Muitos capítulos deste livro surgiram como resposta a perguntas de leitores. Francesco Corielli, da Universidade Bocconi, alertou-me sobre os vieses na divulgação de resultados científicos.

Este livro foi escrito e finalizado depois que fundei o Empirica, minha casa intelectual, e o "Acampamento Empirica", na área rural de Greenwich, Connecticut, que projetei para se ajustar a meu gosto e parecer um passatempo: uma combinação de laboratório de pesquisa em probabilidade aplicada, acampamento de verão e, não menos importante, centro de operações de trading (vivencei alguns dos meus melhores anos profissionais enquanto escrevia estas linhas). Agradeço a todas as pessoas que comungam das mesmas ideias que eu e que ajudaram a nutrir a atmosfera estimulante de lá: Pallop Angsupun, Danny Tosto, Peter Halle, Mark Spitznagel, Yuzhao Zhang e Cyril de Lambilly, bem como os membros da Paloma Partners — como Tom Witz, que diariamente instigava nossa sabedoria, e Donald Sussman, que me forneceu suas penetrantes ponderações.

Agradecimentos da segunda edição atualizada

Fora da biblioteca

Este livro me ajudou a romper meu isolamento intelectual (não ser um acadêmico em tempo integral oferece inúmeros benefícios, como independência e distância das partes chatas do processo, mas o custo é a reclusão). Com a primeira edição, encontrei muitos pensadores lúcidos e interessantes com quem jantar ou me corresponder. Graças a eles, pude repassar alguns assuntos. Além disso, me aproximei do meu sonho graças ao estímulo da discussão com pessoas que compartilham dos meus interesses; sinto que tenho que dar algo ao livro em retribuição por isso. Parece haver evidências de que conversas e correspondência com pessoas inteligentes é um combustível melhor para o crescimento pessoal do que ser um rato de biblioteca (calor humano: talvez algo na nossa natureza nos ajude a ter ideias ao lidar e socializar com outras pessoas). De algum modo, há uma vida pré e uma vida pós *Iludidos*. Embora os agradecimentos da primeira edição valham mais do que nunca, gostaria de acrescentar minhas dívidas mais recentes aqui.

Encolhendo o mundo

Conheci Robert Shiller pessoalmente quando nos sentamos lado a lado no café da manhã de uma mesa-redonda. Vi-me comendo inadvertidamente todas as frutas do prato dele e bebendo seu café e sua água, deixando-o com os muffins e outras comidas menos elegantes (e sem nada para beber). Ele não reclamou (talvez não tenha notado). Eu não o conhecia quando o mencionei na primeira edição e fiquei surpreso com como é acessível, humilde e encantador (por algum motivo, não se espera que pessoas de visão também sejam afáveis). Mais tarde, Shiller me levou a uma livraria em New Haven, me mostrou *Planolândia*, uma parábola científica que lida com a física que tinha aprendido no ensino médio, e me disse para manter meu livro como havia sido na primeira edição: curto, pessoal e tão próximo de um romance quanto possível, o que mantive em mente enquanto o retrabalhava (ele tentou me convencer a não fazer uma segunda edição enquanto eu implorei que ele fizesse uma segunda edição de *Exuberância irracional*, nem que fosse apenas para mim; acho que venci as duas discussões). Livros têm uma dinâmica de bolha do tipo discutido no capítulo 10, algo que torna uma nova edição de um livro já existente muito mais propensa a superar o ponto crítico que um novo livro (efeitos de rede fazem livros de religião e modismos se saírem melhor em segundas edições que em volumes totalmente novos). O físico e teórico Didier Sornette me forneceu argumentos convincentes da efetividade de uma segunda versão; ficamos surpresos que editoras que prosperam com cascatas informativas não tenham consciência disso.

Ao longo de grande parte da reescrita deste livro, estive sob a influência energizante de duas conversas intensas durante o jantar com Daniel Kahneman, na Itália, que tiveram o efeito de me levar ao ponto crítico seguinte do impulso intelectual, depois que eu vi que o trabalho dele era muito mais profundo que a mera escolha racional em meio à incerteza. Estou convencido de que sua influência na economia (incluindo o Prêmio Nobel) tirou o foco da amplitude, da profundidade e da aplicabilidade geral de suas descobertas. Economia é uma coisa chata, mas *o trabalho dele é importante*, eu dizia para mim mesmo, não apenas porque Kahneman é um empiricista, não só por causa do contraste entre a relevância de seu trabalho (e de sua personalidade) e dos outros economistas que receberam o Nobel recentemente, mas por causa de suas extensas implicações em questões muito mais significativas: (a) ele e Amos Tversky ajudaram a colocar em dúvida a noção de homem que devemos ao racionalismo dogmático da era helenística e que se sustentou por 23 séculos, com todas as consequências nocivas que agora conhecemos; (b) o trabalho mais importante de Kahneman é sobre a teoria utilitária (em seus diferentes estágios), com consequências em coisas tão significativas como a felicidade. E compreender a felicidade é uma busca *verdadeira*.

Tive longas discussões com Terry Burnham, biólogo, economista evolutivo e coautor de *A culpa é da genética*, uma introdução despretensiosa à psicologia evolutiva, que por coincidência é muito próximo de Jamil Baz, o amigo de infância que ouviu minhas introspecções iniciais sobre o acaso duas décadas atrás. Peter McBurney me apresentou à comunidade da inteligência artificial, que parece juntar os campos da filosofia, da neurociência cognitiva, da matemática, da economia e da lógica. Iniciamos uma correspondência volumosa sobre as várias teorias da racionalidade. Michael Schrage, um dos meus críticos, é a epítome do intelectual moderno (ou seja, científico) — ele tem o hábito de ler tudo que parece importar. Conversa como um verdadeiro intelectual, protegido da camisa de força da pressão acadêmica. Ramaswami Ambarish e Lester Siegel me mostraram (com seu trabalho estranhamente ignorado) que se nos deixamos enganar pelo acaso em relação a simples desempenho, então o diferencial do desempenho é ainda mais difícil de definir. O escritor Malcolm Gladwell me indicou uma literatura muito interessante sobre intuição e autoconhecimento. Art De Vany, o criativo e brilhante economista especializado em não linearidades e eventos raros, começou sua carta de apresentação a mim com o xibolete "Odeio livros de referência". É encorajador ver alguém com um pensamento tão profundo que também se diverte. O economista William Easterly me mostrou que o acaso contribuiu para demandas ilusivas no desenvolvimento econômico. Ele gostava da ligação entre ser um empiricista cético e reprovar o monopólio do conhecimento por parte de instituições como governos e universidades. Sou grato ao agente de Hollywood, Jeff Berg, um leitor entusiasmado, por seus comentários sobre o tipo selvagem de incerteza que prevalece na mídia enquanto negócio. Tenho que agradecer a este livro por me permitir ter inúmeros jantares iluminadores com Jack Schwager, que parece pensar a respeito de alguns dos problemas há mais tempo do que qualquer outra pessoa que ainda esteja viva.

Obrigado, Google

As seguintes pessoas me ajudaram com o texto. Tive a sorte de contar com Andreea Munteanu como leitora incisiva e ouvinte valorosa; ela passou horas afastada de seu impressionante trabalho com derivativos verificando a integridade das referências no Google. Amanda Gharghour também me ajudou com a pesquisa. Também tive a sorte de contar com Gianluca Monaco como tradutor do italiano; ele encontrou erros no texto que eu teria levado um século para identificar (como cientista cognitivo e tradutor de livros transformado em estudante de matemática financeira, ele ligou para a editora e se ofereceu como tradutor). Meu colaborador, o filósofo da ciência Avital Pilpel, me forneceu ajuda inestimável com as discussões técnicas sobre probabilidade. Elie Ayache, trader, matemática e física da região do Levante que se transformou em filósofa da ciência e dos mercados de probabilidade (sem a parte da neurobiologia), me fez passar inúmeras horas na Borders Books, tanto na seção de filosofia quanto na de ciência. Flavia Cymbalista, Sole Marittimi (agora Riley), Paul Wilmott, Mark Spitznagel, Gur Huberman, Tony Glickman, Winn Martin, Alexander Reisz, Ted Zink, Andrei Pokrovsky, Shep Davis, Guy Riviere, Eric Schoenberg e Marco Di Martino fizeram comentários ao texto. George Martin foi, como sempre, um ouvinte inestimável. Os leitores Carine Chichereau, Bruce Bellner e Illias Katsounis me mandaram respeitosamente listas extensas de erros. Agradeço a Cindy, Sarah e Alexander pelo apoio e por me lembrarem de que há outras coisas além de probabilidade e incerteza.

Também preciso agradecer a meu segundo lar, o Instituto Courant de Ciências Matemáticas, por me fornecer a atmosfera adequada para perseguir meus interesses, lecionar e servir de tutor preservando minha independência intelectual, em particular a Jim Gatheral, que adquiriu o hábito de me encher de perguntas quando dividíamos uma turma. Tenho uma grande dívida com Donald Sussman e Tom Witz, do Paloma, por suas ideias incomuns; fiquei verdadeiramente impressionado com sua habilidade heroica de compreender o cisne negro. Também agradeço aos membros da Empirica (banimos o termo "funcionários") por promover o clima de debate intelectual feroz e implacável no escritório. Meus colegas de trabalho se certificam de que nem um único comentário da minha parte passe sem algum tipo de desafio.

Insisto que sem David Wilson e Myles Thompson este livro nunca teria sido publicado. Mas sem Will Murphy, Daniel Menaker e Ed Klagsbrun, que o revivera, estaria morto agora. Agradeço a Janet Wygal por sua atenção (e paciência) e a Fleetwood Robbins pela assistência. Devido a seu zelo, não acredito que tenham restado muitos erros, e os que restaram são meus.

Referências bibliográficas

ALBOUY, François-Xavier. *Le temps des catastrophes.* Paris: Descartes & Cie, 2002.
AL-GHAZALI. "Mikhtarat Min Ahthar Al-Ghazali". In: SALIBA, Jamil. *Tarikh Al Falsafa Al Arabiah.* Beirute: Al Sharikah Al Ahlamiah Lilkitab, 1989.
AMBARISH, R.; SIEGEL, L. "Time Is the Essence". *RISK,* v. 9, n. 8, pp. 41-2, 1996.
ARNHEIM, Rudolf. *Entropy and Art: An Essay on Disorder and Order.* Berkeley: University of California Press, 1971.
ARROW, Kenneth. "Economic Theory and the Postulate of Rationality". In: EATWELL, J.; MILGATE, M.; NEWMAN, P. (Orgs.). *The New Palgrave: A Dictionary of Economics,* v. 2, pp. 69-74. Londres: Macmillan, 1987.
ARTHUR, Brian W. *Increasing Returns and Path Dependence in the Economy.* Ann Arbor: University of Michigan Press, 1994.
BANATEANU, Anne. *La théorie stoïcienne de l'amitié: essai de reconstruction.* Fribourg: Éditions Universitaires de Fribourg/Paris: Éditions du Cerf, 2002.
BARABÁSI, Albert-László. *Linked: The New Science of Networks.* Boston: Perseus, 2002.
BARBER, B. M.; ODEAN, T. "The Internet and the Investor". *Journal of Economic Perspectives,* inverno, v. 15, n. 1, pp. 41-54, 2001.
BARRON, G.; EREV, I. "Small Feedback-based Decisions and Their Limited Correspondence to Description-based Decisions". *Journal of Behavioral Decision Making,* n. 16, pp. 215-33, 2003.
BATES, Elisabeth. "Modularity, Domain Specificity, and the Development of Language". In: GAJDUSEK, D. C.; MCKHANN, G. M.; BOLIS, C. L. (Orgs.). *Evolution and Neurology of Language: Discussions in Neuroscience,* n. 10, v. 1-2, pp. 136-49, 1994.
BECHARA, A.; DAMÁSIO, A. R.; DAMÁSIO, H.; ANDERSON, S. W. "Insensitivity to Future Consequences Following Damage to Human Prefrontal Cortex". *Cognition,* n. 50, pp. 1-3, 7-15, 1994.
BECKER, Lawrence C. *A New Stoicism.* Nova Jersey, Princeton University Press, 1998.
BENNETT, Deborah J. *Randomness.* Boston: Harvard University Press, 1998. [Ed. bras.: *Aleatoriedade.* São Paulo: Martins Fontes, 2003.]

BERNSTEIN, Peter L., *Against the Gods: The Remarkable Story of Risk*. Nova York: Wiley, 1996. [Ed. bras.: *Desafio aos deuses*: a fascinante história do risco. Rio de Janeiro: Alta Books, 2018.]
BERRIDGE, Kent C. "Irrational Pursuits: Hyper-incentives from a Visceral Brain". In: BROCAS e CARILLO, 2003.
BOUVIER, Alban (Org.). *Pareto aujourd'hui*. Paris: Presses Universitaires de France, 1999.
BRENT, Joseph. *Charles Sanders Peirce: A Life*. Bloomington: Indiana University Press, 1993.
BROCAS, I.; CARILLO, J. (Orgs.). *The Psychology of Economic Decisions: Vol. 1: Rationality and Well-being*. Oxford: Oxford University Press, 2003.
BROCK, W. A.; DE LIMA, P. J. F. "Nonlinear Time Series, Complexity Theory, and Finance". Madison: Universidade de Wisconsin, versão preliminar 9523, 1995.
_____; HSIEH, D. A; LEBARON, B. *Nonlinear Dynamics, Chaos, and Instability: Statistical Theory and Economic Evidence*. Boston: MIT Press, 1991.
BROCKMAN, John. *The Third Culture: Beyond the Scientific Revolution*. Nova York: Simon & Schuster, 1995. [Ed. port.: *A terceira cultura: para além da revolução científica*. Lisboa: Temas e Debates, 1998.]
BUCHANAN, Mark. *Ubiquity: Why Catastrophes Happen*. Nova York: Three Rivers Press, 2002.
BUEHLER, R.; GRIFFIN, D.; ROSS, M. "Inside the Planning Fallacy: The Causes and Consequences of Optimistic Time Predictions". In: GILOVICH, GRIFFIN e KAHNEMAN, 2002.
BURNHAM, Terence C. *Essays on Genetic Evolution and Economics*. Nova York: Dissertation.com, 1997.
_____. "Caveman Economics". Harvard Business School, 2003.
_____; PHELAN, J. *Mean Genes*. Boston: Perseus, 2000. [Ed. Bras.: *A culpa é da genética*. Rio de Janeiro: Sextante, 2002.]
CAMERER, C.; LOEWENSTEIN, G.; PRELEC, D. "Neuroeconomics: How Neuroscience Can Inform Economics". Pasadena: Instituto de Tecnologia da Califórnia (Caltech), versão preliminar, 2003.
CAMPBELL, Jeremy. *Grammatical Man: Information, Entropy, Language and Life*. Nova York: Simon & Schuster, 1982.
CARTER, Rita. *Mapping the Mind*. Berkeley: University of California Press, 1999. [Ed. bras.: *O livro de ouro da mente*. Rio de Janeiro: Ediouro, 2009.]
_____. *Exploring Consciousness*. Berkeley: University of California Press, 2002.
CHANCELLOR, Edward. *Devil Take the Hindmost: A History of Financial Speculation*. Nova York: Farrar, Straus & Giroux, 1999.
CONLAN, Roberta (Org.). *States of Mind: New Discoveries About How Our Brains Make Us Who We Are*. Nova York: Wiley, 1999.
COOTNER, Paul H. *The Random Character of Stock Market Prices*. Boston: MIT Press, 1964.
COSMIDES, L.; TOOBY, J. "Cognitive Adaptations for Social Exchange". In: BARKOW et al. (Org.). *The Adapted Mind*. Oxford: Oxford University Press, 1992.
COVER, T. M.; THOMAS, J. A. *Elements of Information Theory*. Nova York: Wiley, 1991.
CSIKSZENTMIHALYI, Mihaly. *Flow: The Psychology of Optimal Experience*. Nova York: Perennial, 1993.
_____. *Finding Flow: The Psychology of Engagement with Everyday Life*. Nova York: Basic, 1998.
DAMÁSIO, António. *Descartes' Error: Emotion, Reason, and the Human Brain*. Nova York: Avon, 1994. [Ed. bras.: *O erro de Descartes: emoção, razão e o cérebro humano*. São Paulo: Companhia das Letras, 1996.]

DAMÁSIO, António. *The Feeling of What Happens: Body and Emotion in the Making of Consciousness.* Nova York: Harvest, 2000. [Ed. bras.: *O mistério da consciência:* do corpo e das emoções ao conhecimento de si. São Paulo: Companhia das Letras, 2015.]

_____. *Looking for Spinoza: Joy, Sorrow and the Feeling Brain.* Nova York: Harcourt, 2003. [Ed. bras.: *Em busca de Espinosa:* prazer e dor na ciência dos sentimentos. São Paulo: Companhia das Letras, 2004.]

DAVID, Florence Nightingale. *Games, Gods, and Gambling: A History of Probability and Statistical Ideas.* Oxford: Oxford University Press, 1962.

DAWES, R. M.; FAUST, D.; MEEHL, P. E. "Clinical Versus Actuarial Judgment". *Science,* n. 243, pp. 1668-74, 1989.

DAWKINS, Richard. *The Selfish Gene.* 2.ed. Oxford: Oxford University Press, 1989 (1976). [Ed. bras.: *O gene egoísta.* São Paulo: Companhia das Letras, 2007.]

DE VANY, Arthur. *Hollywood Economics: Chaos in the Movie Industry.* Londres: Routledge, 2003.

DEBREU, Gerard. *Theory of Value.* Nova York: Wiley, 1959.

DENNETT, Daniel C. *Darwin's Dangerous Idea: Evolution and the Meanings of Life.* Nova York: Simon & Schuster, 1995. [Ed. bras.: *A perigosa ideia de Darwin:* a evolução e os significados da vida. Rio de Janeiro: Rocco, 1998.]

DEUTSCH, David. *The Fabric of Reality.* Nova York: Penguin, 1997. [Ed. bras.: *A essência da realidade.* São Paulo: Makron Books, 2000.]

DEWITT, B. S.; GRAHAM, N. (Orgs.). *The Many-Worlds Interpretation of Quantum Mechanics.* Nova Jersey, Princeton University Press, 1973.

DUGATKIN, Lee Alan. *The Imitation Factor: Evolution Beyond the Gene.* Nova York: Simon & Schuster, 2001.

EASTERLY, William. *The Elusive Quest for Growth: Economists' Adventures and Misadventures in the Tropics.* Boston: MIT Press, 2001.

EDMONDS, D.; EIDINOW, J. *Wittgenstein's Poker: The Story of a Ten-Minute Argument Between Two Great Philosophers.* Nova York: Ecco, 2001. [Ed. bras.: *O atiçador de Wittgenstein:* a história de uma discussão de dez minutos entre dois grandes filósofos. Rio de Janeiro: Difel, 2003.]

EINSTEIN, A. *Investigations on the Theory of the Brownian Movement.* Nova York: Dover, 1956 (1926).

EKMAN, Paul. *Telling Lies: Clues to Deceit in the Marketplace, Politics and Marriage.* Nova York: W. W. Norton, 1992.

ELSTER, Jon. *Alchemies of the Mind: Rationality and the Emotions.* Cambridge: Cambridge University Press, 1998.

EVANS, Dylan. *Emotions: The Science of Sentiment.* Oxford: Oxford University Press, 2002. [Ed. port.: *Emoção:* a ciência do sentimento. Lisboa; Temas e Debates, 2003.]

_____; ZARATE, O. *Introducing Evolutionary Psychology.* Londres: Totem, 1999.

EYSENCK, M. W.; KEANE, M. T. *Cognitive Psychology.* 4.ed. 2000. [Ed. bras.: *Psicologia Cognitiva:* um manual introdutório. Porto Alegre: Artes Médicas, 1994.]

FINUCANE, M. L.; ALHAKAMI, A.; SLOVIC, P.; JOHNSON, S. M. "The Affect Heuristic in Judgments of Risks and Benefits". *Journal of Behavioral Decision Making,* n. 13, pp. 1-17, 2000.

FISCHHOFF, Baruch. "For Those Condemned to Study the Past: Heuristics and Biases in Hindsight". In: KAHNEMAN, SLOVIC e TVERSKY, 1982.

FODOR, Jerry A. *The Modularity of Mind: An Essay on Faculty Psychology.* Boston: MIT Press, 1983.

FRANK, Robert H. *Choosing the Right Pond: Human Behavior and the Quest for Status*. Oxford: Oxford University Press, 1985.

_____. *Luxury Fever: Why Money Fails to Satisfy in an Era of Excess*. Nova Jersey: Princeton University Press, 1999.

_____; COOK, P. J. *The Winner-Take-All Society: Why the Few at the Top Get So Much More Than the Rest of Us*. Nova York: Free Press, 1995.

FREDERICK, S.; LOEWENSTEIN, G. "Hedonic Adaptation". In: KAHNEMAN, DIENER e SCHWARZ, 1999.

FREEDMAN, D. A.; STARK, P. B. "What Is the Chance of an Earthquake?". Departamento de Estatística, Universidade da Califórnia em Berkeley, 94720-3860, relatório técnico 611, set. 2001; edição revista, jan. 2003.

FUKUYAMA, Francis. *The End of History and the Last Man*. Nova York: Free Press, 1992. [Ed. bras.: *O fim da história e o último homem*. Rio de Janeiro: Rocco, 1992.]

GALBRAITH, John Kenneth. *The Great Crash 1929*. Nova York: Mariner, 1997. [Ed. bras.: *1929: a grande crise*. São Paulo: Larousse do Brasil, 2010.]

GEHRING, W. J.; WILLOUGHBY, A. R. "The Medial Frontal Cortex and the Rapid Processing of Monetary Gains and Losses". *Science*, n. 295, mar. 2002.

GEORGESCU-ROEGEN, Nicholas. *The Entropy Law and the Economic Process*. Boston: Harvard University Press, 1971.

GIGERENZER, Gerd. *The Empire of Chance: How Probability Changed Science and Everyday Life*. Cambridge: Cambridge University Press, 1989.

_____. "On Narrow Norms and Vague Heuristics: A Reply to Kahneman and Tversky". *Psychological Review*, n. 103, pp. 592-6, 1996.

_____. *Calculated Risks: How to Know When Numbers Deceive You*. Nova York: Simon & Schuster, 2003.

_____; TODD, P. M.; ABC Research Group. *Simple Heuristics That Make Us Smart*. Oxford: Oxford University Press, 2000.

_____; CZERLINSKI; J.; MARTIGNON, L. "How Good Are Fast and Frugal Heuristics?". In: GILOVICH, GRIFFIN e KAHNEMAN, 2002.

GILBERT, D.; PINEL, E.; WILSON, T. D.; BLUMBERG, S.; WEATLEY, T. "Durability Bias in Affective Forecasting". In: GILOVICH, GRIFFIN e KAHNEMAN, 2002.

GILLIES, Donald. *Philosophical Theories of Probability*. Londres: Routledge, 2000.

GILOVICH, T. D.; GRIFFIN, D.; KAHNEMAN, D. (Orgs.). *Heuristics and Biases: The Psychology of Intuitive Judgment*. Cambridge: Cambridge University Press, 2002.

GLADWELL, Malcolm. "The Tipping Point: Why Is the City Suddenly So Much Safer — Could It Be That Crime Really Is an Epidemic?". *The New Yorker*, 3 jun. 1996.

_____. *The Tipping Point: How Little Things Can Make a Big Difference*. Nova York: Little, Brown, 2000. [Ed. bras.: *O ponto da virada: como pequenas coisas podem fazer uma grande diferença*. Rio de Janeiro: Sextante, 2009.]

_____. "Blowing Up: How Nassim Taleb Turned the Inevitability of Disaster into an Investment Strategy". *The New Yorker*, 22 e 29 abr. 2002.

GLIMCHER, Paul. *Decisions, Uncertainty, and the Brain: The Science of Neuroeconomics*. Boston: MIT Press, 2002.

GOLEMAN, Daniel. *Emotional Intelligence: Why It Could Matter More Than IQ*. Nova York: Bantam, 1995. [Ed. bras.: *Inteligência emocional*: a teoria revolucionária que redefine o que é ser inteligente. Rio de Janeiro: Objetiva, 1996.]

_____. *Destructive Emotions, How Can We Overcome Them?: A Scientific Dialogue with the Dalai Lama*. Nova York: Bantam, 2003. [Ed. bras.: *Como lidar com emoções destrutivas para viver em paz com você e os outros*. Rio de Janeiro: Elsevier, 2003.]

GOODMAN, Nelson. *Facts, Fiction and Forecast*. Boston: Harvard University Press, 1954.

HACKING, Ian. *The Taming of Chance*. Cambridge: Cambridge University Press, 1990.

HACOHEN, Malachi Haim. *Karl Popper, The Formative Years, 1902-1945: Politics and Philosophy in Interwar Vienna*. Cambridge: Cambridge University Press, 2001.

HAYEK, F. A. "The Use of Knowledge in Society". *American Economic Review*, v. 35, n. 4, pp. 519-30, 1945.

HAYEK, F. A. *The Road to Serfdom*. Chicago: University of Chicago Press, 1994.

HILTON, Denis. "Psychology and the Financial Markets: Applications to Understanding and Remedying Irrational Decision-making". In: BROCAS e CARILLO, 2003.

HIRSHLEIFER, J.; RILEY, J. G. *The Analytics of Uncertainty and Information*. Cambridge: Cambridge University Press, 1992.

HORROBIN, David. *Madness of Adam and Eve: How Schizophrenia Shaped Humanity*. Nova York: Transworld, 2002.

HOSODA, M.; COATS, G.; STONE-ROMERO, E. F; BACKUS, C. A. "Who Will Fare Better in Employment-Related Decisions? A Meta-Analytic Review of Physical Attractiveness Research in Work Settings". Trabalho apresentado no congresso da Sociedade de Psicologia Organizacional Industrial, Atlanta, Geórgia, 1999.

HSEE, C. K.; ROTTENSTREICH, Y. R. "Music, Pandas and Muggers: On the Affective Psychology of Value". *Journal of Experimental Psychology*, 2004.

HSIEH, David A. "Chaos and Nonlinear Dynamics: Application to Financial Markets". *The Journal of Finance*, v. 46, n. 5, pp. 1839-77, 1991.

HUANG, C. F.; LITZENBERGER, R. H. *Foundations for Financial Economics*. Nova York: North-Holland, 1988.

HUME, David. *An Enquiry Concerning Human Understanding*. Oxford: Oxford University Press, 1999 (1748). [Ed. bras.: *Investigação sobre o entendimento humano*. São Paulo: Hedra, 2011.]

INGERSOLL, Jonathan E., Jr. *The Theory of Financial Decision Making*. Lanham: Rowman & Littlefield, 1987.

JAYNES, E. T. *Probability Theory: The Logic of Science*. Cambridge: Cambridge University Press, 2003.

KAHNEMAN, D. "Why People Take Risks". In: *Gestire la vulnerabilità e l'incertezza: un incontro internazionale fra studiosi e capi di impresa*. Rome: Instituto Italiano de Estudos do Risco, 2003.

_____; DIENER, E.; SCHWARZ, N. (Orgs.). *Well-being: The Foundations of Hedonic Psychology*. Nova York: Russell Sage Foundation, 1999.

_____; FREDERICK, S. "Representativeness Revisited: Attribute Substitution in Intuitive Judgment". In: GILOVICH, GRIFFIN e KAHNEMAN, 2002.

_____; KNETSCH, J. L.; THALER, R. H. "Rational Choice and the Framing of Decisions". *Journal of Business*, v. 59, n. 4, pp. 251-78, 1986.

KANEMAN, D.; KNETSCH, J. L.; THALER, R. H. "Anomalies: The Endowment Effect, Loss Aversion, and Status Quo Bias". 1991. In: KAHNEMAN e TVERSKY, 2000.

_____; LOVALLO, D. "Timid Choices and Bold Forecasts: A Cognitive Perspective on Risk-taking. *Management Science*, n. 39, pp. 17-31, 1993.

_____; SLOVIC, P.; TVERSKY, A. (Orgs.). *Judgment Under Uncertainty: Heuristics and Biases*. Cambridge: Cambridge University Press, 1982.

_____; TVERSKY, A. "Subjective Probability: A Judgment of Representativeness". *Cognitive Psychology*, n. 3, pp. 430-54, 1972.

_____; _____. "On the Psychology of Prediction". *Psychological Review*, n. 80, pp. 237-51, 1973.

_____; _____. "Prospect Theory: An Analysis of Decision Under Risk". *Econometrica*, n. 47, pp. 263-91, 1979.

_____; _____. "On the Study of Statistical Intuitions". *Cognition*, n. 11, pp. 123-41, 1982.

_____; _____. "On the Reality of Cognitive Illusions". *Psychological Review*, n. 103, pp. 582-91, 1996.

_____; _____. (Orgs.). *Choices, Values, and Frames*. Cambridge: Cambridge University Press, 2000.

KASSER, Tim. *The High Price of Materialism*. Boston: MIT Press, 2002.

KEYNES, John Maynard. "The General Theory". *Quarterly Journal of Economics*, v. LI, pp. 209-33, 1937.

_____. *Treatise on Probability*. Londres: Macmillan, 1989 (1920).

KINDLEBERGER, Charles P. *Manias, Panics, and Crashes*. Nova York: Wiley, 2001. [Ed. bras.: *Manias, pânicos e crashes: um histórico das crises financeiras*. Rio de Janeiro: Nova Fronteira, 2000; *Manias, pânicos e crises: uma história das catástrofes econômicas mundiais*. São Paulo: Saraiva, 2012.]

KNIGHT, Frank. *Risk, Uncertainty and Profit*. Nova York: Harper and Row, 1965 (1921).

KREPS, David M. *Notes on the Theory of Choice*. Boulder: Westview, 1988.

KREPS, J.; DAVIES, N. B. *An Introduction to Behavioral Ecology*. 3.ed. Oxford: Blackwell Scientific Publications, 1993.

KRIPKE, Saul A. *Naming and Necessity*. Boston: Harvard University Press, 1980.

KURZ, Mordecai. "Endogenous Uncertainty: A Unified View of Market Volatility", versão preliminar. Stanford: Stanford University Press, 1997.

KYBURG, Henry E., Jr. *Epistemology and Inference*. Minneapolis: University of Minnesota Press, 1983.

LEDOUX, Joseph. *The Emotional Brain: The Mysterious Underpinnings of Emotional Life*. Nova York: Simon & Schuster, 1998. [Ed. bras.: *O cérebro emocional: os misteriosos alicerces da vida emocional*. Rio de Janeiro: Objetiva, 1998.]

_____. *Synaptic Self: How Our Brains Become Who We Are*. Nova York: Viking, 2002.

LEVI, Isaac. *Gambling with Truth*. Boston: MIT Press, 1970.

LEWIS, T.; AMINI, F.; LANNON, R. *A General Theory of Love*. Nova York: Vintage, 2000.

LICHTENSTEIN, S.; FISCHHOFF, B., PHILLIPS, L. "Calibration of Probabilities: The State of the Art.", 1977. In: KAHNEMAN, SLOVIC e TVERSKY, 1982.

LOEWENSTEIN, G. F.; WEBER, E. U.; HSEE, C. K.; WELCH, E. S. "Risk As Feelings". *Psychological Bulletin*, n. 127, pp. 267-86, 2001.

LOWENSTEIN, Roger. *When Genius Failed: The Rise and Fall of Long-Term Capital Management*. Nova York: Random House, 2000.

LUCAS, Robert E. "Asset Prices in an Exchange Economy". *Econometrica*, n. 46, pp. 1429-45, 1978.

LUCE, R. D.; RAIFFA, H. *Games and Decisions: Introduction and Critical Survey.* Nova York: Dover, 1957.
MACHINA, M. J.; ROTHSCHILD, M. "Risk". In: EATWELL, J.; MILGATE, M.; NEWMAN, P. (Orgs.). *The New Palgrave: A Dictionary of Economics.* Londres: Macmillan, 1987.
MACKAY, Charles. *Extraordinary Popular Delusions and the Madness of Crowds.* Nova York: Metro, 2002.
MAGEE, Bryan, *Confessions of a Philosopher.* Londres: Weidenfeld & Nicholson, 1997. [Ed. bras.: *Confissões de um filósofo.* São Paulo: Martins Fontes, 2001.]
MANDELBROT, Benoit B. *Fractals and Scaling in Finance.* Nova York: Springer, 1997.
MARKOWITZ, Harry. *Portfolio Selection: Efficient Diversification of Investments.* 2.ed. Nova York: Wiley, 1959.
MEEHL, Paul E., *Clinical Versus Statistical Predictions: A Theoretical Analysis and Revision of the Literature.* Minneapolis: University of Minnesota Press, 1954.
MENAND, Louis. *The Metaphysical Club: A Story of Ideas in America.* Nova York: Farrar, Straus & Giroux, 2001.
MERTON, Robert C. *Continuous-Time Finance.* 2.ed. Cambridge: Blackwell, 1992.
MILLER, Geoffrey F. *The Mating Mind: How Sexual Choice Shaped the Evolution of Human Nature.* Nova York: Doubleday, 2000.
MUMFORD, David. "The Dawning of the Age of Stochasticity". 1999. Disponível em: <www.dam.brown.edu/people/mumford/beyond/papers/2000b--DawningAgeStoch-NC.pdf>. Acesso em: 25 set. 2019.
MYERS, David G. *Intuition: Its Powers and Perils.* New Haven: Yale University Press, 2002.
NADEAU, Maurice. *Histoire du surréalisme.* Paris: Seuil, 1970. [Ed. bras.: *História do surrealismo.* São Paulo: Perspectiva, 2008.]
NIEDERHOFFER, Victor. *The Education of a Speculator.* Nova York: Wiley, 1997.
NOZICK, Robert. *The Nature of Rationality.* Nova Jersey: Princeton University Press, 1993.
PAULOS, John Allen. *Innumeracy.* Nova York: Hill and Wang, 1988.
_____. *A Mathematician Plays the Stock Market.* Boston: Basic, 2003.
PEIRCE, Charles S. *Chance, Love and Logic: Philosophical Essays.* Lincoln: University of Nebraska Press, 1998 (1923).
PETERSON, Ivars. *The Jungles of Randomness: A Mathematical Safari.* Nova York: Wiley, 1998.
PIATTELLI-PALMARINI, Massimo. *Inevitable Illusions: How Mistakes of Reason Rule Our Minds.* Nova York: Wiley, 1994. [Ed. port.: *A ilusão de saber.* Lisboa: Círculo de Leitores, 1997.]
PINKER, Steven. *How the Mind Works.* Nova York: W. W. Norton, 1997. [Ed. bras.: *Como a mente funciona.* São Paulo: Companhia das Letras, 1998.]
_____. *The Blank Slate: The Modern Denial of Human Nature.* Nova York: Viking, 2002. [Ed. bras.: *Tábula rasa: a negação contemporânea da natureza humana.* São Paulo: Companhia das Letras, 2004.]
PLOTKIN, Henry. *Evolution in Mind: An Introduction to Evolutionary Psychology.* Boston: Harvard University Press, 1998.
POPPER, Karl R. *The Open Society and Its Enemies.* 5.ed. Nova Jersey: Princeton University Press, 1971. [Ed. bras.: *A sociedade aberta e os seus inimigos.* Belo Horizonte: Itatiaia, 1998.]
_____. *Conjectures and Refutations: The Growth of Scientific Knowledge.* 5.ed. Londres: Routledge, 1992. [Ed. bras.: *Conjecturas e refutações.* Brasília: Editora da UnB, 1978.]

POPPER, Karl, R. *The Myth of the Framework*. Londres: Routledge, 1994.

_____. *The Logic of Scientific Discovery*. 15.ed. Londres: Routledge, 2002. [Ed. bras.: *A lógica da descoberta científica*. São Paulo: Cultrix, 2003.]

_____. *The Poverty of Historicism*. Londres: Routledge, 2002. [Ed. bras.: *A miséria do historicismo*. São Paulo: Cultrix, 1993.]

POSNER, Richard A. *Public Intellectuals: A Study in Decline*. Boston: Harvard University Press, 2002.

RABIN, Mathew. "Inference by Believers in the Law of Small Numbers". Departamento de Economia, Universidade da Califórnia em Berkeley, versão preliminar e00-282, 2000. Disponível em: <http://repositories.cdlib.org/iber/econ/E00-282>. Acesso em: 25 set. 2019.

_____; THALER, R. H. "Anomalies: Risk Aversion". *Journal of Economic Perspectives*, v. 15, n. 1, inverno, pp. 219-32, 2001.

RAMACHANDRAN, V. S.; BLAKESLEE, S. *Phantoms in the Brain*. Nova York: Morrow, 1998.

RATEY, John J. *A User's Guide to the Brain: Perception, Attention and the Four Theaters of the Brain*. Nova York: Pantheon, 2001.

RESCHER, Nicholas. *Luck: The Brilliant Randomness of Everyday Life*. Nova York: Farrar, Straus & Giroux, 1995.

ROBBE-GRILLET, Alain. *Les gommes*. Paris: Éditions de Minuit, 1985.

ROZAN, Jean-Manuel. *Le fric*. Paris: Michel Lafon, 1999.

SAPOLSKY, Robert M. *Why Zebras Don't Get Ulcers: An Updated Guide to Stress, Stress-Related Diseases, and Coping*. Nova York: W. H. Freeman & Co., 1998.

_____; Departamento de Neurologia e Ciências Neurológicas, Escola de Medicina da Universidade de Stanford. "Glucocorticoids and Hippocampal Atrophy in Neuropsychiatric Disorders". Universidade de Stanford, 2003.

SAVAGE, Leonard J. *The Foundations of Statistics*. Nova York: Dover, 1972.

SCHLEIFER, Andrei. *Inefficient Markets: An Introduction to Behavioral Finance*. Oxford: Oxford University Press, 2000.

SCHWARTZ, Barry. *The Paradox of Choice*. Nova York: Ecco, 2003.

_____; WARD, A.; MONTEROSSO, J.; LYUBOMIRSKY, S.; WHITE, K.; LEHMAN, D. R. "Maximizing Versus Satisficing: Happiness Is a Matter of Choice". *J Pers Soc Psychol*, nov., v. 83, n. 5, pp. 1178-97, 2002.

SEARLE, John, J. *Rationality in Action*. Boston: MIT Press, 2001.

SEN, Amartya, K. "Rational: A Critique of the Behavioral Foundations of Economic Theory". *Philosophy and Public Affairs*, n. 6, pp. 317-44, 1977.

_____. *Rationality and Freedom*. Boston: Belknap Press of Harvard University, 2003.

SHACKLE, George L. S. *Epistemics and Economics: A Critique of Economic Doctrines*. Cambridge: Cambridge University Press, 1973.

SHAHANI, C.; DIPBOYE, R. L.; GEHRLEIN, T. M. "Attractiveness Bias in the Interview: Exploring the Boundaries of an Effect". *Basic and Applied Social Psychology*, v. 14, n. 3, pp. 317-28, 1993.

SHEFRIN, Hersh. *Beyond Fear and Greed: Understanding Behavioral Finance and the Psychology of Investing*. Nova York: Oxford University Press, 2000.

SHILLER, Robert J. "Do Stock Prices Move Too Much to Be Justified by Subsequent Changes in Dividends?". *American Economic Review*, v. 71, n. 3, pp. 421-36, 1981.

SHILLER, Robert J. *Market Volatility*. Boston: MIT Press, 1989.
_____. "Market Volatility and Investor Behavior". *American Economic Review*, v. 80, n. 2, pp. 58-62, 1990.
_____. *Irrational Exuberance*. Nova Jersey: Princeton University Press, 2000.
SHIZGAL, Peter. "On the Neural Computation of Utility: Implications from Studies of Brain Simulation Rewards". In: KAHNEMAN, DIENER e SCHWARZ, 1999.
SIGELMAN, C. K.; THOMAS, d. b.; SIGELMAN, L.; RIBICH, F. D. "Gender, Physical Attractiveness, and Electability: An Experimental Investigation of Voter Biases". *Journal of Applied Social Psychology*, v. 16, n. 3, pp. 229-48, 1986.
SIMON, Herbert A. "A Behavioral Model of Rational Choice". *Quarterly Journal of Economics*, n. 69, pp. 99-118, 1995.
_____. "Rational Choice and the Structure of the Environment". *Psychological Review*, n. 63, pp. 129-38, 1956.
_____. *Models of Man*. Nova York: Wiley, 1957.
_____. *Reason in Human Affairs*. Stanford: Stanford University Press, 1983.
_____. "Behavioral Economics". In: EATWELL, J.; MILGATE, M.; NEWMAN, P. (Orgs.). *The New Palgrave: A Dictionary of Economics*. Londres: Macmillan, 1987.
_____. "Bounded Rationality". In: EATWELL, J.; MILGATE, M.; NEWMAN, P. (Orgs.). *The New Palgrave: A Dictionary of Economics*. Londres: Macmillan, 1987.
SKINNER, B. F. "Superstition in the Pigeon". *Journal of Experimental Psychology*, n. 38, pp. 168-72, 1948.
SLOMAN, Steven A. "The Empirical Case for Two Systems of Reasoning". *Psychological Bulletin*, n. 119, pp. 3-22, 1996.
_____. "Two Systems of Reasoning". In: GILOVICH, GRIFFIN e KAHNEMAN, 2002.
SLOVIC, Paul. "Perception of Risk". *Science*, n. 236, pp. 280-5, 1987.
_____. *The Perception of Risk*. Londres: Earthscan, 2000.
_____; FINUCANE, M.; PETERS, E; MACGREGOR, D. G. "The Affect Heuristic". In: GILOVICH, GRIFFIN e KAHNEMAN, 2002.
_____. "Rational Actors or Rational Fools? Implications of the Affect Heuristic for Behavioral Economics", versão preliminar, Decision Research, 2003.
_____. "Risk As Analysis, Risk As Feelings: Some Thoughts About Affect, Reason, Risk, and Rationality". Artigo apresentado no Congresso Anual da Sociedade para a Análise de Risco, New Orleans, 10 dez. 2002.
SOKAL, Alan D. "Transgressing the Boundaries: Toward a Transformative Hermeneutics of Quantum Gravity". *Social Text*, n. 46-7, pp. 217-52, 1996.
SORNETTE, Didier. *Why Stock Markets Crash: Critical Events in Complex Financial Systems*. Nova Jersey: Princeton University Press, 2003.
SOROS, George. *The Alchemy of Finance: Reading the Mind of the Market*. Nova York: Simon & Schuster, 1988.
SOWELL, Thomas. *A Conflict of Visions: Ideological Origins of Political Struggles*. Nova York: Morrow, 1987.
SPENCER, B. A.; TAYLOR, G. S. "Effects of Facial Attractiveness and Gender on Causal Attributions of Managerial Performance". *Sex Roles*, v. 19, n. 5-6, pp. 273-85, 1988.

STANLEY, T. J. *The Millionaire Mind*. Kansas City: Andrews McMeel, 2000. [Ed. bras.: *A mente milionária (sem segredos): para ser um milionário, comece a pensar como um deles*. Ribeirão Preto, 2006.]
_____; DANKO, W. D. *The Millionaire Next Door: The Surprising Secrets of America's Wealthy*. Atlanta: Longstreet, 1996. [Ed. bras.: *O milionário mora ao lado: os surpreendentes segredos dos ricaços americanos*. Barueri: Manole, 1999.]
STANOVICH, K.; WEST, R. "Individual Differences in Reasoning: Implications for the Rationality Debate". *Behavioral and Brain Sciences*, n. 23, pp. 645-65, 2000.
STERELNY, Kim. *Dawkins vs Gould: Survival of the Fittest*. Cambridge: Totem, 2001.
STIGLER, Stephen M. *The History of Statistics: The Measurement of Uncertainty Before 1900*. Boston: Belknap Press of Harvard University, 1986.
_____. *Statistics on the Table: The History of Statistical Concepts and Methods*. Boston: Harvard University Press, 2002.
SULLIVAN, R.; Timmermann, A.; WHITE, H. "Data-snooping, Technical Trading Rule Performance and the Bootstrap". *Journal of Finance*, n. 54, pp. 1647-92, out. 1999.
TALEB, Nassim Nicholas. *Dynamic Hedging: Managing Vanilla and Exotic Options*. Nova York: Wiley, 1997.
_____. "Bleed or Blowup? Why Do We Prefer Asymmetric Payoffs?". *Journal of Behavioral Finance*, n. 5, 2004.
TASZKA, T.; ZIELONKA, P. "Expert Judgments: Financial Analysts Versus Weather Forecasters". *The Journal of Psychology and Financial Markets*, v. 3, n. 3, pp. 152-60, 2002.
THALER, Richard H. "Towards a Positive Theory of Consumer Choice", *Journal of Economic Behavior and Organization*, n. 1, pp. 39-60, 1980.
_____. *Quasi Rational Economics*. Nova York: Russell Sage Foundation, 1994.
_____. *The Winner's Curse: Paradoxes and Anomalies of Economic Life*. Nova Jersey: Princeton University Press, 1994.
TOULMIN, Stephen. *Cosmopolis: The Hidden Agenda of Modernity*. Nova York: Free Press, 1994.
TVERSKY, A.; KAHNEMAN, D. "Belief in the Law of Small Numbers". *Psychology Bulletin*, v. 76, n. 2, pp. 105-10, ago. 1971.
_____. "Availability: A Heuristic for Judging Frequency and Probability". *Cognitive Psychology*, n. 5, pp. 207-32.
_____. "Evidential Impact of Base-Rates". In: KAHNEMAN, SLOVIC e TVERSKY, pp. 153-60, 1982.
_____. "Advances in Prospect Theory: Cumulative Representation of Uncertainty". *Journal of Risk and Uncertainty*, n. 5, pp. 297-323, 1992.
VOIT, Johannes. *The Statistical Mechanics of Financial Markets*. Heidelberg: Springer, 2001.
VON MISES, Richard. *Probability, Statistics, and Truth*. Nova York: Dover, 1957 (1928).
VON PLATO, Jan. *Creating Modern Probability*. Cambridge: Cambridge University Press, 1994.
WATTS, Duncan. *Six Degrees: The Science of a Connected Age*. Nova York: W. W. Norton, 2003.
WEGNER, Daniel M. *The Illusion of Conscious Will*. Boston: MIT Press, 2002.
WEINBERG, Steven. *Facing Up: Science and Its Cultural Adversaries*. Boston: Harvard University Press, 2001.
WILSON, Edward O. *Sociobiology: The New Synthesis*. Boston: Harvard University Press, 2000.
_____. *The Future of Life*. Nova York: Knopf, 2002.
WILSON, Timothy D. *Strangers to Ourselves: Discovering the Adaptive Unconscious*. Boston: Belknap Press of Harvard University, 2002.

WILSON, Timothy D.; CENTERBAR, D. B.; KERMER, A.; GILBERT, D. T. "The Pleasures of Uncertainty: Prolonging Positive Moods in Ways People Do Not Anticipate", *J Pers Soc Psychol*, v. 88, n. 1, pp. 5-21, jan. 2005.

_____; GILBERT, D.; CENTERBAR, D. B. "Making Sense: The Causes of Emotional Evanescence". In: BROCAS e CARILLO, 2003.

_____; MEYERS, J.; GILBERT, D. "Lessons from the Past: Do People Learn from Experience That Emotional Reactions Are Short Lived?". *Personality and Social Psychology Bulletin*, 2001.

WINSTON, Robert. *Human Instinct: How Our Primeval Impulses Shape Our Lives*. Londres: Bantam, 2002. [Ed. bras.: *Instinto humano: como os nossos impulsos primitivos moldaram o que somos hoje*. São Paulo: Globo, 2006.]

ZAJDENWEBER, Daniel. *L'économie des extrèmes*. Paris: Flammarion, 2000.

ZAJONC, R.B. "Feeling and Thinking: Preferences Need No Inferences". *American Psychologist*, n. 35, pp. 151-75, 1980.

_____. "On the Primacy of Affect". *American Psychologist*, n. 39, pp. 114, 117-23.

ZIZZO, D. J.; OSWALD, A. J. "Are People Willing to Pay to Reduce Others' Incomes?". *Annales d'Economie et de Statistique*, n. 63/64, pp. 39-62, jul.-dez. 2001.

Índice remissivo

ABC Group (comportamento adaptativo e cognição), 198
Abelson, Alan, 82
acumuladores, 150-2
Adams, Evelyn, 164
adaptações, 199, 274
adaptações de domínio geral, 199, 272, 274
adaptações de domínio específico, 199, 273-4
adequação da regra aos dados ver data snooping
administração corporativa, 247
afetiva, heurística, 191, 195, 259, 272
afirmação dedutiva, definição, 88
afirmação indutiva, 88, 130
afirmações testáveis, 128-30
agendas, 250-2
aglomerados, 172, 180
aglomerados cancerígenos, 172
Akerlof, George A., 132
Al-Ghazali, 230, 275
alavancagem, 104
Albouy, François-Xavier, 259
aleatoriedade: aglomerados cancerígenos e, 172; alteração de regime e, 109; benefícios da, 248-52; ceticismo probabilístico e, 57-8; comparação de desempenho e, 169; comparada com a sorte, 173; comparada com desempenho, 160; compreensão equivocada da importância da, 155, 159; dinâmica da fama e, 177; discurso literário comparado com científico, 90-4; efeito onda de sorte e, 159; emoções e, 86-7, 218; estados hedônicos, 278; estresse e, 261; evolução e, 110; "fundos de fundos" e, 169; gestores de fundos e, 155; joguetes da, 52, 64, 105-8; na arte e na poesia, 93-4; não linearidade e, 181-2; parecer aleatório e, 172; problema da indução e, 127; propriedade escalar, 85; resistência à, 44, 51, 70; Soros e, 133; vieses e, 145
Aleatoriedade (Bennett), 204
Alexandre, o Grande, 57
Alhakami, A., 259
alisamento do núcleo, 212
Ambarish, R., 267
amígdala, 234, 275
Amini, F., 260, 273
amnésia, 74, 260
análise das séries temporais, 119-20, 122, 125, 155
análise de cenários, 50
ancoragem, 191-3, 261
"Apoleipein o Theos Antonion" (Kaváfis), 241
apostas com dados errados, problema, 276

aprendizagem camuflada, 260
aquecimento global, debate sobre, 118
Aquiles, 58
arbitragem estatística, 128
Aristóteles, 256
Arnheim, Rudolf, 263
Arrow, Kenneth, 50, 270
Arthur, Brian, 178, 268
assimetria, 111, 118, 124, 139; negativa, 265
astrologia, 136
atribuição, viés da, 237, 267
autocinético, efeito, 263
autocontradição, 232-3

Babbage, Nigel, 232
backtest, 165-7
Baco, 241
Bacon, Francis, 127-8
Banateanu, Anne, 277
Barabási, Albert-László, 268
Barber, B. M., 275
Bates, Elisabeth, 273
Baudelaire, Charles, 94
Bechara, A., 273
Becker, Lawrence C., 277
Bennett, Deborah, 204, 274
Bergson, Henri, 220
Bernstein, Peter L., 276
Berra, Yogi, 29, 58, 135
Berridge, Kent C., 271
Bevelin, Peter, 278
biologia evolutiva, 71-2, 252
Blakeslee, S., 273
Bloomberg, máquina, 210
Bolsa de Chicago, 44
Borges, J. L., 94
Bouvier, Alban, 269
Brent, Joseph, 257
Breton, André, 93
Brock, W. A., 268
Brockman, John, 262
Buffett,Warren, 150
Bulhak, Andrew C., 90

Buridan, Jean, 182
Burnham, Terence C., 196, 258, 272
burro de Buridan, 181, 249

caçadores de crises, 124
cadáveres delicados, exercício, 92-3, 262
Camerer, C., 287, 273
caminho aleatório, 67-8, 70, 178
caminhos de amostragem, 66, 77, 83-4, 110
Campbell, Jeremy, 262
Canetti, Elias, 94
cão que não latia, 172
caos, teoria do, 176
cara ou coroa, 157
Carlos, trader de títulos de mercados emergentes, 95-101, 105, 162
Carnap, Rudolf, 276
Carnéades de Cirene, 229-30
Carter, Rita, 258, 273
caso referência, problema do, 171
Catão, o Velho, 230
catástrofes, 259
causa e efeito, 63-4
causa imediata, 271
causa última, 271
causalidade, 211-2, 271
cegueira à probabilidade, 270
cegueira às opções, 205-7
Centerbar, B., 261
cérebro emocional, 200-1, 273
cérebro emocional, O (LeDoux)
cérebro humano: assimetria, 261; combinações lineares, 183; físico e emocional, 200-1, 273; não linearidades e, 181; propriedades físicas, 200; teoria do cérebro trino, 200
certeza, 46, 49; *ver também* incerteza
César, Júlio, 57, 176
ceticismo, 57-8, 230-1
Céticos árabes (Al Ghazali), 275
Chancellor, Edward, 261
charlatanismo, 126, 136, 164, 235
Chicago Mercantile Exchange (CME), 31, 33
Cicero, 231

ciclos de retorno em cascata, 132, 263
ciência normativa, 189
ciência positiva, 189
cientificismo, 126, 271
cientistas: ciência e, 237; como traders de Wall Street, 53-4; dois cérebros, 54; Jean-Patrice e, 56; russos, 53-4
Círculo de Viena, 88-9, 94, 137
Ciro, rei da Pérsia, 30
cisne negro, problema do: Carlos e, 162; definição, 30, 50; hedge fund de Merton e, 81; indução e, 127, 129, 135, 140; LCTM e, 236; Nero Tulip e, 184-5
Claparède, Edouard, 73, 201
Claudel, Paul, 134
Cleópatra, 176
CNBC, TV, 208-9, 220
CNN, 94
código da Bíblia, O (Drosnin), 164
código Da Vinci, O (Brown), 164
cognição, efeito das emoções sobre a, 259
coincidências, 161-3, 165
combinação linear, 183
compensação corporativa, 245-6, 248
complexidade, 59, 61, 179
compradores na queda, 98, 108
Comte, Auguste, 137
condicional, informação, 219-20
conhecimento clínico, 255
conhecimento ver epistemologia
Conlan, Roberta, 273
conspiração, teorias da, 164
contato visual, 218, 275
contribuições, visibilidade das, 245-8
coragem, 257
Corpo de Bombeiros, efeito, 100, 263
correção e inteligibilidade, 62
correlação, 269
Cosmides, L., 272
Cover, T. M., 262
Crédit Suisse First Boston, 222
Crescente Fértil, 197
Creso, rei da Lídia, 29-30, 77

Csikszentmihalyi, Mihaly, 288, 274
curiosidade intelectual, 51-2, 97
curva do sino, 113, 180, 268
Czerlinski, J., 274

Damásio, Antonio, 200-1, 258, 260, 273
darwinismo, 108-9, 263-4
darwinismo ingênuo, 263-4
data snooping (adequação da regra aos dados), 166
Davies, N. B., 272
Dawkins, Richard, 89, 109, 262, 271
De Lima, P. J. F., 268
De Vany, Art, 123, 265
Debreu, Gerard, 50, 179, 259
dependência do caminho, 177-8, 233-4
Derrida, Jacques, 90
Desafio aos deuses (Bernstein), 276
Descartes, R., 255
desempenho: comparado, 169; compreensão equivocada de, 155; inferência e, 143-4; medidas de, 47; propriedades contraintuitivas, 155
determinismo histórico, 75-6
Deutsch, David, 259
DeWitt, B. S., 259
Diaconis, Percy, 164
dialética, 230
Diener, E., 262, 272
difamação da história, 50, 74-5
diferencial de taxa de juros, 102-3
dinâmica não linear, 176, 268
discursos, elaborados aleatoriamente, 91
disponibilidade, heurística da, 194, 203, 259
distribuição, 160-5
ditos populares e provérbios, 62, 260
dólar americano, 106, 120
Dos Passos, John, 165
Drosnin, Michael, 164
Dugatkin, Lee Alan, 263

"e se", análise, 50
econometria, 119, 125-6
economia: como ciência normativa, 189; de Hollywood, 265; incerteza e, 50, 188, 259;

método do espaço de estados, 50; neoclássica, 132, 189; visão de Soros, 132
Edmonds, D., 266
efeito autocinético, 263
efeito Corpo de Bombeiros, 100, 263
efeito da esteira rolante, 149, 250
efeito "era óbvio depois que aconteceu", 191
efeito janeiro, 161
efeito montinho de areia, 175-6
efeito onda de sorte, 159
Eidinow, J., 266
Einstein, Albert, 62, 69
elegância pessoal, 242
Elster, Jon, 258
Éluard, Paul, 93
Em busca do tempo perdido (Proust), 39, 232
emoções: acaso e, 87, 218; efeito na cognição, 259; exemplo da desnutrição, 61; exemplo da doença da vaca louca, 61; pensamento com, 206; probabilidade e, 218; risco e, 61, 258, 273; sociais, 43, 258
empirismo, 89, 127, 131, 188
endógena, incerteza, 259
enigma do prêmio de risco, 266
entropia, 262-3
epifenomenalismo, 63-4, 260
epistemologia, 70, 128
"era óbvio depois que aconteceu", efeito, 191
ergodicidade, 77, 110, 160, 246
erro de Descartes, O (Damásio), 200
erros, 76
erros cognitivos na previsão, 257
escala do tempo, exemplo do dentista aposentado, 83-7
escolhas racionais, 270
espaço de estados, método, 50
espaço unidimensional, 203
estacionaridade, 125
estados de natureza, 50, 259
esteira hedônica, 273
esteira rolante, efeito da, 149, 250
estoicismo, 239, 241-2, 277
estresse, 86, 261
Evans, Dylan, 258, 272

eventos raros, 30, 109-10, 116-8, 120-4, 237
Everett, Hugh, 49, 259
evolução: acaso e, 110; como conceito probabilístico, 263-4; distinção entre causa imediata e última, 271; mutações negativas, 109; Nozik e, 118; sobrevivência dos mais aptos, 82; teorias ingênuas, 108-10; teóricos da, 274; uso indevido do darwinismo, 108-10
expectativa de vida, 209
expectativa do máximo desempenho, 158
Exuberância irracional (Shiller), 58
Eysenck, M.W., 255

falibilidade, 257
falsificacionismo, 137
fama, 177
fator de ingratidão, 50-1
felicidade, incerteza e, 248-2
Feynman, Richard, 72
ficha de desempenho, 143, 155, 158, 160-1
filosofia de trabalho, 36, 134
filósofos burocratas, 186-7
filósofos: como cientistas, 265; ideia de mundos possíveis, 49; probabilidade e, 276-7
Filóstrato, 83
finanças e economia comportamentais, 188-9, 274
Finucane, M. L., 259
Fischhoff, Baruch, 254, 257
física: como ciência positiva, 189; como ferramenta, 69; como formação de traders de Wall Street, 53; universos paralelos, 49
física newtoniana, 136
fluxo, 206, 274
Fodor, Jerry, 200, 272-3
Frank, Robert, 257
frase de efeito, 191
Frederick, S., 272
frequência, 112, 117, 199
Friedman, Milton, 188, 257
Fukuyama, Francis, 260
funcionários públicos, 75-6
Fundo Monetário Internacional, 101
"fundos de fundos", 169

Galbraith, John Kenneth, 261
garimpagem de dados, 163-4, 267
Gates, Bill, 178
Gehring, W. J., 261
gene egoísta, O (Dawkins), 89
Georgescu-Roegen, Nicholas, 263
gerente de riscos, 62-3
gerontocracia, 82-3
Gigerenzer, Gerd, 198, 274, 278
Gilbert, D., 261
Gillies, Donald, 276
Gilovich, T., 272
Gladwell, Malcolm, 180, 268
Glimcher, Paul, 273
Goleman, Daniel, 258, 261
Goodman, Nelson, 266
Górgias, 231
Gould, Steven Jay, 109, 111
Graham, N., 259
Grant, Jim, 82
Grasso, Richard, 248
Greene, Graham, 48, 221
Greenspan, Alan, 160
Griffin, D., 272

Hacking, Ian, 276
Hacohen, Malachi Haim, 266
Harsanyi, John, 132, 270
Hayek, F. A., 137, 266
hedge funds, 81, 98, 121-2, 267
Hegel, George W. F., 91-2, 133, 262
heróis, 57, 150, 197, 239
heurística afetiva, 191, 195, 259, 272
heurística da disponibilidade, 194, 203, 259
heurística da representatividade, 194
heurística "quarterback um dia depois do jogo", 191
heurísticas, 188, 191-5, 272, 274
Hilton, Denis, 257, 275
Hirshleifer, J., 259
história: aprendendo com, 72, 74; difamação da, 50, 74-5; jornalismo e, 78, 86; mercados financeiros e, 77-8

histórias alternativas, 47-9, 66, 70-3
historicismo pseudocientífico, 72, 260
Hollywood, economia de, 265
Holmes, Sherlock, 173, 278
Homero, 197, 217
Horrobin, David, 258
Hosoda, M., 278
Hsee, C. K., 259, 265
Hsieh, David A., 268
Huang, C. F., 259
Hume, David, 127, 230

idiotas sortudos, definição, 42
Ilíada (Homero), 57
ilusão de conhecimento, 275
imitação, 263
impasses, 181-2
Imposturas intelectuais (Sokal), 89
imprevisibilidade, 251-3
incerteza: benefícios da, 248-51; comportamento ante a, 73, 183, 188, 265; conhecimento e, 230; economia e, 50, 188, 259; endógena, 259; felicidade e, 248-51, 278; histórias alternativas e, 49; tomada de decisão e, 79
indução: definição, 139; enigma de Goodman, 266; LTCM e, 237; *O milionário mora ao lado* e, 151; problema da, 30, 50, 127-40; resposta de Popper, 135-7
infalibilismo, 257
inferência: afirmação do consequente, 255; como ilusão de conhecimento, 275; desempenho passado e, 143-4; estatística, 32, 136, 226, 256; indutiva, 139; problema da indução e, 30, 50, 127-40
informação: comparada com ruído, 78-80, 83, 212-3; condicional, 219; destilada comparada com não destilada, 81; exemplo do dentista aposentado, 83-6; risco e, 61; tóxica, 79
Ingersoll, Jonathan E., 259
intelectuais científicos, 88-9, 196, 257, 262; comparados com literários, 88-92, 262
intelectuais literários, 88-94
intelectuais públicos, 262

introspecção, 51-2, 69, 80
investidores: comparados com traders, 107; fator de ingratidão, 50

janeiro, efeito, 161
Jaynes, E. T., 256
Jean-Patrice (chefe), 55-6, 63, 75
jogo, 112, 198, 235, 264
John (trader de alto rendimento), 38-41, 101-5, 110, 162
John Doe A (faxineiro), 45, 77
John Doe B (dentista), 45
Johnson, S. M., 259
Jonas, Stan, 113
jornalismo: compreensão e, 207-14, 256; emoções e, 61; George Will e, 58-9; história e, 78, 86; ponderado comparado com impensado, 82; risco e, 61; ruído comparado com informação, 78-80, 210-3
julgamentos de crimes, 201-2

Kafka, Franz, 203
Kahneman, Daniel, 60, 73, 188-9, 194-6, 257, 261-2, 265, 271, 274-5
Kaletsky, Anatole, 82
Kant, Immanuel, 230
Kasser, Tim, 278
Kaváfis, K. P., 83, 240-1
Keane, M. T., 255
Kenny (chefe), 55-6, 62
Keynes, John Maynard, 69-70, 136, 188, 260, 263, 270, 277
Kindleberger, Charles P., 261
Knetsch, J. L., 257, 275
Knight, Frank, 188
Kreps, David M., 272
Kripke, Saul, 49, 258
Krugman, Paul, 186
Kurz, Mordecai, 259
Kyburg, Henry, 277

Lannon, R., 260, 273
LeBaron, B., 268

LeDoux, Joseph, 200-1, 259-60, 273
lei dos grandes números, 246
lei dos pequenos números, 263
Leibniz, Gottfried, 49, 109
Les gommes (Robbe-Grillet), 260
Levi, Isaac, 277
Lewis, T., 260, 273
Lichtenstein, S., 257
Linda, problema, 195, 203
Lineu, Carl, 109
Litzenberger, R. H., 259
Loewenstein, G., 259, 273
Long Term Capital Management (LTCM), fundo, 235, 237
long-term capital management, 261
Los Alamos, laboratório, 68
Lourdes, França, 171
Lovallo, D., 257
Lowenstein, Roger, 261
LTCM (Long Term Capital Management), fundo, 235, 237
Lucas, Robert, 126, 265, 278
Luce, R. D., 270
Luck (Rescher), 277

MacGregor, D. G., 259
MacKay, Charles, 261
Magee, Bryan, 138, 266
Mandelbrot, Benoit, 181, 269
Maquiavel, 155
Marc (advogado de Nova York), 146-9
Marco Antônio, 176
Markowitz, Harry, 235, 275
Marr, David, 200
Marshall, Alfred, 188
Martignon, L., 274
marxismo, 90, 126
matemática: comparada com simulações Monte Carlo, 180; probabilidade e, 198, 229, 235, 256
matemáticos: comparados com cientistas, 52; método Monte Carlo e, 68; puros, 52, 65, 68-9

maximizador comparado com satisfatório, 250
MBAs, 52-3, 59, 253
McBurney, Peter, 255, 271
mecânica quântica, 49, 52, 109
média, mediana, 111, 118
medicina: alternativa, 170-1; pesquisa e probabilidades, 207-8; teste de probabilidade, 204-5
medo e genética, 260
Meehl, Paul E., 237, 255
memória, 139, 260; explícita/implícita, 260
Menand, Louis, 257
mercado editorial, 123
mercados eficientes, 81, 189
mercados emergentes, títulos de, 95-101
Merton, Robert C., 81, 235
método do espaço de estados, 50
Meyers, J., 261
Microsoft, 178
mídia *ver* jornalismo
milionário mora ao lado, O (Stanley), 149-52, 256, 266
Milken, Michael, 152
Mill, John Stuart, 127
Miller, Geoffrey F., 264, 278
modularidade, 272-3
moedas, 106, 120, 122, 252
Monod, Jacques, 108
Montaigne, Michel de, 255
Monte Carlo, simulações: biologia evolutiva e, 71-2; cara ou coroa, 157; comparadas com matemática, 180; construção de máquinas, 70-1; criação de histórias alternativas usando, 66; definidas, 67; discurso literário e, 90-1; exemplo do dentista aposentado, 83-6; geração de caminhos aleatórios, 67; história, 68; histórias alternativas e, 70-3; processo Polya, 179; sobre, 66
Montherlant, Henry de, 239
montinho de areia, efeito, 175-6
Mosteller, Frederick, 164
Motor Dada, 90
motoristas de táxi de Nova York, 222
mudança de regime, 82, 109

Mumford, David, 256
"mundo pequeno", situações, 163
mundos possíveis, 49, 258
Myers, David G., 260

Nadeau, Maurice, 262
não aleatoriedade, 171-2
não linearidade, 175, 178, 181
Nash, John, 132
negação, 107
negociação de ativos e derivativos (proprietary trading), 34-7
neoclássica, economia, 132, 189
neurobiologia, 200-1, 271, 275
Niederhoffer,Victor, 128-31, 266
Nobel, Alfred, 126, 187, 235
Nobel, Prêmio, 62, 170, 189, 235
Nós (Zamiátin), 271
Nova York, motoristas de táxi de, 222
Nozik, Robert, 118, 265

O. J. Simpson, julgamento de, 201-2, 220
O'Connell, Marty, 100
obliquidade, 30, 112, 116, 179, 265
Odean, T, 275
Odisseia, 217
Omega TradeStation, 166
Onassis, Jackie Kennedy, 241
onda de sorte, efeito, 159
Onze de Setembro, ataques, 61, 76
opção de compra de ações, 205
opções como ativo, 205-7
ordem de precedência, 39-40, 43, 115, 149, 258
Oswald, A. J., 258
Otaviano, 241

Paglia, Camille, 90
paradigma de probabilidade convencional, 276
paradoxo do aniversário, 163
parar as perdas, 100, 107, 140
Pareto, lei de potência de, 180
Pareto-Levy, distribuições, 268

Pascal, Blaise, 139, 176, 276
Pátroclo, 57
Pauling, Linus, 170
Pearson, Karl, 171-2
Peirce, Charles S., 236, 257
pensamento, 186-7
pensamento destilado, 78-9, 82
pequenos números, 263, 265
perda de perspectiva, viés da, 192
Perse, Saint-John, 94
Pesaran, Hashem, 125
peso, problema do, 121-2
Peters, E., 259
Phelan, J., 272
Phillips, L., 257
pi, cálculo de, 68
Piattelli-Palmarini, Massimo, 270
Pinker, Steven, 196, 257, 271-2
Pirro, 226
Platão, 133
Plotkin, Henry, 263
Plutarco, 176
poesia: aleatoriedade e, 93-4; traduzida, 93-4
Polya, processo, 178-9
ponto da virada,O (Gladwell), 180, 268
Popper, Karl, 89, 92, 130-8, 179, 218, 226, 230-1, 236, 262, 266
portfólio, teoria do, 275
posição absoluta/relativa, 40-1, 257
positivismo, 137
Posner, Richard A., 262
potência, dinâmica da lei de, 180, 269
PowerPoint, 247
Powers, Jimmy, 273
Prelec, D., 273
Prêmio de Ciências Econômicas em Memória de Alfred Nobel, 126, 187, 235
prêmio de risco, enigma do, 266
Prêmio Nobel, 62, 170, 189, 235
prevenção de riscos, 61, 74, 259-60, 273
probabilidade: ceticismo e, 57-8, 231; como introspectiva, 69; composta, 202-3; condicional, 202, 204; contadores e, 51; definição, 45; desvio da norma, 159; dificuldades para entender, 59-60; Einstein e, 69-70; emoção e, 218; exemplo do jogo, 112; julgamentos de crimes e, 201-2; Keynes e, 69-70; linguagem e, 262; macacos e máquinas de escrever, 143-4; matemática e, 198, 229, 235, 256; na filosofia, 276-7; ocorrências de "mundo pequeno" e, 163; otimização da, 199; paradoxo do aniversário, 163; processo Polya e, 179; processos estocásticos, 66-7; roleta-russa e, 47-8; visão de Mumford, 256
problema do caso referência, 171
problema transeccional, 101
processos estocásticos, 66-7
Proust, Marcel, 39, 197, 232
provérbios e ditos populares, 62, 260
pseudociência, 126, 133
pseudopensadores, 91-2
psicologia evolutiva, 195-6, 199, 272
psicopatas, 43, 234, 258

quants, 69
"quarterback um dia depois do jogo", heurística, 191
QWERTY, teclado, 177

Rabin, Yitzhak, 164
racionalidade, 270-1; ecológica, 199
Raiffa, H., 270
Ramachandran,V. S., 273
Ratey, John J., 273
realidade: como uma roleta viciada, 50-1; falso senso de segurança e, 50; geradores de, 63
redes, 178, 180-1, 268
regras, 186, 188, 190; *ver também* heurísticas
regras de trading, 165-6
regressão à média, 159
remissão espontânea, 170
representatividade, heurística da, 194
Rescher, Nicolas, 277
resenhas literárias, 165, 219
resultados: como medida do desempenho, 47; comparados aos caminhos, 66; possíveis, 45,

203, 229, 275; probabilidades e, 66; reslizados e não realizados, 72; subestimados, 275
retrospectivo, viés, 76, 191, 254
Riley, J. G., 259
riqueza, reprogramação, 193, 261, 274
risco: Alexandre, o Grande e, 57; aversão ao, 35, 37; emoções e, 60-1, 258, 273; exemplo da apólice de seguro, 60; exemplo do terremoto, 60; gerenciamento do, 62-3; histórias alternativas e, 49; impressão de redução, 63; Jean-Patrice e, 55-6; John, trader de alto rendimento e, 103; Júlio César e, 57; na realidade viciada, 50; na roleta-russa, 50; subestimado, 207
"risco como sensação", teoria, 191, 259
riso, O: Ensaio sobre a significação da comicidade (Bergson), 220
Robbe-Grillet, Alain, 260
Rogers, Jim, 116, 118
roleta-russa, 47-8, 50
roletas, 171-2
Rose, Lauren, 52
Rottenstreich, Y. R., 265
Rozan, Jean-Manuel, 233, 275
ruído, 78-80, 82-7, 210-3, 227

sabedoria emprestada, 62
Sagan, Carl, 171
Samuelson, Paul, 179, 188
Santa Fe Institute, 178, 180
Sapolsky, Robert M., 261
satisfatório comparado com maximizador, 250
satisficing, 187, 250
Schadenfreude, 42, 243
Schleifer, Andrei, 274
Scholes, Myron, 235
Schwartz, Barry, 278
Schwarz, N., 262, 272
seleção adversa, 162
seleção, viés de, 162
Sêneca, 242
sensacionalismo, 61
serotonina, 42-4, 258

Shackle, George L. S., 188, 277
Shahami, C., 278
Sharpe, índice de, 267
Sharpe, William, 267
Shefrin, Hersh, 274
Shiller, Robert, 58-9, 80-1, 259, 261
Shizgal, Peter, 261
Siegel, L., 267
Simon, Herbert, 187, 189, 201, 271
sinal e ruído, 212-3, 227; *ver também* informação
sistema legal soviético, 190
sistemas de raciocínio, 195, 272
Skinner, B. F., 225-6, 275
Sloman, Steven A., 272
Slovic, P., 259, 272
Smith, Vernon, 189
sobrevivente, viés do *ver* viés do sobrevivente
sobreviventes espúrios e reversos, 162
sociobiologia, 264, 272
Sócrates, 229
Sokal, Alan, 89-90, 262
Sólon, 30, 72, 76, 78, 110, 140
Sornette, Didier, 263, 268
Soros, George, 107, 117, 132-4, 138, 150, 157, 233-4, 237, 266
sorte: acaso e, 155; cara ou coroa, 157; *data snooping* e, 166; efeito onda de sorte e, 159; fabricada com a máquina Monte Carlo, 156; visão de Maquiavel, 155
sorte comparativa, 169
Sowell, Thomas, 257
Spitznagel, Mark, 181, 269
Stanley, T.J., 256, 266
Stanovich, K., 274
Stix, Gary, 82
Sullivan, R., 166, 267
superconfiança, 191
superstição, 92, 223-4
Sussman, Donald, 64

tabagismo, 228
Taszka, T., 267

teclado QWERTY, 177
televisão, alienação à, 220-1
televisão, especialistas financeiros na, 208-9
Tempelsman, Maurice, 241
teoria do caos, 176
teoria do portfólio, 275
teorias da conspiração, 164
Thaler, Richard H., 257, 274-5
Thomas, J. A., 262
Timmermann, A., 166, 267
tiques de jogador, 224
títulos de mercados emergentes, 95-101
títulos do Tesouro, 36
tomada de decisões e incerteza, 79
Tooby, J., 285, 272
Toulmin, Stephen, 255
touros e ursos, 71, 113-5
traders: cientistas como, 52-3; comparados a gerente de riscos, 62; comparados com investidores, 107; de opções, 195, 206; decisões racionais comparadas com irracionais, 227; joguetes do acaso, 52, 106-7; mais velhos, 82; probabilidades e, 195; que resistem mais tempo, 51; touros *vs.* ursos, 71; *ver também* Carlos (trader de títulos de mercados emergentes); John (trader de alto rendimento)
Tranel, D., 273
transeccional, problema, 101
Tratado sobre a probabilidade (Keynes), 70, 260, 277
Tulip, Nero, 31-7, 44, 117, 184-5, 243
Turing, teste de, 89
Tversky, Amos, 188-9, 194-6, 257, 261, 265, 272, 274

Unabomber, 65
Universidade Carnegie-Mellon, 187
Universidade Monash, 90, 262
universos paralelos, 49, 89
utopia, 257

vaca louca, doença da, 61
valores extremos, 117, 159

"value at risk", 276
vendas de livros, 268
viés: acaso e, 145; *ver também* viés do sobrevivente
viés da atribuição, 237, 267
viés da perda de perspectiva, 192
viés de seleção, 162
viés do sobrevivente: definição, 160; efeito janeiro e, 161-2; erro de ignorar, 152-3; escolha de profissão e, 45; exemplo Marc e Janet, 148-9; "fundos de fundos", 169; Kenny e, 55; na ciência, 172; *O milionário mora ao lado* e, 150-1; regras de trading e, 166; resenhas de livros e, 165; tamanho da população inicial e, 160; traders ruins e, 107
viés retrospectivo, 76, 191, 254
Voit, Johannes, 269
volatilidade, 80, 123, 158; dos mercados, 61, 80
Von Hayek *ver* Hayek, F. A.
von Mises, Richard, 276
Von Plato, Jan, 276

Walras, Leon, 179
Wason, tarefa de seleção de, 272
Watts, Duncan, 268
Weber, E. U., 259
Wegner, Daniel M., 260
Weinberg, Steven, 262
Welch, E. S., 259
West, R., 274
White, H., 166, 267
Will, George, 57-9, 63, 78, 81, 94
Willoughby, A. R., 261
Wilmott, Paul, 165
Wilson, E. O., 261, 264, 272, 278
Winston, Robert, 272
Wittgenstein, Ludwig, 89; régua de, 219, 236

xadrez, mestres, 53

yield hogs, 98; ver também hedge funds

Zajdenweber, Daniel, 269

Zajonc, R. B., 272
Zamiátin, Ievguêni, 271
Zarate, O., 272
Zenão de Cítio, 241

zero à esquerda metido a besta, 247
Zielonka, P., 267
Zizzo, D. J., 258
zorglubs, 71-2

1ª EDIÇÃO [2019] 11 reimpressões

ESTA OBRA FOI COMPOSTA PELA ABREU'S SYSTEM EM INES LIGHT
E IMPRESSA EM OFSETE PELA LIS GRÁFICA SOBRE PAPEL PÓLEN DA
SUZANO S.A. PARA A EDITORA SCHWARCZ EM FEVEREIRO DE 2025

A marca FSC® é a garantia de que a madeira utilizada na fabricação do papel deste livro provém de florestas que foram gerenciadas de maneira ambientalmente correta, socialmente justa e economicamente viável, além de outras fontes de origem controlada.